Ce qu'on dit du *Bouillon de poulet pour l'âme des célibataires*

« *Ce livre présente les réalités importantes, difficiles e fois étonnantes de la vie de célibataire de nos jours. Qu que a été, est ou pourrait être célibataire devrait en ga. un exemplaire à portée de la main.* »

TRISH MCDERMOTT, *conseillère et courriéris*

« *Merci d'avoir pensé aux célibataires! Ces histoires nous aident à "faire du célibat le meilleur moment de notre vie". Je suggère à tous les célibataires de lire le livre en entier, car il nous aidera à "faire de chaque minute un moment mémorable".* »

RIC MANDELBAUM, *président*

« Bouillon de poulet pour l'âme des célibataires *est le compagnon idéal si vous cherchez l'amour et la loyauté. Ces récits inspirants ne vous décevront jamais, peu importe le nombre de fois où vous y puiserez.* »

ANDREA ENGBER, *éditrice*

« *Nous avons tous des journées où nous n'avons besoin que d'être encouragés par les autres. C'est ce que fait* Bouillon de poulet pour l'âme des célibataires. *Il présente des histoires d'hommes et de femmes comme vous et moi, qui, dans le brouhaha des ennuis de chaque jour, se sont arrêtés pour écouter les grandes leçons que leur sert la vie. En lisant leurs aventures, puissions-nous trouver, vous et moi, des forces nouvelles pour continuer notre aventure — chaque "personne seule" que nous sommes.* »

D^{RE} LYNDA HUNTER, *éditrice*

avez envie de dorloter votre "pauvre moi de
ire"? Pas question! Sautez sur Bouillon de poulet
*âme des célibataires. Ces histoires parleront à tout
e célibataire, même à vous! Certaines de ces histoires
nuent en vous et vous prennent par surprise. Pendant
vous y êtes, achetez une couple d'exemplaires. Parce
n adulte célibataire de votre connaissance a besoin de ce
re, maintenant!* »

HAROLD IVAN SMITH, *auteur*

« *Le secret du célibat heureux est de se reconnaître soi-même comme un bon ami.* Bouillon de poulet pour l'âme des célibataires *l'exprime parfaitement.* »

JANET SUSSMAN, *conseillère, auteure et musicienne*

« *Ce livre offre un soutien spirituel et inspirant à tout célibataire.* »

JANET L. JACOBSEN, *éditrice*

« Bouillon de poulet pour l'âme des célibataires *est comme un meilleur ami qui vous donne le soutien, l'inspiration et les rires dont vous avez besoin dans "la grande aventure du célibat".* »

ANTHONY LAWLOR, *auteur*

« Bouillon de poulet pour l'âme des célibataires *est un livre qui réchauffe le cœur, qui est rempli d'amour et de rires pour soulager et régénérer l'âme!* »

GARY GRAY, *rédacteur en chef et éditeur*

Jack Canfield, Mark Victor Hansen
Jennifer Read Hawthorne
Marci Shimoff

Bouillon de Poulet pour l'âme des Célibataires

Des histoires d'amour et d'inspiration
pour les personnes seules : célibataires,
séparées, divorcées ou veuves.

Traduit par Claire Laberge

SCIENCES ET *CULTURE*

Montréal, Canada

L'édition originale de cet ouvrage a été publiée sous le titre
CHICKEN SOUP FOR THE SINGLE'S SOUL
© 1999 Jack Canfield et Mark Victor Hansen
Health Communications, Inc., Deerfield Beach, Floride (É.-U.)
ISBN 1-55874-706-0

Réalisation de la couverture : Alexandre Béliveau

Tous droits réservés pour l'édition française
en Amérique du Nord
© 2001, *Éditions Sciences et Culture Inc.*

Dépôt légal : 4e trimestre 2001
Bibliothèque nationale du Québec
Bibliothèque nationale du Canada

ISBN 2-89092-292-8

 Éditions Sciences et Culture
5090, rue de Bellechasse
Montréal (Québec) Canada H1T 2A2
(514) 253-0403 Fax : (514) 256-5078
Internet : www.sciences-culture.qc.ca
Courriel : admin@sciences-culture.qc.ca

Nous reconnaissons l'aide financière du gouvernement du Canada
par l'entremise du Programme d'Aide au Développement de l'Indus-
trie de l'Édition pour nos activités d'édition.

Table des matières

Les citations

Pour chacune des citations contenues dans cet ouvrage, nous avons fait une traduction libre de l'anglais au français. Nous pensons avoir réussi à rendre le plus précisément possible l'idée d'origine de chacun des auteurs cités.

*Avec amour, nous dédions ce livre
à toutes les personnes seules
sur le chemin de la vie.*

Remerciements

Pour nous tous, *Bouillon de poulet pour l'âme des célibataires* a été un travail fait par plaisir. L'une des grandes joies que nous a apporté la création de cet ouvrage a été de collaborer avec des gens qui ont non seulement consacré à ce projet temps et attention, mais qui y ont aussi mis leur cœur et leur âme. Nous voulons remercier les personnes suivantes de leur dévouement et de leur apport, sans lesquels ce livre n'aurait pas vu le jour :

Nos familles, qui nous ont accordé amour et soutien tout au long de ce projet, et qui ont été notre bouillon de poulet pour l'âme!

Inga, Travis, Riley, Christopher, Oran et Kyle, pour tout leur amour et leur soutien.

Patty, Elizabeth et Melanie Hansen, pour avoir partagé une fois de plus la création d'un autre livre, et nous avoir soutenus affectueusement.

Dan Hawthorne, Amy et William, pour leur amour et leur affection indéfectibles.

Maureen H. Read, pour être toujours là.

Louise et Marcus Shimoff, les meilleurs parents de la terre, pour leur soutien et leur amour éternel.

Beverly Merson, pour avoir mis une fois de plus tout son cœur et son âme dans un autre *Bouillon de poulet pour l'âme*. Nous apprécions énormément le travail extraordinaire accompli à joindre les auteurs de tout le pays, à chercher des histoires, à régler des millions de détails, et à entrer en relation avec nombre de personnes et d'organismes de l'univers des célibataires. Nous n'y serions pas arrivés sans toi.

Bryan Aubrey, Natalie Cleeton, Wendy Miles, Linda Neukrug, Daniel Schantz et Teresa Williams, pour leur brillante version de nombreuses histoires. Vous avez magnifiquement capté la saveur du *Bouillon de poulet pour l'âme*.

Suzanne Thomas Lawlor, pour son engagement et sa persévérance à lire des milliers d'histoires, et à nous aider à dénicher les joyaux.

Craig Herndon, notre héros des manuscrits et de la gestion de l'information, pour son dévouement, sa patience et son engagement à la perfection.

Cindy Knowlton et Sue Penberthy, pour leurs soins attentionnés et leur soutien des vies respectives de Jennifer et de Marci. Votre loyauté, votre cœur et votre humilité nous touchent profondément, et allègent le cours de nos vies.

Patty Aubery, pour la grande amie et collègue qu'elle est — et l'âme qui assure la cohésion du bureau central du *Bouillon de poulet pour l'âme*.

Jeanette Lisefski, pour persévérer à tenir à jour impeccablement les composantes du bureau.

Carol Kline, pour son soutien constant, ses commentaires, son apport et son aide partout où ce fut nécessaire. Tu es une amie précieuse, et nous sommes chanceux de te compter parmi nous.

Joanne Cox, pour son excellente contribution à l'élaboration du manuscrit original.

Peter Vegso, de Health Communications Inc., notre éditeur hors pair, pour sa vision et son engagement à livrer au monde *Bouillon de poulet pour l'âme*.

Heather McNamara, principale éditrice de la série *Bouillon de poulet pour l'âme*, pour sa sagesse, son expérience et son dévouement sincère à terminer notre manuscrit final.

Nancy Autio, pour avoir supervisé le processus des permissions pour les histoires publiées dans ce livre, et pour son soutien indéfectible.

Teresa Esparza, Leslie Forbes, Rosalie Miller, Veronica Romero et Robin Yerian, pour leur gestion exceptionnelle du bureau de Jack Canfield. C'est une joie de travailler à vos côtés.

Laurie Hartman, Laura Rush et Lisa Williams du bureau de Mark Victor Hansen, pour leur aide au marketing et à la promotion de nos livres.

Kimberly Kirberger, pour son soutien permanent dans tous les domaines.

Mark et Chrissy Donnelly, pour leur amitié, leur soutien et leurs efforts de marketing en notre nom.

Christine Belleris, Matthew Diener et Lisa Drucker, nos éditeurs chez Health Communications Inc., et en particulier Allison Janse, notre éditrice en chef, pour leur expertise et leur coopération à chaque aspect du livre.

Terry Burke, Randee Feldman, Larry Getlen, Kelly Maragni, Tom Sand, Kim Weiss et l'unité de marketing de Health Communications Inc., pour avoir mis à contribution leur talent au soutien et à la promotion de ce livre.

Larissa Hise, Bren Frisch, Shepley Hansen et Robbin O'Neill, pour avoir collaboré avec nous si étroitement et si patiemment à la réalisation de la couverture.

Les personnes suivantes, dont la tâche énorme a été de lire la première ébauche de ce livre, nous ont aidés à décider des sélections finales et ont fait des commentaires précieux sur la façon de l'améliorer : Fred C. Angelis, Barbara Astrowsky, Bryan Aubrey, Carolyn Burch, Tom Davenport, Linda DeGraaff, Trina Enriquez, Corina Garona, Larry Getlen, Pam Gordon, Elinor Hall, Amy Hawthorne, Dan Hawthorne, Paul Hindman, Carol Jackson, Carol Kline, Cindy Knowlton, Robin Kotok, Barbara LeMonaco, Suzanne Lawlor, Jeanette Lisefski, Donna Loesch, Barbara McLoughlin, Karen McLoughlin, Heather McNamara, Barbara McQuaide, Beverly Merson, Linda Mitchell, Monica Navarrette, Sue Penberthy, Dick Purnell, Maureen Read, Wendy Read, Carol Richter, Heather Sanders, et Marcus et Louise Shimoff.

Dan Hurley et Bill et Patricia Rayl, pour avoir mené notre concours d'histoires sur America Online.

Jim Rubis et la Fairfield Public Library (Iowa), pour leur aide précieuse à la recherche.

Fairfield Printing (Iowa), en particulier Cindy Sharp, pour leur soutien enthousiaste de notre travail.

Jerry Teplitz, pour son approche inventive des essais de manuscrit et de couverture.

M., pour ses dons de sagesse et de savoir.

Ron et Elinor Hall, pour leur soutien, leurs encouragements et leur amour.

Nous remercions également les personnes nommées ci-après, qui ont pris le temps d'annoncer la parution de ce livre, nous ont aidés à joindre les autres auteurs et à chercher des histoires : Doris Booth, Dan Davidson, Reg A. Forder, Gary Gray, David Hargrove, Lynda Hunter, Janet L. Jacobsen, Eileen Lawrence, Patricia Lorenz, Trish McDermott, Ray Newton, Penny Porter, Dick Purnell, Barbara Schiller, Jeff Shepherd, H. Norman Wright et Steve Zikman.

Nous remercions du fond du cœur tous les coauteurs de *Bouillon de poulet pour l'âme*, grâce à qui l'on se réjouit d'être membre de la famille Bouillon de poulet : Patty Aubery, Jeff Aubery, Marty Becker, Ron Camacho, Tim Clauss, Barbara De Angelis, Mark et Chrissy Donnelly, Irene Dunlap, Patty Hansen, Kimberly Kirberger, Carol Kline, Hanoch et Meladee McCarty, Heather McNamara, Nancy Autio, Maida Rogerson, Martin Rutte, Barry Spilchuk et Diana von Welanetz Wentworth.

Nous aimerions aussi remercier les centaines de personnes qui nous ont envoyé des histoires, des poèmes et des citations (en particulier, Rochelle Pennington!) à inclure éventuellement dans *Bouillon de poulet pour l'âme des célibataires*. Même s'il nous a été impossible d'utiliser tout ce que vous avez envoyé, nous avons été profondément touchés de votre désir sincère de partager avec nous et nos lecteurs un peu de vous-même par vos histoires. Nombre d'entre elles serviront peut-être aux futurs ouvrages du *Bouillon de poulet pour l'âme*. Merci!

En raison de l'envergure de ce projet, il est possible que nous ayons oublié de nommer quelques personnes qui nous ont aidés en cours de route. Si c'est le cas, veuillez nous en excuser — et sachez que nous vous apprécions tous également.

Nous sommes très reconnaissants pour tous les cœurs et toutes les mains qui ont rendu ce livre possible. Nous vous aimons tous!

Introduction

Bienvenue à *Bouillon de poulet pour l'âme des célibataires*! Fait sans précédent dans l'histoire, il y a plus de célibataires que de gens mariés dans notre société. Si vous lisez ce livre, il est probable que vous n'ayez jamais été marié ou que vous soyez divorcé ou veuf.

Ce livre vous fait part de l'amour, des défis et des joies uniques propres à la vie de célibataire. Que vous soyez célibataire par choix ou par les circonstances, ces histoires vous prouveront que vous n'êtes pas seul.

Lorsque nous avons commencé ce livre, nous avions l'intention de compiler des histoires qui s'adresseraient aux nombreux types de gens célibataires — de l'homme ou de la femme de 21 ans jamais marié à la divorcée de 50 ans ou au veuf de 80 ans. Et nous avons découvert que les occasions et les défis qui s'offrent à ces groupes de gens sont nombreux et souvent inspirants.

Par exemple, nous avons inclus des histoires sur le fait d'être « Célibataire et heureux » — une tendance inédite dans notre pays. Pour la première fois, nombre de gens choisissent de demeurer célibataire pour la vie, ce qui était presque inconcevable il y a à peine vingt ans.

Par ailleurs, on ne saurait parler des célibataires sans aborder les désirs qu'ont tant de personnes célibataires de former un couple. C'est pourquoi nous avons inclus les chapitres « Les rendez-vous » et « Trouver l'autre ».

D'autres encore en sont à lâcher prise sur une relation ou pleurent la perte d'un amour. Les histoires de « Célibataire de nouveau » traitent du réaménagement de la vie après un divorce. Les histoires de « Perdre un partenaire » offrent des expériences de guérison après le décès d'un partenaire.

Et puis, il y a les parents célibataires! Trente-trois pour cent de toutes les familles aux États-Unis ont présentement à leur tête un parent célibataire. Nous espérons que les histoires de « Parent célibataire » toucheront le cœur des pères et mères célibataires et les encourageront dans leur parcours.

L'un des aspects les plus satisfaisants de la collaboration à ce livre a été de découvrir la force et l'engagement que mettent bien des célibataires à rendre leur vie enrichissante pour eux et pour autrui. Vous trouverez leurs histoires dans notre chapitre « Changer les choses ».

Nous avons également inclus des histoires à propos de l'incroyable soutien accessible de maintes façons aux célibataires. Dans notre chapitre « Nous ne sommes pas seuls », nous voyons le soutien qui se manifeste souvent au moment où l'on s'y attend le moins ou de façon miraculeuse. Au chapitre « Parents et amis », nous voyons la force du soutien provenant des liens profonds avec la famille et des amitiés importantes.

Enfin, il y a l'amour. L'amour est la plus grande force de l'univers. Même si nous y pensons souvent sous forme de mariage ou de relation intime, il est évident que l'amour emprunte de nombreux visages. Et dans un monde où la moitié de la population est désormais célibataire, nous reconnaissons que l'amour n'est pas l'apanage des personnes en couple. En fait, c'est le fil conducteur qui relie les nombreux types d'histoires de *Bouillon de poulet pour l'âme des célibataires*.

Dans cet esprit d'amour, nous offrons ce livre aux célibataires du monde entier. Peu importe par quelles circonstances vous êtes célibataire, nous espérons que ces histoires vous ouvriront le cœur et vous donneront un aperçu des possibilités de la vie. Puisse votre chemin être rempli de joie et touché par l'amour, où que vous le trouviez.

1

Célibataire
et heureux

*Ce ne sont pas nécessairement les circonstances,
mais plutôt les attitudes qui font
qu'une personne est heureuse.*

Hugh Downs

Une place à table

Avez-vous déjà remarqué que les tables de salle à manger sont conçues pour six, huit ou douze convives, et jamais pour sept, neuf ou treize? Je suis célibataire depuis toujours et je n'en fais habituellement pas grand cas. Mais lors des fêtes, même les couverts conspirent contre moi, me reprochant tacitement mon statut de célibataire.

Il y a deux façons de subir les dîners de fête si vous êtes célibataire : premièrement, emmener quelqu'un qui vous est plus ou moins indifférent ou, deuxièmement, entendre l'affreux « Ajoute un autre siège », euphémisme pour une chaise pliante, ou encore trop haute ou trop basse pour la table. Dans les deux cas, vous êtes mal à l'aise.

À l'Action de grâce, il y a deux ans, alors que des crampes assaillaient mes mollets rivés à la patte de la table chez mon frère, tante Nell a profité de l'occasion pour me demander des détails sur ma vie amoureuse, totalement inexistante à l'époque. Ce fut pénible.

Bien que j'aime être célibataire la plupart du temps, il y a eu des moments où je me suis mise à frénétiquement chercher quelqu'un pour combler le vide que je ne croyais pas pouvoir remplir par moi-même. Quelqu'un, n'importe qui avec un battement de cœur ferait l'affaire. Au fil des ans, je suis sortie avec plusieurs hommes que j'aimais bien — j'ai même été fiancée une fois, mais « jusqu'à ce que mort s'ensuive » me semblait très long. J'étais soulagée d'être de nouveau seule.

Donc, les fêtes, surtout avec les tantes Nell de la famille, me laissent un peu désespérée. Un jour, une amie, constatant ma frustration, suggéra que nous essayions quelque chose de différent lors des prochaines festivités.

« Que dirais-tu si toi et moi allions prêter main-forte à un refuge pour sans-abri? Peut-être qu'ensuite nous serons reconnaissantes de ce que nous avons », proposa-t-elle.

J'avais mille raisons de la contredire, mais mon amie insista. Le Noël suivant, je me retrouvai dans un vieil entrepôt à distribuer de la nourriture. De ma vie, je n'avais jamais vu autant de dindes et de rangées de tartes à la citrouille. Les décorations données par une épicerie voisine créaient une atmosphère de fête qui soulevait mon esprit pourtant récalcitrant. Lorsque tout le monde fut servi, je pris un plateau et remplis une assiette de l'abondante moisson. Après quelques bouchées, j'ai compris de quoi tout le monde parlait, car c'était délicieux.

Mes compagnons de table n'étaient pas compliqués. Personne ne m'a demandé pourquoi je n'étais pas accompagnée. Les gens semblaient reconnaissants d'avoir un endroit où s'asseoir et de profiter d'un dîner spécial. À mon étonnement, je constatai que j'avais beaucoup en commun avec ces convives. C'étaient des gens comme moi.

Mon expérience de ce Noël-là m'a ramenée au refuge l'année suivante. J'ai tellement pris goût à venir en aide aux autres que j'ai commencé à chercher d'autres occasions de servir. Je me suis portée bénévole à une fondation d'alphabétisation, une fois par semaine. Je me suis dit que je pouvais m'asseoir devant la télé ou passer la soirée à aider des gens à apprendre à lire.

Avoir les autres à cœur a pleinement comblé le vide dans ma vie que j'attribuais parfois à l'absence d'un compagnon. Lorsque j'ai cessé de tout faire pour entrer dans le moule, je me suis rendu compte que j'étais célibataire pour une raison et j'ai trouvé ma propre utilité.

Il y a place à table pour une personne seule. Et parfois, « une personne seulement » convient parfaitement.

Vivian Eisenecher

Le professeur et l'âme sœur

Les notes de la marche nuptiale résonnaient dans l'air. Jennifer et moi, nouveaux mariés, rayonnions de bonheur, debout devant l'autel. Après des années de recherche, j'avais trouvé et épousé mon âme sœur. C'était le plus grand moment de ma vie.

Il n'y avait qu'une ombre à ce scénario : il n'avait lieu que dans ma tête. En réalité, je faisais les cent pas dans mon salon dans un état voisin de l'ivresse, accompagné de cet air familier émanant de mon lecteur de cassettes. Étant amateur de musique classique et d'opéra, j'avais choisi « Lohengrin » de Wagner parce qu'il contenait la fameuse marche nuptiale. Cette musique stimulait vraiment mon imagination.

À la vérité, je venais de rentrer chez moi après mon troisième ou quatrième rendez-vous avec Jennifer. Nous ne nous connaissions qu'à peine, je tirais donc des conclusions pour le moins très hâtives.

Ce comportement m'était familier, le jeune homme timide de 16 ans que j'étais en Angleterre l'avait adopté. Mon ami Simon et moi nous amusions parfois alors à poser la question : « Je me demande ce que fait présentement ma future épouse? » Nos spéculations oiseuses sur cette question sans réponse nous permettaient d'oublier le triste fait que, puisque nous fréquentions une école pour garçons seulement, non seulement nous n'avions pas de petites amies, mais nous ne connaissions aucune fille.

C'est à peu près à cette époque que j'ai commencé à nourrir l'idée d'une âme sœur cosmique, celle qui se manifesterait à un moment quelconque de ma vie et qui, par miracle, me fournirait tout ce qui me manquait. Cette âme sœur n'avait ni visage, ni nom, ni forme; pourtant, elle était plus réelle dans mon imagination que les filles en chair et en os que j'allais bientôt rencontrer.

À travers les hauts et les bas de mes escarmouches avec le sexe opposé durant mon adolescence et la jeune vingtaine, cette croyance en une âme sœur n'a pas fléchi, malgré le fait que l'âme sœur a choisi — comme le font les âmes sœurs — de retarder indéfiniment son apparition.

En 1981, à 32 ans et toujours célibataire — mais perpétuellement à la recherche — j'ai quitté l'Angleterre pour l'Amérique, où j'allais occuper un poste de professeur de littérature dans un petit collège du Midwest.

N'ayant jamais mis les pieds aux États-Unis, je ne savais pas à quoi m'attendre. D'abord, le choc culturel — tout était presque pareil, rien n'était exactement pareil — m'a entraîné dans un tourbillon de désorientation.

Mais les choses ont changé dès ma deuxième journée sur le campus. J'avais affaire à l'un des bureaux de l'administration, et lorsque je posai une question, un regard enchanté illumina le visage de la jolie jeune femme assise au bureau. « D'où venez-vous? » me demanda-t-elle en souriant. « Vous avez un accent charmant. »

C'était donc vrai! Les Américains *passaient* vraiment ce commentaire en entendant une voix parfaitement ordinaire de la BBC (société britannique de radiodiffusion). J'ai commencé à croire que vivre aux États-Unis pourrait comporter des avantages que je n'avais pas soupçonnés.

Ainsi encouragé, je me suis jeté dans une décennie de quête sérieuse de l'âme sœur. Après tout, elle était là, quelque part dans ce Nouveau monde. Il fallait qu'elle y soit. J'ai bien regardé. Aux réunions de la faculté, par exemple, mes yeux parcouraient la salle en quête d'un indice, comme si Âme Sœur Américaine, Ph. D. allait, dans un moment mystique de reconnaissance, se révéler par un regard, une parole, un geste compris de moi seul.

Je me suis rendu compte toutefois de l'énergie psychique qu'exigeait tout cela, et j'ai remarqué à quel point j'étais parfois agité et malheureux, surtout quand ma relation avec l'âme sœur *du jour* tombait à l'eau après seulement quelques mois.

Prenons Jennifer. À mes yeux, elle avait classe, dignité, intelligence et beauté. Et des réserves.

« Ça ne semble pas vraiment fonctionner », m'a-t-elle dit un soir en dînant.

« Veux-tu d'autres pâtes? » lui ai-je répliqué.

« Je crois que tu as trop d'attentes. »

« Mais non, je n'en ai pas », dis-je, démontrant mon talent bien développé de nier l'évidence.

Quelques sursauts de plus, et Jenny et moi en sommes venus à la conclusion habituelle : des silences tendus suivis d'éclats de colère, achevés par le *coup de grâce* de Jennifer : « Je crois qu'on devrait cesser de se voir. »

Le scénario interminable s'est donc poursuivi. Une série de femmes innocentes se sont retrouvées à occuper un poste qu'elles n'avaient ni demandé ni (à quelques exceptions près) voulu. Et souvent à l'arrière-plan, mes cassettes de « Lohengrin » et de la marche nuptiale de Mendelssohn dans « Songe d'une nuit d'été » se déroulaient gaiement. Mais la véritable âme sœur m'échappait toujours.

Un matin, il y a quelques années, je revenais tout juste du gymnase, endroit que je trouvais intéressant, quoique jusque-là improductif, pour rechercher mon âme sœur *en petite tenue d'exercice*. C'était le printemps et les lilas étaient en fleurs dans ma cour. Je me suis assis sur la terrasse, une tasse de café dans la main, et j'ai contemplé le spectacle de la nature. Ni l'exercice ni le café ne m'avaient fait planer, mais peu à peu, je me suis rendu compte qu'à ce moment précis, tout était parfait. Tout était exactement dans l'ordre. Rien ne manquait. Rien qu'on puisse ajouter ou soustraire à cette minute n'aurait pu l'améliorer. Ce n'était certainement pas mon état normal, puisque je m'étais conditionné à croire que chaque minute nécessitait vraiment une infusion rapide d'âme sœur.

Et pourtant, cet instant a changé quelque chose au fond de moi. Je ne sais ni comment ni pourquoi, mais je sais qu'il s'est poursuivi, qu'il y a à l'intérieur de moi un « endroit » paisible, qui n'est pas vraiment un endroit puisque c'est partout et nulle part, que c'est tranquille et silencieux, que ça n'a ni commencement ni fin et que ça ne m'est ni étranger ni extérieur. Après des années de recherche, j'ai trouvé mon âme sœur, et c'est moi-même. Le célibataire est content. Oh! il rencontre encore des femmes de temps à autre et écoute parfois aussi les marches nuptiales. Mais seulement parce qu'elles lui plaisent.

Bryan Aubrey

L'homme qui voyage seul peut partir aujourd'hui, mais celui qui voyage à deux doit attendre que l'autre soit prêt.

Henry David Thoreau

La déesse du feu
avec deux « s »

Le bonheur est à ceux qui se suffisent à eux-mêmes.

Aristote

Quand j'avais huit ans, j'ai vu un film à propos d'une île mystérieuse où il y avait un volcan en éruption et une jungle luxuriante, grouillante d'animaux sauvages et de cannibales. Une très belle femme, « Tandaléah, la déesse du feu du volcan », régnait sur l'île. C'était un navet à petit budget, mais pour moi, il représentait la vie idéale. Pourchassés par la lave en fusion, les animaux et les sauvages assoiffés de sang n'étaient qu'un bien petit sacrifice pour la liberté. Je voulais désespérément être la déesse du feu. Je l'ai inscrit sur ma liste de « Ce que je veux être quand je serai grande », et j'ai demandé à mon amie si "déesse" prenait deux "s".

Au fil des ans, le système scolaire a fait de son mieux pour me modeler en citoyenne sensée, responsable et respectable, et j'ai oublié Tandaléah. Mes parents ont approuvé mon mariage convenable, et j'ai passé les vingt-cinq années suivantes à être une bonne épouse, finalement mère de quatre enfants, membre très respectable et responsable de la société. Ma vie était aussi fade et ennuyeuse qu'un bol de gruau. Je savais exactement ce que l'avenir me réservait : les enfants grandiraient et quitteraient la maison, mon mari et moi vieillirions ensemble et nous garderions nos petits-enfants.

La semaine où j'ai eu 50 ans, mon mariage a connu une fin abrupte. Ma maison, mes meubles et tout ce que je possédais ont été mis aux enchères pour régler des dettes dont je ne connaissais même pas l'existence. En une semaine, j'ai perdu mon mari, ma maison et mes parents qui refusaient d'accepter un divorce dans la famille. J'avais tout perdu, sauf mes quatre enfants adolescents.

J'avais suffisamment d'argent pour louer un appartement modeste pendant que je chercherais du travail. Ou je pouvais prendre tout ce que j'avais et acheter cinq billets d'avion en partance du Missouri vers l'île la plus éloignée du monde, la Grande île d'Hawaï. On me disait folle de croire que je pouvais simplement m'envoler pour une île et y survivre. On m'a prédit que je reviendrais penaude dans un mois. Une partie de moi craignait que ce ne soit vrai.

Le lendemain, mes quatre enfants et moi avons atterri sur la Grande île d'Hawaï, avec moins de deux mille dollars en poche, sachant que personne au monde ne nous viendrait en aide. J'ai loué un appartement non meublé où nous avons dormi par terre et avons vécu de céréales. J'avais trois emplois : frotter des planchers à quatre pattes, vendre des noix aux touristes et cueillir des noix de coco. Je travaillais dix-huit heures par jour et j'ai perdu treize kilos, parce que je ne mangeais qu'un repas par jour. J'avais des crises de panique où je me retrouvais enroulée en boule sur le plancher de la salle de bains, tremblante comme un soldat bombardé.

Un soir, marchant seule sur la plage, j'ai aperçu dans le lointain la lueur orangée de la lave s'écoulant du volcan Kilauea. Je pataugeais dans l'océan Pacifique, contemplant le volcan le plus actif du monde, et je gâchais cet incroyable instant parce que j'étais hantée par le passé, épuisée par le présent et terrifiée par l'avenir. J'avais presque réalisé mon rêve d'enfant, mais je ne m'en rendais pas compte parce que je ne voyais que mes épreuves plutôt que mes bienfaits. Il était temps de laisser vivre mon imagination, au lieu de revivre mon histoire.

Tandaléah, la déesse du feu du volcan, était enfin arrivée!

Le lendemain, j'ai quitté mes emplois. J'ai investi mon dernier chèque de paye dans des fournitures d'art et j'ai commencé à faire ce que j'aimais. Je n'avais pas peint une seule toile en quinze ans parce que nous avions peine à joindre les deux bouts dans notre ferme du Missouri, et il n'y avait pas d'argent pour les tubes de peinture, les toiles et les cadres. Je me demandais si je pouvais encore peindre ou si j'avais oublié. Mes mains tremblaient la première fois que j'ai pris un pinceau, mais en moins d'une heure, j'étais complètement absorbée par les couleurs qui s'étalaient sur la toile devant moi. J'ai peint des images d'anciens voiliers, et dès que j'ai commencé à croire en moi, d'autres y ont cru aussi. J'ai vendu ma première toile quinze cents dollars avant même d'avoir le temps de l'encadrer.

Les six dernières années ont été riches en aventures : mes enfants et moi avons nagé avec les dauphins, observé des baleines et fait de la randonnée autour de la bouche du volcan. Chaque matin, nous nous réveillons avec la mer devant nous et le volcan derrière.

Le rêve que j'avais eu il y a plus de 40 ans est désormais réalité. Je vis sur une île où un volcan est continuellement en éruption. Les seuls animaux de la jungle sont les sangliers et les mangoustes, et il n'y a pas de cannibales, mais souvent le soir, j'entends les tam-tam des danseurs autochtones sur la plage.

Des amis bien intentionnés ont tenté maintes fois de me présenter à leurs oncles, voisins, pères, voire grands-pères dans l'espoir que je trouve un compagnon pour me préserver d'une vieillesse solitaire. Ils disent des choses comme « une femme de ton âge... » et « tu ne rajeunis pas... » pour me pousser vers des rendez-vous surprises.

Je leur indique gentiment qu'une « femme de mon âge » a fait sa part. J'ai aimé être épouse et mère, et je crois sincèrement avoir été une bonne mère. J'y ai consacré plus d'un quart de siècle. Aujourd'hui, à mon âge, je suis devenue la femme que j'aurais aimé être à vingt ans. Non, je ne rajeunis pas, comme tout le monde et honnêtement, je ne voudrais pas être jeune à nouveau. Je suis plus heureuse que je ne l'ai jamais été. Je peux peindre toute la nuit et dormir toute la journée sans me sentir coupable. Je peux cuisiner ou pas. Je peux vivre de choux à la crème et de Pepsi pendant toute une semaine, et personne ne me sermonnera sur l'importance d'un régime équilibré.

Il m'a fallu beaucoup de temps pour me trouver, et j'ai dû vivre seule pour y arriver. Mais je ne me sens pas seule. Je suis libre pour la première fois de ma vie. Je suis Tandaléah, la déesse du feu du volcan, avec deux « s » ... et je suis heureuse pour de bon.

Linda Stafford

Stone Soup © 1999 Jan Eliot. Distribué par Universal Press Syndicate. Reproduit avec autorisation.

Les leçons de tante Grâce

*Personne ne trébuche sur une montagne. C'est au
petit caillou qu'on se heurte. Passez tous les cailloux
de votre chemin et vous découvrirez que vous avez traversé la montagne.*

Anonyme

Le jour où j'ai déménagé, j'ai touché le fond. En disant
adieu à mes amis et à la maison que j'aimais, je me sentais
comme si mon ancrage s'était soudain détaché. Puis, dans
ce que mon mari appelait « notre nouveau foyer » (qui
n'était ni nouveau ni un foyer), je me noyais dans l'apitoiement à tel point que j'ai failli ignorer le livre de cuir blanc
que j'avais trouvé en vidant une vieille malle. Mais quelque
chose m'a poussée à le regarder.

Les lettres victoriennes dorées de la couverture for-
maient le titre *Mon journal*. En ouvrant le livre, j'ai reconnu
l'écriture tremblée de ma grand-tante Grâce, qui vivait avec
nous quand j'étais petite. Tante Grâce était d'une espèce
désormais disparue — une demoiselle célibataire, sans
emploi, forcée de vivre avec sa parenté. Tout semblait se
liguer contre elle. Elle était sans beauté, pauvre et de santé
fragile.

Pourtant, je me souviens d'elle comme d'une personne
constamment de bonne humeur. Non seulement elle ne se
plaignait jamais, mais un sourire aimable ne quittait
jamais son visage. Les gens disaient : « Grâce voit toujours
le bon côté des choses. »

Je me suis installée sur le tapis enroulé pour lire son
journal. La première inscription était datée de 1901 et la
dernière, de l'année de son décès, 1930. Je me suis mise à
lire distraitement, mais bientôt, j'ai été captivée.

Trois ans ont passé depuis que mon cher Ted a été tué à San Juan Hill et pourtant, chaque jour, la peine est encore douloureuse. Serai-je jamais heureuse de nouveau?

Ted? Je croyais que tante Grâce était une vieille fille accomplie. Elle avait déjà eu un amoureux! J'ai poursuivi ma lecture :

Mon malheur est un puits sans fond. Je sais qu'il faut que je sois gaie, puisque je vis dans une grande famille dont je dépends, pourtant, la mélancolie me hante... Il faut que quelque chose change, autrement, je vais tomber malade. Il est évident que ma situation ne changera pas, par conséquent, je dois changer. Mais comment?

J'ai beaucoup réfléchi à ma situation fâcheuse et j'ai défini un ensemble de règles simples selon lesquelles j'entends mener ma vie. J'ai l'intention d'en faire un exercice quotidien. Je prie pour que ce plan me délivre du morne marécage de mon désespoir. Il le faut.

La simplicité des règles de vie de tante Grâce me coupa le souffle. Elle avait décidé, chaque jour, de :

1. Faire quelque chose pour quelqu'un.
2. Faire quelque chose pour moi-même.
3. Faire quelque chose dont je n'ai pas envie mais qui doit être fait.
4. Faire un exercice physique.
5. Faire un exercice mental.
6. Faire une prière originale qui comporte toujours la reconnaissance de mes bienfaits.

Tante Grâce avait écrit qu'elle se limitait à six règles parce qu'elle croyait que ce nombre était « gérable ». Voici des extraits de ce qu'elle a fait et inscrit dans son journal :

Quelque chose pour quelqu'un. Elle a acheté trois pieds de veau, les a assaisonnés et fait mijoter pendant trois heures dans l'eau, et elle a fait de la gelée de pied de veau pour une amie malade.

Quelque chose pour moi-même. Elle a modifié un vieux chapeau bleu à l'aide de fleurs artificielles et d'une voilette, et elle en a reçu tellement de compliments qu'elle estimait avoir bien investi ses trente-cinq cents.

Quelque chose dont je n'ai pas envie. Elle "a vidé" la lingerie, lavé à la main trois douzaines de draps, les a blanchis au soleil et les a pliés en y insérant un sachet de lavande.

Un exercice physique. Elle a joué au croquet et marché jusqu'au village plutôt que de prendre le cheval et la charrette.

Un exercice mental. Elle a lu un chapitre par jour de *Bleak House*, de Dickens, « dont tout le monde parle ».

À mon étonnement, tante Grâce a eu de la difficulté avec le numéro six. La prière ne lui venait pas facilement. « Je n'arrive pas à me concentrer à l'église, écrit-elle. Je me retrouve toujours à regarder les chapeaux. » Elle a finalement trouvé une solution : « Lorsque je m'assois seule sur le rocher qui surplombe le ruisseau de notre pré, je peux prier. Je demande au Seigneur de m'aider à m'épanouir là où j'ai mes racines, puis j'apprécie mes bienfaits en commençant toujours par ma famille, sans qui je serais seule et perdue. »

Lorsque j'ai déposé le journal de tante Grâce — consciente désormais que la « joyeuse tante Grâce » avait livré sa lutte contre les ténèbres que nous combattons tous —, j'avais des larmes plein les yeux. Mais au début, j'ai ignoré son message. J'étais une femme moderne qui n'avait nul besoin de béquilles pour l'autonomie issues d'une époque révolue.

Pourtant, il était de plus en plus difficile de m'adapter à notre nouvelle vie. Un jour, complètement déprimée, j'étais au lit et je fixais le plafond. Devrais-je essayer la formule de tante Grâce? Ces six règles pourraient-elles m'aider en ce moment?

J'ai décidé que je pouvais continuer à être misérable ou mettre à l'essai la recette de tante Grâce en faisant quelque chose pour quelqu'un. Par exemple, je pouvais téléphoner à ma voisine de 85 ans qui était malade et vivait seule. Une des phrases de tante Grâce me revenait en tête : « Je suis la seule qui puisse prendre l'initiative d'échapper au "sarcophage du soi". »

Le sarcophage du soi. Ce fut ma réponse. Je n'allais pas me laisser enterrer par mon propre ego. Je me suis levée et j'ai composé le numéro de Mlle Phillips. Elle m'a invitée à prendre le thé.

C'était un début. Mlle Phillips était enchantée d'avoir quelqu'un à qui parler — et dans son boudoir qui sentait le renfermé, je l'ai écoutée me raconter sa maladie en détail. Puis, je l'ai entendue dire quelque chose qui a retenu mon attention.

« Parfois, dit Mlle Phillips, la chose que vous redoutez le plus de faire est précisément celle que vous devez faire, ne serait-ce que pour cesser d'y penser. »

Je suis rentrée à la maison à pied, retournant cette réflexion dans ma tête. Mlle Phillips avait jeté un nouvel éclairage sur la troisième règle de tante Grâce. *Faire quelque chose dont je n'ai pas envie mais qui doit être fait.*

Depuis que nous avions déménagé, j'avais évité de mettre de l'ordre à mon bureau. J'étais maintenant décidée à trier la fichue pile de papiers. J'ai trouvé un classeur et des chemises, et chaque feuille de mon bureau alla dans l'un ou l'autre ou aux rebuts.

Deux heures plus tard, j'y ai déposé un nouveau buvard vert et un petit philodendron. Je rayonnais. J'avais fait quelque chose que je n'avais pas envie de faire, et je m'en sentais bien.

Au début, « faire un exercice physique » ne me réussissait pas tellement. Je me suis inscrite à un cours de ballet-jazz que j'ai détesté. J'ai essayé la course à pied, jusqu'à ce que je me rende compte que ça ne me plaisait pas davantage.

« Pourquoi pas la marche? » m'a demandé mon mari. Il a offert de se joindre à moi tous les matins avant le petit déjeuner. Nous avons constaté que la marche prêtait merveilleusement bien à la communication. Nous aimions marcher à tel point que le soir, la promenade a bientôt remplacé l'heure du cocktail. Nous nous sentions plus en forme que jamais.

J'excellais à « faire quelque chose pour moi-même ». J'ai commencé par appliquer l'idée de tante Grâce de la thérapie du bain. « Le bain devrait être l'endroit de relaxation idéal, écrivit-elle. Cueillez de la mélisse fraîche, de la marjolaine, de la menthe, de la verveine, de la lavande et du pélargonium. Faites tremper les feuilles séchées dans l'eau bouillante durant quinze minutes et laissez égoutter dans la baignoire. Étendez-vous dans le bain les yeux fermés, et ne pensez à rien pendant que vous y trempez. »

Mlle Phillips m'a fourni avec joie les fines herbes de son jardin. J'ai mis le mélange d'herbage dans ma baignoire, fait couler l'eau et je me suis étirée pour me libérer des tensions de la journée. C'était sensationnel.

Peu après, j'ai commencé mon propre jardin de fines herbes et j'en ai fait des sachets que je donnais en cadeau à Noël. Faire quelque chose pour moi-même était devenu faire quelque chose pour quelqu'un.

« L'exercice mental » était plus difficile. Je n'arrivais pas à décider quoi faire jusqu'à ce que j'apprenne que le collège communautaire local offrait un cours de poésie, donné par un ancien professeur d'université qui rendait la poésie vivante. Emily Dickinson a fait ma conquête. J'ai lu ses

1 755 poèmes et j'étais séduite. « J'habite le possible », a écrit Emily. Merveilleux.

Notre professeur insistait sur la mémorisation, qui s'est révélée être le meilleur de tous les exercices mentaux. J'ai commencé par « Je suis Personne! Qui êtes-vous? » et je suis passée à des poèmes plus difficiles comme « J'ai entendu des Obsèques, dans ma Tête ». Comme j'ai aimé me remémorer ces poèmes en attendant dans une file au supermarché ou chez le médecin!

L'affectation de tante Grâce à la prière a été la plus utile de toutes. J'essaie maintenant de composer une courte prière chaque jour, et j'y inclus toujours une parole de gratitude. Ce n'est pas facile d'écrire une prière, mais c'est une bonne discipline spirituelle. Je n'ai pas le rocher de méditation de tante Grâce, mais il y a une église paisible dans mon village où je peux écouter ma voix intérieure.

Je ne me soucie pas de *bien* obéir aux six règles de tante Grâce, pour autant que je les suive *chaque jour*. Je m'attribue le mérite d'une seule lettre écrite ou d'un tiroir rangé, et je m'étonne de ce que la satisfaction que procurent de petites réalisations me permet souvent de continuer et d'en faire davantage.

Peut-on vivre selon une formule? Je sais seulement que, depuis que je vis d'après ces six préceptes, je suis plus près des autres et, par conséquent, moins « enterrée » dans ma petite personne. Au lieu de me vautrer dans l'apitoiement, j'ai adopté la devise de tante Grâce : « Épanouis-toi là où sont tes racines. »

Nardi Reeder Campion

Une vision parfaite

C'était le printemps à New York — mon premier appartement, un emploi bien rémunéré et une superbe petite amie. Ça ne pouvait pas aller mieux. La vie n'avait plus de secrets. En fait, je me sentais tellement bien, tellement généreux, que j'ai décidé de partager mon bonheur avec d'autres. Aider quelqu'un de moins bien nanti me semblait la chose noble à faire. À l'exemple d'un ami, je me suis porté bénévole auprès d'un organisme pour aveugles.

L'aimable coordonnateur des bénévoles m'a expliqué que l'organisme avait besoin d'aide pour un programme d'action communautaire destiné aux personnes âgées récemment devenues aveugles et confinées à la maison. Me disant que j'allais apporter un peu de joie à quelque pauvre vieillard malheureux, j'ai accepté.

Le soir précédant ma première rencontre avec le « reclus », ma copine et moi avons eu une grosse dispute. Elle a claqué la porte et j'étais très maussade. Le lendemain matin, j'avais peine à ouvrir les yeux. J'avais passé presque toute la nuit à revivre la dispute. J'étais à cran, rempli d'apitoiement. Je me suis hissé hors du lit pour aller faire mon travail de bénévole, mais mes dispositions généreuses s'étaient évanouies. Je ne voulais pas rendre visite à un vieil aveugle.

Charlie vivait dans un quartier mal famé de Manhattan, à l'extrême sud-est de l'île. Me faufilant entre les ivrognes délirants, traversant parfois la rue pour éviter des drogués désespérés, je me suis traîné les pieds jusqu'à notre première rencontre. J'essayais d'imaginer Charlie. Le coordonnateur m'avait dit qu'il était très vieux. À 23 ans, pour moi, quiconque avait plus de 65 ans était au seuil de la mort. Il avait bien plus de 65 ans, m'avait-on dit. *Probablement sénile aussi*, me disais-je.

Bon, ce samedi matin est gâché, pensais-je, mais je peux appeler l'organisme lundi matin et me désister comme bénévole. J'ai gravi les marches effritées menant à l'immeuble délabré de Charlie, et ai entrepris l'ascension jusqu'à son appartement du sixième étage. Pas d'ascenseur.

Des bruits de pas m'ont annoncé l'arrivée de Charlie, un visage est apparu derrière la porte couverte de graffitis. J'ai retenu mon souffle. *Ce type est plus vieux que Dieu*, ai-je pensé. Des yeux embrouillés par les cataractes, de fins cheveux blancs. Il était très vieux. Il n'avait pas 65 ans, mais bien 65 ans de plus que moi. Il avait 88 ans.

Il m'a fait entrer dans son appartement étonnamment à l'ordre. J'étais forcé de remarquer qu'il était plus propre que le mien, et je n'étais pas aveugle. Assis sur un divan qui sentait quelque peu le moisi, Charlie m'a raconté qu'il avait perdu la vue et son épouse de plus de 50 ans dans les dix mois précédents. Il m'a révélé son passé sans un soupçon d'apitoiement.

J'ai essayé d'imaginer la tragédie de sa vie, me disant que je serais suicidaire si j'étais aveugle et seul. Charlie a interrompu mes pensées en me disant à quel point il avait été chanceux d'avoir une union si merveilleuse pendant si longtemps. Il m'a souri doucement, comme s'il sentait mon malaise.

À cette première rencontre, Charlie et moi sommes allés chez le barbier et avons marché, plus qu'il ne l'avait fait depuis les funérailles de sa femme. En marchant, Charlie parlait. Il avait survécu à tout le monde. Tous ses amis et parents étaient disparus, sauf un fils en Californie. Il m'a raconté des histoires de son jeune temps en mer, de la Première Guerre mondiale où il combattait et de sa tendre épouse. Le temps filait. Ma visite, qui devait durer une heure, s'est prolongée à trois heures. Charlie était un grand conteur, et beaucoup plus. Quel que soit le moment de sa vie qu'il partageait, il ne se plaignait jamais. Jamais. Il parvenait toujours à trouver quelque chose de positif à dire à propos de ce qui lui était arrivé.

À un moment donné, Charlie a voulu se reposer, et je l'ai laissé quand ses yeux embrumés ont trouvé le sommeil. En partant, je me disais que les yeux de Charlie étaient peut-être brumeux, mais que sa perspective était parfaite. Une seule journée passée avec lui avait corrigé ma vision tordue de la vie. Je voyais tous mes problèmes simplement et, en chemin vers la maison, mon apitoiement s'envolait.

Mes visites à Charlie sont devenues le point fort de ma semaine. Ses histoires remettent toujours les choses en perspective pour moi. Depuis longtemps, je n'ai plus à lutter pour me réveiller le samedi matin. La vie est pleine de surprises, m'a souvent dit Charlie lors de nos rencontres. C'était vrai, je le savais; rien n'avait été aussi surprenant que ma visite à contrecœur de ce samedi matin il y a maintenant bien des années, quand un homme aveugle m'a ouvert les yeux.

Bill Asenjo

Libre, peut voyager

J'avais un billet. J'avais mon passeport. Mais il avait la frousse. J'aurais dû savoir que les contes de fées ne se réalisent jamais.

Sept mois après la fin de mon mariage, j'avais rencontré « le grand amour de ma vie ». Nous nous sommes fréquentés pendant un an. J'avais toujours voulu voir l'Europe, et lorsque mon divorce fut prononcé, nous avons planifié un voyage ensemble. Puis, deux semaines avant le départ, il a disparu. Avec deux ruptures en file, je me sentais comme si j'avais traversé un double divorce. J'avais 39 ans, deux jeunes enfants et je faisais face à ma pire peur : vivre seule.

Étais-je prête à passer un mois en Europe seule? J'avais de la difficulté à aller au cinéma toute seule! Mais c'était maintenant ou jamais, me semblait-il. Les enfants seraient avec leur père, j'avais de l'argent de la séparation de biens et un emploi m'attendait à mon retour. Alors, si je devais être seule pour les prochaines années, aussi bien commencer par être seule en Europe.

Le clou de mon voyage devait être Paris, la ville que j'avais toujours voulu visiter. Mais maintenant, je craignais de voyager sans compagnon. Je me suis armée de courage et y suis allée malgré tout.

Je suis arrivée à la gare de Paris en panique et désorientée. Je ne m'étais pas servi de mon français scolaire depuis vingt ans. Tirant ma valise rouge sur des roulettes branlantes derrière moi, je me faisais bousculer et pousser par des voyageurs en sueur puant la cigarette, la nourriture étrangère et n'utilisant nettement pas assez de désodorisant. La clameur des nombreuses langues qui me bombardait me semblait inintelligible, que du babillage.

Pour ma première randonnée de métro, je suis tombée sur un voleur à la tire maladroit. Je l'ai foudroyé du regard, il a retiré sa main de mon sac et s'est noyé dans la foule. À mon arrêt, j'ai hissé ma valise en haut de l'escalier, puis j'ai figé.

Les voitures passaient en trombe dans tous les sens, klaxonnant agressivement. Quelque part dans cette ville de confusion se cachait mon hôtel, mais les directions que j'avais griffonnées étaient soudainement illisibles.

J'ai abordé deux personnes. Les deux m'ont accueillie avec cette attitude parisienne qui dit : « Oui, je parle anglais, mais tu vas devoir te débrouiller avec ton français si tu veux me parler. » J'ai remonté une rue puis en ai traversé une autre. Une roulette de ma valise s'est brisée. Quand j'ai finalement trouvé mon hôtel, mon cœur battait trop fort, je suais comme un joueur de basket et j'avais le moral en chute libre. Il est tombé à zéro carrément lorsque j'ai vu ma chambre.

Je ne pouvais pas rester là, non ? Le papier peint semblait avoir subi un incendie. Les ressorts du lit grinçaient. La salle de bains était dans le couloir, et la fenêtre donnait sur le mur de briques d'un autre immeuble. Bienvenue à Paris.

Je voulais sincèrement mourir. Mon ami me manquait. C'était ma troisième semaine loin de la maison et de mes enfants, et j'étais arrivée dans la ville la plus romantique du monde, seule. Seule et esseulée. Seule, esseulée et pétrifiée.

La chose la plus importante que j'ai faite à Paris est survenue à ce moment-là. Je savais que si je ne sortais pas immédiatement pour trouver un endroit où dîner, je me cacherais dans cette chambrette pour tout mon séjour. Mon rêve se serait envolé, et je n'apprendrais peut-être jamais à apprécier le monde en célibataire. Alors je me suis ressaisie et suis sortie.

Le soir de Paris était léger et doux. Rendue aux Tuileries, j'ai emprunté un sentier sinueux, écoutant les oiseaux chanter et regardant les enfants faire flotter des voiliers jouets dans une immense fontaine. Personne ne semblait pressé. Paris était superbe. Et j'y étais seule mais soudain je n'étais plus solitaire. Le fait d'avoir vaincu ma peur et ma vulnérabilité m'avait laissé un sentiment de liberté, et non d'abandon.

J'ai usé deux paires de souliers durant ma semaine à Paris. J'ai fait tout ce qu'il y avait à faire, et ce fut la plus belle semaine de mes vacances en Europe. Je suis revenue à la maison croyant dans le pouvoir de guérison du voyage solitaire. Aujourd'hui, des années plus tard, j'encourage encore mes amis divorcés ou veufs à faire leur premier vol solo sous forme de projets de voyage.

Ceux qui y sont allés en sont revenus changés, même s'il ne s'agit que d'un week-end de quatre jours à Santa Fe, d'un voyage en train sur la côte ou d'un tour guidé des champs de bataille de la guerre civile. Voyager seul porte sa propre récompense parce qu'il faut compter sur soi et acquérir le genre de confiance qui est très utile aux célibataires.

Assurément, Paris est devenue ma métaphore pour relever les défis de la vie par moi-même. Aujourd'hui, quand je rencontre un obstacle, je me dis seulement : *si je peux aller à Paris, je peux aller n'importe où.*

Dawn McKenna

La visite

Quelle charmante surprise quand on se rend enfin compte qu'être seul n'a rien de solitaire.

Ellen Burstyn

Lentement, je descendis l'allée de l'église vide. Je ne m'y étais pas arrêté pour une visite depuis un bon moment. Après de nombreuses années de fréquentation des écoles catholiques, j'étais tombé dans la catégorie des « non-pratiquants ». Quelle que fût l'inspiration spirituelle que je ressentis en grandissant, elle s'était depuis longtemps évanouie.

Je jetai un regard à la ronde avant de me glisser dans un banc et de m'agenouiller. C'était assez semblable à mes souvenirs. Je levai la tête vers l'autel et remarquai la lampe vacillante symbolisant la présence de Dieu, pourtant invisible. « Alors, chuchotai-je, peut-être que vous êtes ici et peut-être pas. Nous allons voir. » Quelque part en chemin, j'avais perdu la foi en ce qui avait pu me soutenir, plus jeune.

Je me signai, m'assis sur le banc de bois dur, regardai devant moi et continuai à m'adresser au Dieu dont je doutais de la présence. « De toute façon, si vous êtes vraiment ici, j'ai besoin de votre aide. J'ai tout essayé, rien ne fonctionne. Je me sens totalement impuissant. Je n'ai aucune idée de ce que je peux faire d'autre. J'ai 33 ans, je suis en santé et je réussis assez bien. Vous le savez probablement. Mais je suis seul. Je n'ai personne avec qui partager ma vie, pas de femme spéciale à aimer, personne avec qui fonder une famille. Ma vie est vide, et je ne sais plus où me tourner. J'ai assisté à dix-huit séminaires en autant de mois, j'ai appris à entrer en contact avec mes émotions, à lâcher prise sur les blessures du passé, à mettre fin à de vieilles relations, à communiquer mes besoins, à comprendre ce que ma partenaire veut et à y répondre. Mais je suis encore seul. On dirait que je n'arrive pas à trouver celle qu'il me faut, celle qui me correspond profondément. Y a-t-il autre chose à faire? »

Je restai assis, à l'écoute. Il n'y eut pas de réponse à ma question, pas de petite voix douce. Seulement un klaxon de temps à autre dehors, ou le bruit d'un autobus. Seulement le silence. Je haussai les épaules. Toujours assis, je laissai le silence me pénétrer.

Jour après jour, je répétai cette démarche. Je m'assoyais dans le même banc dur, adressant la même invocation à la lampe vacillante, dans le même silence. Rien ne changeait. J'étais aussi seul que je l'étais le premier jour. Il n'y eut ni réponses mystiques, ni messages cachés.

Je continuai de vivre ma vie, me débrouillant pour rire et avoir du plaisir. J'avais des rendez-vous et je m'y amusais, que ce soit au restaurant, sur une piste de danse ou au cinéma. Je priais, aussi. Jour après jour, je prenais une heure de mes activités régulières, je faisais le vide, et je posais les mêmes questions encore et encore.

Un matin, environ six semaines plus tard, je m'éveillai et je sus que quelque chose avait changé. Je regardai autour de moi. Quelque chose dans la lumière qui filtrait des nuages, le parfum du jasmin à peine éclos, la brise tiède du large était différent. Je ne pouvais pas mettre le doigt sur ce que c'était, mais je le ressentais. En chemin vers la maison cet après-midi-là, je m'arrêtai à l'église, comme d'habitude. Au lieu de me lamenter comme toujours, je m'agenouillai et souris à la lampe.

Puis, je fis part de mes pensées à Dieu. « Je ne sais pas vraiment ce qui s'est passé, mais je me sens différent. Quelque chose a cédé à l'intérieur. Je ne me sens plus seul. Rien n'a changé à l'extérieur, mais tout me semble différent. Sauriez-vous par hasard de quoi il s'agit? »

Soudain, je fus frappé par le ridicule de ma question et j'éclatai de rire. Mon rire se répercuta sur les hauts plafonds et les murs de pierre, puis le silence retomba. Mais même le silence semblait différent. Il ne donnait plus cette impression de vide et de désolation. Au contraire, il diffusait une paix et une sérénité merveilleuses. Je sus à ce moment que j'étais arrivé chez moi, en moi. Je me sentais plein, complet à l'intérieur. Je hochai la tête, pris une grande respiration et expirai.

« Merci, chuchotai-je. Je n'ai aucune idée de ce que vous avez fait, mais je sens que ce bonheur me vient de vous. Je le sais. Je n'ai rien fait de nouveau ou de différent. Je sais donc que ça ne vient pas de moi. De qui d'autre pourrait-ce bien être? »

Je restai assis en silence, seul, satisfait, heureux. Puis, je parlai à Dieu de nouveau : « Je capitule devant mon ignorance. Je m'abandonne à vous, prenez-moi en charge. Je vous abandonne ma vie, qu'elle exprime votre volonté plutôt que la mienne. Et je vous remercie pour ce que je sens, ce changement ou transformation ou je ne sais quoi. »

Dans les jours et les semaines qui suivirent, mon sentiment de plénitude grandit et s'étendit. Je voyais tout différemment. Plutôt que de me fixer sur ma « pièce manquante », je profitais simplement de la vie. Finie l'angoisse, l'urgence suffocante de trouver la « femme parfaite » pour le restant de mes jours.

Mon changement de perspective toucha d'autres domaines également. Plutôt que de me traîner les pieds dans la vie, j'y glissais. Je chérissais mon célibat. C'était fantastique. Tant et aussi longtemps que je gardais le contact avec mon être intérieur, je rayonnais de bonheur, de joie et de plénitude. Il n'y avait rien à craindre. Si c'était la volonté de Dieu que je me marie, alors ça arriverait. Sinon, c'était aussi bien. Je ne m'accrochais plus à mes idées préconçues sur l'évolution de ma vie. Chaque jour était une aventure nouvelle et passionnante.

Quatre mois plus tard, je tombai sur Kathy — de nouveau. Nous nous étions rencontrés il y a des années, mais je n'en gardais aucun souvenir. Elle était gentille, pétillante, mignonne et très amusante. Nous nous entendîmes à merveille instantanément. Elle pleurait encore son mariage raté, mais ses yeux bruns scintillaient chaque fois que nous étions ensemble. Cette belle Irlandaise avait quelque chose de fort que je ne pouvais ignorer.

Son rire était contagieux, son cœur aussi grand que le firmament. Le temps s'arrêtait quand nous étions ensemble. L'un finissait les phrases de l'autre, nous riions comme des écoliers excités et ravis. Elle me donnait envie de la protéger. Elle était tout ce dont j'avais rêvé, tout ce que j'avais cessé de chercher des mois auparavant.

Une fois encore, je m'abandonnai à quelque chose de bien plus puissant que moi. Nous étions en amour.

Un après-midi, en revenant de la plage, j'arrêtai faire une brève visite à l'église. Elle était toujours aussi silencieuse, et le banc était toujours aussi dur. La flamme de la lampe vacillait toujours au-dessus de l'autel vide. Rempli de joie et de gaieté, je levai les yeux.

« Merci, chuchotai-je. Encore. De nous avoir réunis. De m'avoir aidé à me défaire du bagage que je portais, de tout ce qui m'empêchait de voir ce qui était déjà à l'intérieur. Merci de vous être manifesté à moi dans son sourire, en moi, dans la brise d'été, le beau ciel du soir, les vagues ourlées, les goélands, le soleil et la pluie. Je n'y serais jamais arrivé sans vous. Mais vous le saviez déjà, n'est-ce pas? J'étais celui qui devait apprendre. Merci de ne pas m'avoir laissé tomber comme je vous ai laissé tomber. Merci de me soutenir. Je promets de ne jamais l'oublier. »

C. J. Herrmann

Fascinante Dree

Vous ne pouvez vous sentir seul si vous aimez la personne avec qui vous êtes seul.

Wayne Dyer

Tante Dree est ma tante préférée, en fait, la personne que je préfère. Le clou de mon été quand j'étais petite n'était pas tant que nous allions de St. Louis à Myrtle Beach, mais que nous arrêtions en chemin chez tante Dree, à Atlanta. Je savais que j'étais promise à trois jours de plaisir intense.

Le tout commençait d'habitude par un somptueux dîner concocté par tante Dree, que mon père et ma mère aidaient à préparer dans la cuisine où virevoltaient farine et épices. Lillie et moi participions toujours au processus — nous n'étions jamais dans les jambes ou trop petites, selon tante Dree. Une fois le repas prêt, nous ne faisions pas que nous attabler, mais nous revêtions nos plus beaux atours. Mon père avait un beau complet, ma mère, une robe à paillettes, et ma sœur et moi portions des bas de dentelle et des robes à fleurs habituellement réservées au dimanche de Pâques. Nous nous asseyions devant une table raffinée, dressée de fine porcelaine et de coupes en cristal ainsi que de bougies donnant un éclairage chaleureux. Nous portions un toast très adulte aux délicieux moments que nous allions passer ensemble. Tante Dree savait rendre fascinants les moments les plus ordinaires.

S'il pleuvait, nous passions l'après-midi à jouer au canasta, un jeu de cartes que tante Dree nous avait enseigné à Lillie et moi, et nous écoutions Patsy Cline ou Billie Holiday sur son vieux tourne-disques. Je connaissais toutes les paroles de ces chansons fredonnées par ces après-midi nonchalants. Souvent, la partie de cartes était interrompue par nous trois mimant les paroles dans nos bouteilles d'eau gazeuse et donnant un concert émouvant à un public imaginaire mais néanmoins adorateur.

S'il faisait beau, nous jouions au croquet avec les amis et voisins de tante Dree. Elle portait un vrai pantalon de golf, et elle nous a aidées à avoir la même allure en entrant le bas de nos pantalons dans des bas aux genoux, et en nous coiffant de chapeaux désinvoltes. Elle nous a enseigné l'art de s'appuyer de façon distinguée sur nos maillets de croquet, en attendant le tour des autres joueurs de frapper les balles colorées sur le gazon.

Tante Dree nous conviait au thé d'honneur, où nous portions des gants blancs et parlions un anglais très flegmatique en portant délicatement nos jolies tasses de thé à nos lèvres maquillées (compliments du sac de cosmétiques de tante Dree). Tandis que nous prétendions être des membres de la famille royale, tante Dree s'affairait à remplir nos tasses, tenant souvent le rôle de la bonne ou du majordome et annonçant, par-dessus nos ricanements, l'arrivée d'un quelconque gentleman anglais très convenable.

Il y avait des cocktails où ma sœur et moi pouvions porter des plateaux remplis de minuscules sandwichs au concombre ou de coupes d'un liquide ambré. Durant notre service, complet avec serviette blanche sur le bras, les amis enjoués de tante Dree caressaient nos cheveux bouclés et nous pinçaient les joues fardées en s'exclamant, sincèrement je le crois, qu'ils aimaient que nous soyons en ville, parce que tante Dree donnait toujours les meilleures réceptions rien que pour nous. Je ne me rappelle pas avoir renversé une seule coupe. Tante Dree avait le tour de me faire croire que j'étais dans un autre monde, à une autre époque, capable d'être et de faire tout ce que je voulais.

Lillie et moi dormions avec tante Dree dans son grand lit au doux matelas de plumes et aux centaines d'oreillers. Elle commençait l'histoire d'un personnage fabuleusement riche dans un pays éloigné et nous incitait à la terminer, applaudissant la créativité et le talent de ses deux nièces. « Nous allons envoyer cette histoire à Hollywood! disait-elle, elle sera nommée aux Oscars, c'est sûr! », et nous nous endormions blotties près d'elle, des images de premières de cinéma plein nos rêves. Souvent, tante Dree nous réveillait au milieu de la nuit et nous faisait signe de venir à la fenêtre pour regarder, au-delà des glaïeuls fournis et des pins sculptés, la lune argentée, haute dans le ciel d'été. Serrées dans ses bras, nous contemplions éblouies ce qui nous avait paru une lune bien ordinaire chez nous, à St. Louis. « N'aimeriez-vous pas qu'on puisse la descendre dans la cour et jouer à la balle avec elle? » suggérait tante Dree. « Une balle esquivée qui luit dans le noir », disait-elle en souriant. J'aurais pu rester dans ses bras toute la nuit.

Lors d'une visite, je me souviens de Lillie qui s'est exclamée vouloir être comme tante Dree quand elle serait grande. J'étais assez âgée alors pour surprendre les regards échangés par mes parents. Je savais que mon père aimait sa sœur, mais après tout, tante Dree était célibataire et vivait seule — pas exactement la vie que des parents souhaitaient pour leur fille. Et malgré les délicieux moments et mes tendres sentiments pour tante Dree, je devais admettre que j'étais un peu d'accord. Quand même, elle était seule.

Je me souviens m'en être plainte une fois à ma grand-mère, la mère de tante Dree. « J'ai peur qu'elle ne se sente seule », ai-je confié à grand-maman, « je m'inquiète d'elle. Elle n'a qu'elle au monde. »

« Oh! ma petite fille, répondit grand-maman, Dree est peut-être célibataire et souvent seule, mais je crois qu'elle n'est jamais solitaire. Elle a tellement d'amis et de membres de la famille qui l'aiment énormément. Et elle est tellement charmante que personne ne lui est étranger. Et le mieux, c'est que Dieu a donné à Dree le plus extraordinaire des talents — elle est capable d'apprécier sa propre compagnie et d'en profiter. N'est-ce pas merveilleux? »

Et je savais que ce l'était. Grâce aux sages paroles de grand-maman, je ne me suis plus jamais inquiétée pour tante Dree. Elle n'avait nul besoin de ma sympathie. Elle allait gaiement et passionnément son chemin, où elle ne voyageait certainement pas seule. J'ai décidé dès ce moment que, moi aussi, je voulais être comme tante Dree quand je serais grande.

Megan Martin

« Non, Richard, je ne rentrerai pas dîner à la maison ce soir, demain ou le jour d'après. Ça fait six mois qu'on est divorcés, tu te rappelles ? »

Reproduit avec la permission de Martin Bucella.

Je ne sais même pas ton nom

Je suis Personne! Qui êtes-vous?
Êtes-vous — Personne — Aussi?
Alors nous sommes deux?
Ne le dites pas! on l'ébruiterait — vous savez!

Comme c'est ennuyeux — d'être — Quelqu'un!
Comme c'est public — comme une Grenouille —
De dire son nom — tout le mois de juin —
À un marais en admiration!

Emily Dickinson

Lorsque je postai mon inscription à un congrès d'enseignants à Louisville, je réservai également un billet pour une pièce sur la vie d'Emily Dickinson. Étant célibataire, je suis habituée à sortir seule et la plupart du temps, je me plais en ma propre compagnie. Le congrès fut enrichissant. Mais après des jours à porter un insigne d'identité et à converser avec des étrangers, j'étais plus que disposée à passer une soirée tranquille avec « La belle d'Amherst ». Et j'avais hâte d'y assister seule.

Après avoir dîné à mon hôtel, je demandai les directions vers le théâtre. Trop loin pour marcher, m'a-t-on dit. Mais un autobus s'y rendait, alors j'allai au coin de la rue. L'autobus arriva immédiatement. Je m'assis en avant, de biais avec la chauffeuse qui voulut bien me dire quand descendre. Par la glace, je regardai la zone touristique riveraine devenir des pâtés de magasins et de bureaux. Puis, nous étions dans des rues étroites bordées de vieux immeubles rapprochés.

Comme les rues devenaient de plus en plus désertes, je commençai à me sentir un peu anxieuse. J'étais justement en train de faire ce que le *Guide de voyage de la femme céli-*

bataire déconseillait. En route pour voir un spectacle sur une poète recluse, je m'aventurais seule, au crépuscule, en territoire inconnu.

Comme je m'inventais le pire des scénarios, la chauffeuse dit : « Voici votre arrêt. Le théâtre est là-bas, trois rues plus bas. »

Et elle m'indiqua une rue transversale sombre. D'un pas qui se voulait décidé, quoique nonchalant, je remontai la rue rapidement.

Le théâtre était petit sans scène véritable, mais plutôt un espace en avant, là où les rangées de chaises s'arrêtaient. Des chaises pliantes individuelles, peut-être quarante en tout. Je pris place dans la première rangée, dans le deuxième siège près de l'allée centrale.

Les autres spectateurs entrèrent, la plupart en couples. Mais ils n'étaient pas nombreux. Il y avait encore plus de sièges vides que de pleins lorsque les lumières s'éteignirent. J'étais seule dans la première rangée, de mon côté de l'allée, ce qui me convenait parfaitement. J'aime avoir de l'espace, et j'avais passé la semaine à coudoyer des étrangers et à nourrir la conversation. Mais comme les lumières faiblissaient, un homme entra en vitesse, trébucha dans le noir et s'affala sur la chaise de l'allée, tout à côté de moi.

Avec toute la place qu'il y a dans le théâtre, même dans la première rangée, me dis-je, ennuyée. Mais alors, « Emily Dickinson » apparut à moins d'un mètre de moi, commença à parler, et tout désagrément se dissipa.

Lorsque les lumières se rallumèrent pour l'entracte, ni l'homme ni moi ne nous levèrent comme les autres pour gagner le petit foyer. Nous étions tous deux assis, chacun regardant devant, dans un profond silence. Pour moi, un grand avantage de sortir seule est que je peux absorber ce que je vois — ma propre expérience — sans entendre tout de suite la version de quelqu'un d'autre ou qu'on me demande d'en parler ou pire, de parler d'autre chose.

J'étais à absorber Emily Dickinson lorsque l'homme se tourna et me demanda : « Êtes-vous de Louisville? », en sautant quelques lettres du nom et le prononçant comme les natifs du lieu.

« Non, je suis de l'Iowa », lui répondis-je sur un ton plaisant, mais qui clairement, du moins je l'espérais, n'invitait pas à poursuivre la conversation.

« Iowa. J'ai vécu quelques années à Des Moines. Habitez-vous près de là? » demanda-t-il.

« Assez près. À environ 200 kilomètres au sud-est. » Mais à la mention du mot « habiter », je me mis à penser à mon hôtel. Je n'avais pas particulièrement hâte de parcourir à pied les trois longs pâtés de maisons jusqu'à l'arrêt d'autobus, surtout lorsque je me rendis compte qu'il ferait très noir pour le retour. J'eus alors une pensée vraiment troublante.

« Savez-vous à quelle heure les autobus cessent de rouler? » lui demandai-je. Il ne le savait pas. À ce moment, les lumières s'éteignirent.

Après le spectacle, je ne pouvais me lever, fascinée. La plupart des spectateurs quittèrent immédiatement, mais j'étais suspendue quelque part au-delà du temps et de l'espace. J'avais oublié mon intention de me précipiter vers la sortie. J'avais oublié l'autobus. Je ne voulais pas bouger encore de crainte de rompre le charme d'Emily.

C'est alors que l'homme à mes côtés me dit : « Êtes-vous venue ici en autobus? Je peux vous reconduire. » Je me tournai vers lui, arrachée au monde d'Emily Dickinson, ayant probablement l'air égaré.

« Ne vous inquiétez pas, dit-il. Vous êtes en sécurité avec moi. Je suis professeur d'anglais, en ville pour un congrès. » Sur ces paroles, il tira un insigne d'identité de sa poche de veste. La bordure m'était familière, mais je ne pouvais pas lire son nom.

« Je suis au même congrès, dis-je. Oui, merci, j'aimerais que vous me reconduisiez. »

Dans le stationnement, nous approchâmes d'une fourgonnette immatriculée de l'Ohio. Il m'ouvrit la portière, comme si c'était naturel pour lui, et me demanda à quel hôtel j'étais. Je lui dis et nous partîmes, nullement embarrassés comme on pourrait s'y attendre dans ce genre de situation. Pas de banalités. Pas de détails de notre vie quotidienne. Le fait d'être homme ou femme ne comptait pas.

Il me demanda : « Quel est votre poème préféré de Dickinson ? »

Lorsque je lui répondis « Je suis Personne », il me le récita en entier, et je le joignis pour les derniers vers. Nous parlâmes ensuite sans arrêt — une vraie conversation sur les choses qui nous tenaient à cœur. Après un moment, nous cessâmes de nous étonner de découvrir encore une autre similitude ou une coïncidence et acceptâmes le fait que, malgré les apparences contraires, nous étions aussi proches que des vieux amis.

Lorsque le véhicule s'engagea dans l'allée de l'hôtel, les lumières vives scintillaient. Je me voyais revenir sur Terre en provenance d'un autre univers. Tout à coup, je me sentis embarrassée. Pour moi, ce qui s'était passé dans la fourgonnette était satisfaisant, je ne voulais rien d'autre. Mais peut-être songeait-il à autre chose ?

Il semblait aussi un peu mal à l'aise. J'ouvris rapidement la portière et le remerciai de nouveau. Sur le point de descendre, il me cria « Attendez », juste un peu trop fort.

Je figeai. Puis, il poursuivit, plus doucement : « Après tout cela, je ne sais même pas votre nom. »

J'étais tentée de dire : « Je suis Personne, nous sommes deux, ne le dites pas. » Selon les normes, nous avions fait connaissance à l'envers et nous présenter maintenant, d'après moi, romprait le charme. Mais comment refuser de répondre?

« C'est Jean. »

« C'est Tom », dit-il. Nous nous regardâmes et pouffâmes de rire. Dire nos noms semblait si absurde alors que nous nous connaissions déjà si bien. Et puis il y avait ce vers du poème qui parle de dire son nom à un « marais en admiration ».

Nous ne dîmes plus rien. Tous deux riant encore, je descendis de la fourgonnette, fermai la portière, et il repartit. En entrant dans l'hôtel, j'étais heureuse d'être Personne et d'avoir croisé sur mon chemin quelqu'un qui aimait aussi être Personne.

Jean C. Fulton

Survivre à un naufrage

*En général, les gens sont heureux dans la mesure où
ils décident de l'être.*

Abraham Lincoln

Je me suis enroulée en fœtus au milieu d'une mer de boîtes, les genoux serrés contre ma poitrine, et j'ai sangloté. C'était un naufrage de proportion cosmique. J'avais pataugé péniblement de là à ici, et je ne savais même pas où se trouvait « ici ». « Là » était ma belle vieille maison dans les collines d'Hollywood, où j'avais flotté en toute sérénité avec mon mari, nos deux fils, une véritable arche d'animaux domestiques, des tas d'amis, de rires, de fêtes, de théâtre et de cinéma. C'était ma vie. C'était mon ancre.

Et maintenant? Maintenant, j'aurais pu aussi bien amerrir dans le triangle des Bermudes, à des milliers de kilomètres de chez moi. J'étais devenue une victime du Hollywood où je vivais : des scénarios de mariages à vie qui n'arrivent jamais, et de maîtresses qui se manifestent toujours. Je coulais dans des eaux inconnues. Mes fils étaient adultes et partis de la maison, et j'étais en faillite et trahie.

J'ai atteint la rive de la Californie du Nord, une île déserte inquiétante de brume, de mer et de forêt. J'ai loué un minuscule appartement dans un sous-sol et me suis entourée de deux oiseaux, deux chiens et deux chats — deux de chacun pour traverser cette tempête — mais seulement une de mon espèce. Je n'avais pas été célibataire depuis que j'étais enfant. Je ne savais rien de moi, mais je savais que je ne pouvais pas m'en tirer. Je me suis terrée dans mon appartement, noyée de chagrin, et j'ai attendu de mourir.

À mon grand étonnement, j'ai gardé la tête hors de l'eau. J'ai supporté de recevoir une boîte de chèques à mon nom seulement, faire l'épicerie pour une personne, commencer une phrase par « je » plutôt que « nous », encercler « divorcée » sur les demandes d'emploi. Ayant survécu aux premières vagues du désespoir, j'ai acquis de la confiance pour faire face aux autres.

J'ai commencé à accepter des rendez-vous — eaux très inconnues — et j'ai trouvé ces étranges personnages assez drôles : le type qui m'a assuré avoir été « l'un des grands de ce monde » dans une vie antérieure (ce qui explique peut-être que dans cette vie-ci, c'était un des grands minables); le sculpteur russe fougueux qui aimait son propre corps plus que tout; le charpentier errant qui aimait son chien plus que tout; l'écrivain tourmenté qui aimait ses propres mots plus que tout; le producteur de radio hypocondriaque qui avait trop peur de mourir pour aimer; et le Peter Pan prédateur qui s'emparait d'une femme jusqu'à ce qu'elle en tombe amoureuse, avant de rejoindre sa bande de garçons perdus.

Et il y avait des amis masculins doux et gentils qui m'ont soutenue quand j'étais fatiguée, et de merveilleuses amies qui m'ont montré la beauté de l'âme féminine. À travers eux tous, j'ai commencé à me connaître : ce que j'aimais, ce que je n'aimais pas, ce que je méritais.

J'ai appris que je pouvais gagner ma vie. J'ai servi des banquets à un grand hôtel de Monterey, écrit des articles à la pige pour un hôpital de Salinas et assisté à des opérations. J'ai écrit des textes publicitaires pour la radio et travaillé pour une entreprise de systèmes de sécurité. (Prenez garde à ce que vous dites en priant : j'ai demandé la sécurité et j'ai appris que Dieu est très littéral.) J'ai aidé un millionnaire vieillissant à rédiger ses mémoires. J'ai écrit un livre.

J'ai appris à aimer cette mer qui me semblait si tumultueuse au départ. En fait, j'ai commencé à apprécier le silence de la solitude. Le soir, j'allumais des bougies dans ma nouvelle petite maison, je respirais et je m'abandonnais à mon destin, pas au scénario de quelqu'un d'autre.

Un jour, à l'improviste, un jeune homme m'a demandé si j'étais heureuse. La question, à laquelle j'aurais rétorqué un « non » retentissant il n'y a pas si longtemps, m'a fait réfléchir un moment. Et je lui ai répondu : « Oui, je suis vraiment heureuse. » Je savais que c'était vrai. Les mers déchaînées qui m'avaient tant effrayée avaient également été les eaux de ma guérison. Comme le disait Helen Keller : « La vie est une aventure risquée, ou elle n'est rien. » Je n'étais pas divorcée et en train de me noyer. J'étais libérée, et je respirais enfin à la surface.

Cara Wilson

« *Notre entreprise a terminé la programmation de l'ordinateur et nous allons trouver votre partenaire idéal dans un instant.* »

Reproduit avec la permission de Randy Bisson.

2

LES RENDEZ-VOUS

Tentez votre chance!
La vie n'est faite que de risques.
La personne qui se rend le plus loin est
en général celle qui est prête à agir et à oser.

Dale Carnegie

À *un cheveu du bonheur*

Un de mes amis souffrait d'un manque de confiance en lui suite à une rupture particulièrement pénible. Il redoutait de reprendre la ronde des rendez-vous, croyant avoir « perdu la touche » avec les femmes.

Malheureusement, peu après avoir rompu sa relation précédente, il se mit à perdre ses cheveux, ce qu'il interpréta comme un signe de l'au-delà le condamnant à rester seul pour toujours. « Qui peut bien vouloir sortir avec un type chauve? » me dit-il un soir où nous compatissions devant d'énormes et délicieux cappuccinos. Grand savant devant l'éternel, il était convaincu qu'une belle chevelure était la clé d'une relation réussie. « Dans quoi va-t-elle passer ses doigts, maintenant? » dit-il découragé. « Mon cuir chevelu? »

Quand il commença à sortir avec des femmes, il ne les emmenait qu'à des endroits où une casquette était acceptée — jouer dans le parc, promener le chien, une partie de base-ball ou toute autre occasion vaguement sportive où il pouvait réussir à cacher son crâne dégarni. Il s'en tira assez bien pendant un certain temps, mais il y a une limite aux activités sportives, et aux jours ensoleillés pour jouer dans le parc et promener le chien.

De plus, un des aspects importants de la personnalité de mon ami était qu'il adorait sortir prendre un bon dîner. Durant nos années de collège, nous avions passé bien des soirées à dépenser honteusement pour des bouteilles de vin, des hors-d'œuvre et des desserts chocolatés dans les meilleurs restaurants. Malheureusement, aucun de ces restaurants n'acceptait la casquette, si élégante soit-elle. Cela le découragea et son moral chuta de nouveau, jusqu'à ce qu'il reçoive un avis par la poste lui annonçant qu'il avait gagné un repas gratuit pour deux, dans un restaurant huppé du centre-ville.

« Félicitations! » disait la lettre. « Votre invitée et vous avez été choisis pour goûter et savourer notre élégante cuisine dans une ambiance intime. Vous trouverez ci-joint un chèque-cadeau de soixante-quinze dollars! »

Il était ravi. Sautant de joie, il pensait tout haut à ce qu'il allait porter, quand il irait, et, oh! oui, qui emmener. Il ne pouvait pas porter de chapeau à ce nouveau restaurant. Mais qui pouvait-il inviter qui ne se formaliserait pas de son crâne presque nu? Il fronça les sourcils, désappointé, et s'effondra sur le divan. Après quelques minutes de silence, il s'écria : « Et puis tant pis, j'y vais. » S'élançant de son siège, le teint animé d'un éclat particulier, il parcourut rapidement son carnet d'éventuelles compagnes, pour finalement tomber sur Sarah, la femme qu'il admirait à distance depuis des mois. Il s'assit dans son fauteuil préféré, composa son numéro avec assurance et lui demanda de l'accompagner, ce qu'elle accepta volontiers. Quelques jours plus tard, sur son trente et un et la tête superbement nue, lui et Sarah passèrent une soirée parfaite, et sont merveilleusement amoureux depuis lors.

Et je vais vous dire : ces soixante-quinze dollars sont la dépense la plus avisée que j'ai faite depuis longtemps.

Katie Mauro
Présenté par Eileen Lawrence

Renversée comme une quille

« Je sais que je m'y prends à la dernière minute », me dit timidement Carl lorsque je répondis au téléphone, « mais je... j'ai besoin que tu m'accompagnes ce soir. » Un rendez-vous? Carl n'avait jamais mentionné cette éventualité auparavant, et j'en fus bouche bée. « J'espère que tu es disponible », ajouta-t-il.

Je regardai l'horloge, il était plus de quatre heures. Combien d'autres numéros avait-il composés avant? Il s'était probablement dit, tiens, je vais appeler cette bonne vieille Jan. Elle est toujours chez elle le samedi soir.

« C'est la réception que donne mon entreprise — une partie de quilles », dit-il. *Il veut que je l'accompagne à une partie de quilles?* « Bien sûr », répondis-je.

En raccrochant, mes pensées me ramenèrent deux ans auparavant lorsque Carl s'était joint pour la première fois au groupe de célibataires de notre église. Il n'avait rien d'un Adonis et ne brillait pas par sa personnalité, mais mon cœur fit quelques bonds de plus dans ma poitrine. Ce ne fut pas ses yeux d'un bleu acier, ses cheveux grisonnants ou son sourire accueillant qui m'attirèrent, mais sa force de caractère manifeste. Je voulais connaître cet homme.

Après les rencontres entre célibataires, quelques-uns d'entre nous déambulaient jusqu'à un café. Je m'attardais, m'assurant de me trouver seule avec Carl. Un soir, nous parlâmes très tard, discutant de tout, de l'enfance, de la politique, de la Bible.

« Tu as de fermes opinions et tu n'as pas peur de les exprimer, me dit-il. J'aime ça. » Me sentant aussi molle qu'une rôtie mouillée, je lui jetai un long regard plein de désir, mais ne reçus que des sourires de sympathie en retour.

Toutes les semaines, mon cœur palpitait en entendant son « Bonjour! » chaleureux. *Je sais qu'il doit être intéressé, mais ce type protège son cœur comme une sentinelle le fait des joyaux de la couronne.*

Quelques mois plus tard, lors du bal country annuel de notre groupe, Carl et moi dansâmes ensemble presque toute la soirée, tournant, trébuchant et riant comme des adolescents.

Une fois rafraîchis, il offrit de me raccompagner à la maison. « De ma terrasse, j'ai vue sur la vallée », dis-je, faisant passer Carl de la porte d'entrée à la cour arrière. « Viens voir. » Tout près l'un de l'autre, contemplant les lumières vacillantes de la ville, je crus que mon cœur alarmé allait exploser comme du maïs soufflé. *C'est le moment rêvé pour qu'il me soulève dans ses bras.* Puis, brusquement, il dit : « Il faut vraiment que j'y aille. »

« Il me rend folle », confiai-je plus tard à ma meilleure amie, Jeanne.

« Se peut-il que tu lui prêtes des intentions, Jan? Il n'est pas encore remis d'un divorce récent. Il faut qu'il éprouve les eaux du célibat pour donner une direction à son gouvernail. »

« Mais, mais… » J'allais lui répliquer *il aime être avec moi, et nous avons tant en commun, est-ce qu'il ne se rend pas compte que je suis parfaite pour lui?* Mais qu'est-ce qui me prenait? J'étais célibataire depuis dix ans. J'étais une femme mûre, professionnelle, à la tête d'un groupe de célibataires, et non pas une écolière étourdie par son premier béguin.

Jeanne dit d'une voix flûtée : « Jan, es-tu là? Te souviens-tu de ce séminaire sur les rencontres et les relations saines? Du mot épineux "engouement"? »

L'engouement, la réaction chimique qui transforme le raisonnable en ridicule. Oui, et c'est le mystère, l'incertitude qui nourrissent le feu de l'engouement.

« Je dois imaginer des choses. »

« Tu es séduite par l'idée de tomber en amour. »

Je ravalai quelques larmes. « Je me sens ridicule. »

« Laisse tomber, Jan. Ce n'est pas le bon moment », me pria Jeanne.

Oui, et si Carl était celui qui me convenait, Dieu choisirait le moment, sans subterfuge de ma part. Je me demandai si j'aimais assez Carl pour lui souhaiter ce qu'il y a de mieux, même sans moi à ses côtés. Je luttai avec cette idée toute la nuit. Comment est-il possible d'avoir une relation platonique alors qu'une ribambelle de sentiments dansent dans mon cœur?

« Confie-le à Dieu », me dit Jeanne. Elle avait raison, mais pourquoi les fantasmes sont-ils si confortables, comme un tapis de douce laine d'agneau frisée devant un bon feu? Lâcher prise était difficile, mais pas autant que de déclencher un amour avec une seule flamme.

Carl était populaire au sein de notre groupe, gentil avec tous, et durant l'année suivante, il eut son lot de femmes qui lui coururent après. Il eut quelques rendez-vous, mais aucun avec moi. Il était comme un chat avec un bol de crème, nourrissant son estime de soi. C'était l'âge d'or de son célibat. J'étais enfin satisfaite d'être sa copine et sa « meneuse de claque », et la vie reprit son cours normal.

Mais alors vint ce coup de fil, et le fameux rendez-vous. Je scrutai ma garde-robe à la recherche de la tenue de quilles parfaite. *Oh! ça y est, je me sens encore tout étourdie. Après tout ce temps? Du calme, ma fille.*

Nous nous rencontrâmes pour dîner chez Garcia, un restaurant mexicain près du salon de quilles, et avant que les fajitas n'aient cessé de grésiller, l'atmosphère changea. Ce ne fut pas notre habituel « allons manger un morceau », mais un dîner où l'on s'attarde, ses yeux fixés sur moi, buvant chacune de mes paroles comme si je n'avais jamais existé auparavant. C'était un vrai rendez-vous! Et pour me le confirmer, il régla mon addition! Bien que je n'aie pas eu grand succès plus tard à l'allée de quilles, il y avait une lueur révélatrice dans ses yeux qui m'indiquait que je n'avais pas raté mon coup avec lui. Après les quilles, mon horloge émotionnelle se mit à sonner.

Jeanne était à moitié endormie lorsqu'elle prit le téléphone à minuit. « De quoi as-tu tellement peur? »

« Cette vieille sensation de flotter sur un nuage. Je n'en veux plus. »

« Moi aussi, je te préfère normale. »

Trois semaines s'écoulèrent et toujours pas d'appel de Carl. *Bien sûr. Il est probablement chez Garcia à goûter au chili avec quelqu'un d'autre. C'est correct. Au moins, j'ai eu un bon dîner.*

C'était le temps de nos samedis sociaux pour célibataires : un voyage à San Francisco, une randonnée à bicyclette au parc du Golden Gate et un dîner de croisière facultatif dans la baie. Nous nous rencontrâmes dans le stationnement d'une épicerie.

« Roméo vient d'arriver », m'annonça Jeanne, comme Carl délogeait sa bicyclette du coffre de sa voiture. Je me mis en garde. *Sois sociable, mais distante. Laisse-le venir à toi.* Après avoir roulé le long de la plage, dix d'entre nous revêtirent des tenues de dîner et montèrent à bord d'un bateau à étage bleu et or. En nous éloignant sur les flots agités, nous étions tous sur le pont inférieur à contempler le soleil s'embraser sous le Golden Gate, peignant le ciel de teintes oniriques. J'étais fascinée par la lumière. Je remarquai à peine la musique indiquant que le dîner était servi.

Je vis Jeanne et le groupe se diriger en bas, et tout à coup, le pont fut vide. Si ce n'est de Carl et moi.

Comme le bateau esquissait une courbe, une brise glacée venant du large me fit frissonner. Carl glissa ses longs bras autour de mes épaules. Ce n'était pas une accolade anodine. Soudain, je figeai comme un arbre pétrifié.

Il me prit doucement le menton et me regarda. *Il va m'embrasser. Dans l'endroit le plus romantique du monde, il va m'embrasser. Attends, j'ai des questions…* Mais je fermai les yeux, serrai mes bras autour de son cou et m'abandonnai à son baiser.

« Je sais que tu attendais que je le fasse depuis longtemps, dit-il enfin. Mais je ne pouvais pas. J'étais loin d'être prêt à m'engager dans une relation, et ç'aurait été injuste. J'avais besoin de temps — pour devenir l'homme qui convient à une femme comme toi. »

Onze mois plus tard, nous étions mariés. En prononçant ses vœux, Carl dit : « Merci de m'avoir attendu, Jan. » Quand ce fut mon tour, je lui partageai quelque chose que j'avais enfoui dans mon cœur. C'était une phrase d'un séminaire sur les relations : « L'amour est une amitié qui a pris feu. »

Jan Coleman

Dilemme de veille du jour de l'An

Plus qu'une semaine avant la veille du jour de l'An, et je n'avais pas l'ombre d'un rendez-vous pour cette occasion importante. Le reste de l'année serait-il à l'avenant? Plantée devant la télévision avec ma mère et mon jeune frère, à regarder les autres s'amuser?

Six mois auparavant, j'avais quitté la côte verdoyante du sud-est du Texas pour cette partie désolée, à l'ouest, où je vivais avec ma mère tout en me remettant d'un grave accident de motocyclette. Maintenant que je pouvais de nouveau travailler, j'avais l'intention de retourner en vitesse dans mon paradis, dès que j'aurais suffisamment d'économies.

Entre-temps, j'étais là, à 21 ans, devant la lugubre possibilité d'une veille du jour de l'An à la maison. « Ne reste pas assise là », m'ordonna une voix intérieure. « Fais quelque chose. » D'habitude, l'idée d'un rendez-vous surprise m'aurait fait frémir, mais j'étais décidée à ne pas passer la soirée en face de la télé.

Je pris le téléphone et appelai Penny, une fille que j'avais rencontrée ici et qui semblait connaître des tas de gens en ville. Elle dit qu'elle allait réfléchir à ce problème et me rappeler si quelqu'un lui venait à l'esprit.

Deux jours plus tard, elle me rappela. Un ancien collègue, qui ne savait pas qu'elle s'était récemment fiancée, lui avait demandé de l'accompagner pour la veille du jour de l'An. Lorsqu'elle lui expliqua qu'elle n'était plus libre, il lui demanda si elle avait une amie à lui présenter. « Il est divorcé et a la garde de ses deux enfants, il est assez soigné et ne prend pas de drogue », me dit-elle. Nerveuse, j'acceptai, puis passai la semaine suivante à regretter mon impulsivité. Plusieurs fois, je faillis prendre le téléphone pour annuler.

Mais je survécus à la semaine, et finalement, le fameux soir arriva. Je ne pouvais pas décider quoi porter. S'attendait-il à une tenue de loisirs ou à une robe avec talons hauts? Environ trente minutes avant son arrivée, j'appelai Penny, en panique. Qu'est-ce que je dois porter? Penny me dit qu'il ne semblait pas être du type « tenue de soirée ». Qu'est-ce que ça voulait dire? J'étais encore plus confuse. Je me décidai finalement pour ce qui me semblait un heureux compromis, un pantalon et un chandail.

On sonna à la porte. Devais-je répondre moi-même ou demander à mon jeune frère Jerry d'y aller? Je soupirai en me dirigeant vers la porte, inventant mentalement diverses excuses qui me permettraient de m'esquiver gracieusement, si la soirée tournait au désastre. Plaquant un sourire sur mon visage, j'ouvris la porte.

J'arrêtai net et écarquillai les yeux en voyant le stetson, la chemise western, les longues jambes revêtues d'un jeans et les bottes à bout pointu. Un cowboy! J'avais rendez-vous avec un cowboy! Puis, mon regard retourna à son visage, et je découvris les yeux les plus verts que j'aie vus, des yeux pleins de rires devant mon expression.

Je bégayai un « bonsoir » et lui tendis poliment la main. Jerry se retenait de ne pas pouffer de rire, alors que je tentais de prendre une contenance. Nous échangeâmes quelques mots, et tout à coup je me sentis à l'aise d'aller n'importe où ou de faire n'importe quoi avec lui.

Durant le dîner, nous avions toujours quelque chose à dire. Et mes yeux ne pouvaient s'empêcher de revenir sur ces yeux verts et cette bouche souriante. Après dîner, il m'emmena voir un film d'action. J'oubliai de lui dire à quel point je réagissais activement aux péripéties de ces aventures. Il rit quand je criai, me cachai les yeux et m'enfonçai dans mon siège, et quand je levai les pieds du plancher lorsque des insectes ou des rongeurs apparurent à l'écran. Je crois que, pour lui, la véritable grande aventure fut de me regarder réagir au spectacle.

À la fin du film, il me dit qu'il devait rentrer. Je me demandai s'il m'envoyait promener. Je me demandai aussi s'il allait m'embrasser pour ce premier rendez-vous. Il s'était conduit en véritable gentleman toute la soirée, il n'allait probablement que me serrer la main et peut-être ne le reverrais-je jamais. Je me rendis compte à quel point je désirais ce baiser. Me trouverait-il trop hardie si je l'embrassais la première? Cela le ferait-il fuir ou revenir? Une fois de plus, l'indécision me tenaillait.

En arrivant à la maison, il me raccompagna à la porte, entra un moment, puis tourna le dos pour s'en aller. *Et puis quoi?* me dis-je. *Joue le tout pour le tout.* Je le suivis jusqu'à sa voiture et lui demandai de m'embrasser. Il s'exécuta, et, étourdie, je flottai vers la maison, espérant le revoir.

Je l'ai revu. Le lendemain, tôt, il me téléphona. Je lui plaisais aussi! Cinquante-six jours plus tard, nous devenions mari et femme. Il y a 21 ans de cela, et même après toutes ces années passées ensemble, ses baisers m'étourdissent encore.

Ne sous-estimez jamais le pouvoir d'un rendez-vous surprise.

Judith L. Robinson

Réponse à la boîte 222B

Était-ce la solitude, l'appel de l'aventure ou la simple folie qui m'avait poussée à répondre à cette annonce dans le journal? Je faisais les cent pas dans la maison, me répétant que c'était vraiment stupide. Mais comme un joaillier cisèle une broche précieuse et unique, je composai ma réponse à l'annonce tentatrice.

J'ai vraiment répondu à une annonce pour les cœurs solitaires. Suis-je vraiment si désespérée de trouver un homme?

J'avais toujours cru que seuls les perdants-nés plaçaient ce genre d'annonce ou y répondaient. Il fallait sûrement crever de solitude, être laid ou carrément imbécile!

C'est ce que je suis, une parfaite imbécile!

Qu'en penseraient mes enfants? Comprendraient-ils que les lettres noires en caractères gras m'avaient sauté aux yeux sans que je me méfie? « *Éleveur chrétien, 1 m 80, 81 kg, 50+. Bon travailleur, propre, en santé, bonne condition physique. Aime la pêche, le camping, le ski de fond, les animaux, les restaurants. Cherche femme sensée et sincère, 40-50, attrayante, soignée, aimante, honnête, pour relation sérieuse. Boîte 222B.* »

Mama mia! Quelle femme aimante, sensée, honnête et *seule* pouvait résister? Bien, peut-être pas si sensée.

« Cinquante plus quoi? » commençai-je ma lettre. « Je suis une femme en santé et travailleuse qui aime cuisiner, coudre, voyager, prier et marcher dans le désert au soleil couchant ou pieds nus sur la plage. »

Je ne dis pas que je pouvais satisfaire à tous les critères de son annonce, mais je ne lui donnai aucune raison de croire le contraire. Mais le pouvais-je vraiment?

J'étais dans la cinquantaine, plus ou moins attrayante, pas toujours soignée et très peu certaine de vouloir une relation sérieuse. C'était un ami que je voulais vraiment. Avais-je été malhonnête de ne pas le lui dire?

Levant la lettre vers le ciel, je demandai à Dieu : « Si vous voulez que je rencontre cet homme, l'amènerez-vous à moi? » Puis, j'ai posé l'enveloppe affranchie sur le bureau pour la poster le lendemain.

Durant les semaines suivantes, j'avais les mains moites chaque fois que le téléphone sonnait. Était-ce lui? Et si je ne lui plaisais pas? S'il avait l'air désappointé en me voyant la première fois? Pourrais-je y faire face?

M'inventer des excuses pour m'éloigner du téléphone devint un jeu pour moi. Au lave-auto, un après-midi, essuyant ma voiture et les glaces, je me surpris à fantasmer sur tous les hommes qui s'y trouvaient. *Regarde celui-là, je parie qu'il a 50+. Il est presque chauve, il a des bajoues tombantes et un gros ventre. Oh! mon Dieu, il porte une chemise et des bottes de cowboy. Je vais mourir si c'est mon éleveur chrétien!*

Je ne vis pas un seul homme que j'aurais aimé être la boîte 222B. Trempée et découragée, je revins à la maison prendre une douche, m'interrogeant sur mes motifs et tentant d'oublier ma solitude. En m'habillant devant la glace, je m'observai sous tous les angles, constatant les ravages de plus de 50 ans sur terre.

J'examinai mon visage, creusé et émacié, perché au-dessus d'épaules et de bras musculeux. De grandes mains robustes qui ne savaient jamais où se mettre. Dix kilos de trop, la taille épaisse, des cuisses costaudes suivant des mollets vigoureux et de grands pieds décharnés. Je me rappelai ce garçon en cinquième année qui m'avait dit que j'étais bâtie comme des latrines en briques : solide et utile, mais sans classe.

Les larmes commencèrent à couler à flots comme je me jetai à genoux près du lit. « Mon Dieu, regardez-moi, je suis affreuse. Pourquoi ai-je envoyé cette lettre? Pardonnez-moi d'avoir trompé cet homme, d'avoir présenté la femme que je veux être et pas celle que je suis. »

Un dimanche soir, quelques semaines plus tard, j'invitai mon amie Jeanette à manger des gaufres après le service religieux. En quittant l'église, elle me présenta à un ami de son groupe de célibataires auquel elle prenait part parfois. Impulsivement, je lui offris de se joindre à nous pour les gaufres, et il accepta.

Nous passâmes les trois heures suivantes à nous empiffrer, rire et causer. Jim était divorcé, avait plusieurs grands enfants et cultivait de la luzerne pour nourrir le bétail. C'était un homme aimable, grand et élégant, prévenant et apparemment ambitieux. Je compatis lorsqu'il parla de sa solitude.

Fermant la porte après cette délicieuse soirée, je m'attaquai au désordre. J'avais empilé le courrier des derniers jours sur le grand bureau de la salle à manger, et le moment semblait choisi pour le trier. Je jetai les réclames à la corbeille et classai quelques factures. Je regardai ensuite, incrédule. Ma lettre était là! Ma réponse à « l'éleveur chrétien » n'avait jamais été postée. Toutes ces émotions et ces doutes pour rien!

Puis, un doute pénétra ma pensée. Les morceaux tombaient en place. Jim portait des bottes et une chemise de cowboy, c'était un éleveur et il était seul. Lui et l'éleveur chrétien ne faisaient-ils qu'un?

Je me précipitai au téléphone pour parler à Jeanette. « Crois-tu qu'il ait jamais passé une petite annonce pour trouver une femme? Crois-tu qu'il pourrait se donner le surnom d'éleveur chrétien? »

Jeanette se tordit de rire : « Oui, tout le monde du groupe de célibataires sait qu'il l'a fait. Je crois qu'il a obtenu 70 ou 80 réponses jusqu'ici, dont certaines vraiment dingues. »

Je raccrochai, me sentant quelque peu excitée, un peu ridicule et totalement en admiration devant un Dieu qui faisait en sorte qu'une lettre jamais postée reçoive une réponse. Et puis, Dieu et moi étions les seuls à savoir.

Plusieurs jours s'écoulèrent avant que je ne décroche le téléphone pour entendre la voix de Jim me proposer d'aller à la foire de l'État pour la journée. « Ça me fait énormément plaisir », dis-je. *Super! Un vrai rendez-vous avec un type qui a le choix entre 70 ou 80 femmes!*

Une chaleur agréable m'envahit en raccrochant. Puis, je courus à ma chambre à coucher, mon cœur battant la chamade. Qu'est-ce que j'allais me mettre sur le dos? Devant la glace, une fois de plus, j'observai une femme d'âge moyen, toujours gauche et trop grosse, au visage maigre et aux pieds osseux, mais elle n'avait plus peur. « À prendre ou à laisser », ricanai-je.

Le lendemain, je sortis au soleil pour commencer une nouvelle amitié avec un éleveur chrétien.

Qu'arriva-t-il ce jour-là à la foire? Nous eûmes du plaisir ensemble. Est-ce que nous nous revîmes? Oui. Est-ce que nous nous mariâmes? Non. Mais cela n'avait aucune importance. Ma confiance en moi s'épanouit, et j'appris encore autre chose : si vous êtes destiné à rencontrer une personne en particulier, qu'il s'agisse d'un futur ami ou conjoint, cela *va* arriver, aussi vrai que le soleil se lève chaque matin. Et ça arrive même si votre petit bijou de lettre amasse la poussière sur un vieux bureau.

Barbara Baumgardner

Sur les rochers

La vue du haut des Rocheuses du Colorado était à couper le souffle. Autour de nous, les cimes étaient couvertes de neige, même en juillet.

J'étais en excursion, mais ce n'était pas agréable. Ma petite amie Paula était en amont, j'étais en aval. J'aurais dû m'amuser à faire ricocher des roches plates dans le ruisseau, mais j'étais assis sur une énorme pierre, regardant l'eau cristalline courir sur les rochers. Et c'était bien.

Nous avions déjà eu beaucoup de plaisir ensemble, je croyais même en devenir amoureux. Mais aujourd'hui, Paula se conduisait bizarrement. Ce devait être un rendez-vous exaltant — le cadre était enchanteur — et pourtant, je souffrais du silence que m'imposait Paula. Un mur de glace semblait s'être érigé entre nous, et je ne pouvais le faire fondre.

Déconcerté et me sentant rejeté, j'ai tiré une Bible de mini-format de ma poche arrière. Je voulais lire quelque chose qui me distrairait de ma peine. La veille, j'avais interrompu ma lecture au milieu d'un chapitre. Poussant un soupir, j'ai trouvé l'endroit où j'avais cessé de lire. J'ai continué sans enthousiasme : « Aimez vos ennemis. »

Ennemis? mon intérêt était piqué. C'était Paula. Il n'y avait qu'à voir la façon dont elle agissait à mon endroit! Le passage disait encore : « Faites le bien envers ceux qui vous maltraitent. » Ah! oui, elle me maltraitait vraiment. Son comportement moche à mon égard me donnait envie de m'en aller. Qui voulait souffrir comme ça?

Poursuivant ma lecture, ce verset m'a vraiment intéressé : « Donnez, et vous recevrez… car dans la mesure où vous donnerez, il vous sera donné. »

J'étais resté fixé sur ma personne. Ma colère me semblait justifiée. Paula m'avait clairement exprimé par sa froideur que notre relation était terminée. Après tout ce que j'avais fait pour elle, elle mettait notre relation sur la glace.

« Donnez, et vous recevrez. » Comme le ruisseau cascadait sur les rochers, des pensées m'assaillaient à propos de la nature d'une véritable amitié. Même lorsqu'il est blessé ou incompris, un ami véritable se tourne vers l'autre pour combler le fossé. Un ami véritable donne, il ne prend pas.

J'étais consterné par mon propre apitoiement. Je m'étais axé sur les « ennemis », mais je me rendais compte maintenant qu'il valait mieux mettre l'accent sur « l'amour ». « Fais fondre cette glace, en commençant par ton côté du mur », me suis-je marmonné. Il allait être difficile de commencer à être aimable avec Paula. Elle pourrait me rejeter complètement ou me blesser plus encore. J'ai décidé que le jeu en valait la chandelle.

Plus d'une heure s'était écoulée depuis que nous nous étions séparés. La cherchant, je l'ai finalement aperçue très loin en amont, assise sur les roches près de l'eau tumultueuse. Elle ne m'a pas remarqué parce qu'elle faisait face à l'autre côté, et le bruit de l'eau couvrait celui de mes pas.

À deux mètres d'elle, j'ai regardé sa nuque et j'ai pensé, *je suis trop nerveux pour lui ouvrir mon cœur.* Je me suis replié sur les arbres de la rive. La nervosité me mangeait tout rond.

J'ai essayé de l'approcher une deuxième fois, mais je suis encore retourné vers les arbres, me traitant de lâche. Mais le verset tournait encore dans ma tête : « Donnez, et vous recevrez. » Cela m'a donné du courage mais pas tout à fait assez. Je savais que, si j'essayais une troisième fois, je me dégonflerais encore. Alors une idée m'a frappé : attire son attention à distance. Si elle me voit, il faudra que j'aille lui parler.

J'ai crié, remué des arbres et cogné des branches. Avez-vous déjà essayé de faire plus de bruit qu'un ruisseau de montagne grondant? C'est impossible. Alors j'ai décidé de lancer quelques cailloux, pas sur elle, mais près d'elle pour qu'elle se retourne et me voie.

C'était la chose à faire. Lorsqu'elle s'est tournée et m'a aperçu, je me suis avancé vers les rochers où elle était assise.

« Bonjour », lui ai-je lancé. La boule dans ma gorge me semblait aussi grosse que la pierre où je me suis assis près d'elle. « Ça te dérange que je te parle quelques minutes? »

« Non, ça ne me dérange pas », dit-elle, l'air surpris.

« Qu'est-ce que tu faisais? » C'était maladroit, mais rien d'autre ne me venait à l'esprit.

« Oh! je réfléchissais. Et toi? »

« Je lisais. Est-ce que je peux te montrer ce que j'ai lu? » J'étais certain qu'elle pouvait entendre mon cœur battre dans ma poitrine.

« Bien sûr. »

J'ai tiré ma Bible de ma poche et me suis mis à lire. « Aimez vos ennemis. » Je voulais faire des commentaires, mais j'avais peur de perdre la face. « Donnez, et vous recevrez. » Je me suis éclairci la voix.

J'ai bégayé : « Ces derniers jours, chaque fois que j'ai tenté de communiquer avec toi, j'ai senti qu'il y avait un mur de glace entre nous. Peut-être que tu ne voudras plus jamais me voir, mais je veux t'exprimer mes sentiments intimes à ton égard. Je t'aime beaucoup et je veux être ton ami. Si tu ne veux plus qu'on se voit, je serai déçu, mais je veux quand même être ton ami. »

J'ai fait une pause, m'attendant à un refus irrité. J'ai plutôt reçu une surprise.

« Aimerais-tu que je te dise à quoi je pensais », m'a demandé Paula.

« Oui! Qu'est-ce que c'était? »

« Tu me plais réellement, mais j'avais peur que tu me rejettes. Mon dernier amoureux m'a vraiment fait mal, et je ne voulais pas souffrir de la sorte une autre fois. Alors, pour protéger mon cœur, je t'ai gardé à distance. Je suis désolée. Peux-tu me pardonner? »

En plein sur les rochers, nous avons entrepris de traverser les barrières de nos peurs. Le mur de glace a fondu. Comme c'est facile d'imaginer le pire à propos d'une personne, et si difficile de croire au meilleur. Jeter les bases d'une relation intime exige du courage, mais la leçon que j'ai apprise près de ce ruisseau de montagne est la suivante : cherche à être un ami digne de confiance, et prends toujours le risque de communiquer honnêtement et humblement.

Notre expérience sur les rochers a été merveilleuse, à tel point que six mois plus tard, dans un restaurant romantique d'Atlanta, j'ai demandé à Paula de m'épouser, d'être ma meilleure amie pour la vie.

À notre mariage, nous avons échangé des anneaux, sur lesquels on pouvait lire l'inscription suivante : « Donnez, et vous recevrez. »

Chaque fois que je regarde mon alliance, je me souviens de *Donner est plus doux que recevoir*. Et cette simple pensée a changé le cours des seize ans de notre union.

Dick Purnell

« Naturellement, notre mariage est bâti sur le roc.
Sur quoi d'autre voudrais-tu qu'il le soit? »

Reproduit avec la permission de David Howell.

Un bon parti

Mon amie Nancy est intelligente et autonome. Bien des femmes pourraient aspirer à être comme elle. Elle a 39 ans, est jolie, confiante. Elle est agent de distribution artistique en cinéma, alors elle connaît des tas de gens. En somme, Nancy est ce qu'il est convenu d'appeler un bon parti.

Alors pourquoi personne n'en tirait-il parti? C'était la question à laquelle elle réfléchissait. C'est la question que se posent nombre de femmes que je connais. Des femmes qui n'ont pas besoin d'un homme pour se sentir complètes, mais qui préféreraient certainement partager leur vie avec un compagnon plutôt que de la vivre seule.

« Je suis trop gentille, dit Nancy. Les hommes préfèrent les femmes qui sont méchantes. » Je ne sais trop où elle a pris cette théorie, excepté peut-être d'une célébrité à qui elle avait trouvé un rôle dans un film, qui apparemment se comportait comme un dragon avec tous les hommes du plateau. Ce comportement, toujours à ce qu'on en dit, faisait baver les hommes d'admiration.

Nancy essayait d'être simplement elle-même. Même si elle tentait d'être impolie envers l'homme convoité, de ne pas prendre ses appels ou de ne pas se présenter à ses rendez-vous, elle finissait toujours par écouter ses problèmes et par lui cuisiner un bon petit rôti avec pommes de terre au romarin.

Et l'homme s'en allait. D'après Nancy, ce *pas de deux* était entièrement sa faute à elle. Elle croyait qu'en amour, le truc était d'apprendre à devenir la personne qu'il faut être. Elle voyait des amoureux se comporter en amis et se demandait comment ils avaient bien pu en arriver là.

« Et Jack? », ai-je demandé à Nancy, il y a environ neuf mois.

« Qui? »

« Jack, tu sais, le type qui te traite comme un véritable être humain? »

« Oh! lui, a-t-elle dit. Crois-tu que je devrais me faire couper les cheveux? » Elle a parlé du dernier objet de sa convoitise, un banquier de plus de 1 m 80 qui jouait souvent au hockey. « Il mourrait si je me coupais les cheveux court. »

« Oh! lui », ai-je dit. Le joueur de hockey était le dernier prince charmant en lice de Nancy. Il l'éblouirait pour un soir, et elle lui ferait le coup du petit rôti. Il promettrait ensuite de téléphoner, oublierait de le faire, sortirait avec quelqu'un d'autre, reviendrait à Nancy, oublierait de téléphoner. Et tout cela, bien sûr, ne faisait qu'attiser le désir de Nancy. Elle avait une longue lignée de prétendants comme lui.

« Je ne crois pas que tu devrais te faire couper les cheveux », lui ai-je dit, et j'ai essayé de ramener la conversation sur Jack. Lui et Nancy se connaissaient depuis longtemps, jusqu'à ce qu'il se marie et sorte de notre cercle d'amis. Après quelques années, il avait divorcé. Il essayait maintenant de renouer avec nous.

Jack était celui qui apportait des fleurs à Nancy dans son nouvel appartement, qui déballait ses boîtes jusqu'à minuit, qui branchait sa chaîne stéréo tandis qu'elle attendait fébrilement un appel du joueur de hockey.

« Jack est trop gentil », a dit Nancy.

J'ai répondu peut-être. Peut-être que les gens doivent continuer de désirer l'inatteignable jusqu'à ce qu'ils soient prêts à l'obtenir.

Peu de temps après cette conversation, Nancy a eu d'autres préoccupations que les relations hommes-femmes. Elle a appris que sa mère avait le cancer des os. Elle a commencé à faire la navette entre le travail et la maison de ses parents, à trois heures de route.

Le joueur de hockey lui a promis de téléphoner.

Quelques mois plus tard, son père avait le cancer de la moelle.

Le joueur de hockey a oublié de téléphoner.

Mais Jack était là. Sa propre mère était morte dans ses bras; il en savait un bout sur la façon de dire adieu. Il essayait d'être un bon père célibataire; il connaissait bien les sacrifices qu'il faut consentir pour prendre soin d'autrui. Il parlait à Nancy. Il l'invitait chez lui, à dîner, au cinéma, à un concert, à… une partie de hockey.

Nancy avait peine à s'empêcher de chercher son joueur de hockey.

Peu avant l'Action de grâce, la mère de Nancy a été hospitalisée pour une pneumonie. Pendant quelque temps, sa famille croyait qu'elle ne s'en tirerait pas. Nancy a commencé à passer plus de temps à son chevet qu'à celui de son père.

Jack a téléphoné et offert de préparer le repas d'Action de grâce pour toute la famille. Nancy a accepté, puis a parlé de lui à sa mère.

On a renvoyé sa mère à la maison en ambulance. Ils ont installé un lit d'hôpital dans la chambre à côté de celle où se trouvait le lit d'hôpital de son père. La mère de Nancy lui a demandé de changer sa taie d'oreiller, de lui apporter sa trousse de maquillage et de l'aider à se coiffer. Une fois arrangée, elle a dit : « Bon, maintenant fais entrer Jack. »

Jack s'est assis à son chevet un long moment. Puis, il a regardé le football avec le père de Nancy.

Nancy et Jack ont préparé la dinde ensemble et, à un moment donné, Nancy a lâché prise. Elle s'est dit : *Oh, c'est comme ça que ça doit être, il y a des amoureux qui sont d'abord des amis.* Elle n'a eu rien à changer pour être aimée, elle n'avait qu'à être.

Les parents de Nancy s'accrochent à la vie et l'un à l'autre. Nancy et Jack aussi.

Le joueur de hockey a téléphoné il y a quelque temps. Nancy ne l'a pas rappelé.

Jeanne Marie Laskas

« Ça dit que j'ai oublié mon portefeuille. »

Reproduit avec la permission de Martha Campbell.

Le rendez-vous surprise

Votre grand-mère vous a-t-elle déjà organisé un rendez-vous surprise? C'est ce que fit celle de mon amie Annie.

Le neveu de la partenaire de bridge de sa grand-mère téléphona. Il était de passage, et Annie accepterait-elle de dîner avec lui? Elle accepta, se résignant à passer une soirée ennuyeuse, jusqu'à ce qu'elle voie David se pointer à sa porte. Quel beau mec, et motorisé! Il aurait pu être mannequin, même sans sa Porsche.

Grand-maman méritait un mot de remerciement.

Sauf que le type conduisait trop vite et lui frôlait le genou chaque fois qu'il changeait de vitesse… mais l'habitacle de la voiture était étroit, et son coude ne pouvait vraiment éviter le sien quand ils prenaient des courbes serrées, n'est-ce pas? En stationnant, sa main tomba en quelque sorte sur sa jambe… et y demeura, mais un sourire furtif et son « J'espère que tu aimes les mets italiens » la convainquit à demi que c'était un accident.

Des mets italiens? Oui. La simple maison du spaghetti du quartier? Non. C'était de la fine cuisine. Un maître d'hôtel tout sourire nommé Luigi. Des serveurs maniérés en veste blanche et nœud papillon. Verdi jouait en sourdine. Un éclairage tamisé. Des orchidées dans des vases d'argent. Des nappes empesées. Et un compagnon charmant qui écoutait autant qu'il parlait. Il commanda en italien et raconta des histoires drôles qui la firent rire en mangeant des raviolis au crabe et en sirotant du Frascati. Tout était parfait, mais lorsqu'il commanda une deuxième bouteille de vin avec le veau, Annie commença à s'inquiéter du retour. Jusqu'à ce que Beau mec mentionne qu'il séjournait tout près de là. Bon, il pourrait retourner à pied et elle prendrait un taxi avec l'argent pour les urgences enfoui dans son sac.

« C'est un bon hôtel », dit-il avec assurance. « J'ai une chambre double, avec très grand lit et baignoire à remous. »

La pauvre Annie faillit s'étouffer avec sa paupiette de veau. « C'est bien. » Les yeux pleins d'eau, c'est ce qu'elle put trouver de mieux.

« Tu vas aimer ça. »

Pas question. « Il faut que je revienne à la maison. » Ce qui n'était pas exactement un mensonge, ses colocataires l'attendaient.

« Oh! je t'en prie! » Un éclair de colère dans ses yeux l'inquiéta un peu comme elle refusait de nouveau, mais il sourit et haussa les épaules. « Si je ne peux pas te convaincre, aussi bien commander le dessert. »

Elle opta pour le tiramisu. Il commanda une strega avec son espresso, puis se leva de table. Sa bourse tomba quand il passa, mais il l'attrapa et la remit en place en s'excusant. Le dessert arriva avant qu'il revienne. Annie reluqua une boucle chocolatée. Elle ne mangerait pas avant son retour, elle était bien élevée, après tout. Plusieurs minutes s'écoulèrent. Annie essaya une cuillerée de crème fouettée. Puis une autre. S'était-il évanoui? Tombé raide mort? Été kidnappé? Voyons donc! Elle pensait comme sa mère. Il était beaucoup trop jeune pour une crise cardiaque et les gens ne se faisaient pas enlever dans des restaurants respectables.

À mi-chemin de la première couche de doigts de dame trempés de café et de Marsala, elle décida qu'elle était la fille de sa mère après tout et demanda à un serveur de bien vouloir vérifier si l'homme qui l'accompagnait se trouvait aux toilettes. Ce ne fut pas facile, mais la réponse le fut encore moins. Il n'était nulle part dans l'édifice. Enlevé par des extraterrestres semblait plausible après tout.

« Je crois que ce monsieur a quitté », l'informa le maître d'hôtel d'un ton glacé.

«Attendez!» Laissant son dessert à peine entamé, Annie se précipita hors du restaurant. Une Mercedes se glissait dans la place où ils avaient stationné. La crème fouettée résiste mal au stress. Annie avait envie de vomir, mais elle avait déjà assez d'ennuis sur les bras. Ils avaient choisi les meilleurs plats et vins, et elle n'avait en poche que le prix d'un taxi. Elle se demanda combien de temps elle devrait laver la vaisselle.

« Il est parti. » Le maître d'hôtel hocha la tête quand elle revint. « Ces choses-là arrivent. »

Seigneur, elle aurait deux mots à dire à sa grand-mère, si jamais elle se sortait de ce pétrin. « Voilà, j'ai bien peur de ne pas avoir d'argent sur moi, je ne m'attendais pas... » Sa voix faiblit.

« Nous non plus », lui répliqua Luigi, un mince sourire sur sa grande bouche.

Sa bourse pendait toujours à sa chaise, béante. Elle trouva la page déchirée d'un journal, froissée dans la pochette où elle gardait son argent pour les urgences. « Désolé, chérie, disait le gribouillis, j'ai besoin d'argent pour l'essence. »

Maintenant elle était vraiment prête à vomir. Elle devrait marcher jusqu'à la maison après avoir fait la vaisselle. Ses yeux s'embuèrent, et ses problèmes lui bourdonnaient aux oreilles. Une main forte lui empoigna le bras. Elle chancela. Une autre main se posa sur son épaule. « Venez. » Deux mains fermes la propulsèrent à l'arrière du restaurant. Non pas vers la cuisine et un amoncellement de vaisselle, mais dans une petite pièce encombrée. Une cellule d'isolement pour les non-payeurs? Elle s'enfonça dans une chaise et leva le regard sur des yeux sombres et une grande bouche. « Ça va? » lui demanda Luigi.

Elle aurait pu endurer la colère et les lamentations. Mais cette sollicitude la désarçonna. Entre les sanglots, les reniflements et quelques mouchages bruyants, Annie raconta tout et trempa un mouchoir autrement impeccable. Luigi lui en offrit un second. « J'en ai pour une minute », dit-il, et il sortit. Annie s'attendait presque à être enfermée tandis qu'il prévenait les autorités, mais il laissa la porte entrouverte et revint quelques minutes plus tard avec une tasse fumante. « Café Sambuca. » Luigi sourit en lui tendant la tasse. « Buvez-le. »

Trop épuisée pour protester, elle but. Le flot soudain de café, de sucre et d'alcool sur ses nerfs agités la laissa chancelante et fragile, mais consciente de la proximité de Luigi. S'il devait essayer quoi que ce soit… La panique s'empara d'elle.

« Ne vous inquiétez pas », dit-il, comme s'il devinait ses pensées. « Vous voulez d'autre café? » Elle fit non, et il lui prit gentiment la tasse vide. « Vous vous sentez mieux? »

Elle hocha la tête. « Je peux vous poster un chèque. »

Luigi l'interrompit en souriant. « N'en faites rien. Ce n'est pas la première fois qu'un client file sans payer. On en a eu qui ont laissé leurs manteaux et leurs parapluies dans leur fuite, mais jamais leurs compagnes. Vous vous sentez assez bien pour rentrer à la maison? Je vous appelle un taxi, gracieuseté de la maison. »

Elle ne pouvait accepter. « Je vais au moins vous envoyer l'argent pour ma part. » Payer pour nourrir le Beau rat était hors de question.

Les yeux sombres de Luigi pétillèrent alors qu'il secouait la tête. « C'est le coût des affaires. » Un serveur appela un taxi et Luigi la raccompagna jusqu'à la rue.

« Écoutez, merci. Je veux dire, je suis désolée pour la facture. Le repas était délicieux… du moins jusqu'à ce que… »

« Ce paysan révèle sa vraie nature? »

Elle rit presque à cette remarque. « C'est une insulte pour les paysans honnêtes. » Elle tendit la main.

Délaissant la main tendue, Luigi la serra contre lui et lui chuchota : « Une femme comme vous devrait choisir ses compagnons avec plus de soin. »

Ne sachant trop comment interpréter cette réplique, Annie promit qu'elle serait vieille, grisonnante et désespérée avant d'accepter un autre rendez-vous surprise.

Le lendemain matin, elle retourna au restaurant pour rembourser sa moitié de la dette, et son argent fut refusé. Elle revint en souriant.

Peu de temps après, Annie écrivit à sa grand-mère... pour lui annoncer ses fiançailles avec Luigi.

Rosemary Laurey

On peut en découvrir davantage sur une personne en une heure de jeu qu'en une année de conversation.

Platon

Un froid

Les examens finaux de l'hiver étaient terminés, et le campus en entier exultait de soulagement. Plus de bourrage de crâne, de surdoses de caféine, de maux de tête, de tension ou de pupitres encombrés. Nous étions libres! Nous avons quitté le campus en bande par ce soir inhabituellement froid de Seattle, légers, décontractés et débraillés. Nous allions tous danser au club local, le seul endroit de la région prêt à accueillir quelques centaines d'étudiants désireux de lâcher leur fou après leurs examens. Nous nous sommes faufilés dans des jeans serrés et des mini-jupes, exposant jambes et ventres, et nous nous tordions presque d'excitation. La musique était forte et provocante, les silhouettes sur la piste de danse sensuelles, sauvages. L'électricité était saisissante.

J'étais moi-même assez saisissante, dans une combinaison de satin blanc au dos nu, chaussée de talons aiguilles, une rose dans les cheveux. Malheureusement, ce n'est pas le cœur de mon compagnon qui s'est arrêté, mais le mien. Plus précisément, mon cœur s'ennuyait à mourir. Mon compagnon, Dumbe, était originaire du Cameroun. Il faut dire que c'était notre première sortie, je ne connaissais donc rien de lui, mais j'avais cru que nous profiterions au moins de la piste de danse.

Des lumières stroboscopiques multicolores tournoyaient au-dessus de notre table, et nous devions hurler pour parler plus fort que la voix de l'animateur. Je me balançais au son de la musique, une envie folle me tenaillant de danser — et Dumbe me racontait ses projets pour les jours à venir : aller à la librairie pour prendre de l'avance sur ses lectures du prochain semestre. Je me mis à penser que peut-être c'était raté.

« Il est important de prendre la majorité de tes cours de sciences avant d'entrer à l'université », s'égosillait Dumbe par-dessus le piétinement de la piste de danse.

Il est important pour moi de déguerpir d'ici, me disais-je. Il était minuit, et même les gamins timides qui ne savaient pas danser avaient finalement sauté sur la piste. Dumbe et moi parlions encore des crédits universitaires.

« Allons-y », ai-je crié. Dumbe avait l'air surpris.

« Es-tu certaine de vouloir t'en aller? »

Il semble que ma mine était éloquente. C'était vraiment raté.

Dumbe m'a ouvert poliment la porte du club et m'a laissée sortir. À notre étonnement, une couche de neige de quelques centimètres était tombée, et nos oreilles bourdonnaient du changement soudain, passant du tintamarre du club à un univers doux et paisible.

C'était beau. Il faisait froid. Et je portais des talons aiguilles et des bas minces.

Le temps hivernal avait pris la ville par surprise, il n'y avait ni taxis ni autobus en circulation. Dumbe n'avait pas de voiture, alors, avec un soupir exaspéré, j'ai indiqué le chemin de la maison et nous avons entamé notre trajet, glissant dans les rues. Dumbe enfonçait les mains loin dans ses poches pour les garder au chaud. Moi, dans ma combinaison au dos nu et mes talons minces, en quinze minutes, j'ai eu l'air de la fée des glaces. J'ai trébuché, et Dumbe s'est élancé pour m'attraper.

« Rien ne fonctionne ce soir », ai-je dit en riant du fiasco.

Dumbe a regardé aux alentours et a vu qu'un petit restaurant était encore ouvert. Une bouffée de chaleur nous a accueillis en ouvrant la porte. Les clients étaient entassés à l'étroit, causant sur un ton feutré qui se mariait au temps dehors.

Dumbe a commandé deux chocolats chauds, et nous nous sommes assis. *Bon, maintenant on peut parler encore un peu des bonnes habitudes scolaires,* me suis-je dit, morose. J'étais ridicule dans mon ensemble et j'étais encore congelée. Cependant, Dumbe n'a pas ouvert la conversation, cette fois. Il m'a regardée prendre quelques gorgées fumantes, puis m'a demandé de retirer mes chaussures.

J'ai fait ce qu'il disait, perplexe. Il a approché sa chaise de la mienne, a pris mes pieds bleus sur ses genoux et a commencé à les frotter doucement entre ses mains, estompant l'engourdissement et la blessure du froid. Je l'ai observé, en silence.

« Là, ça devrait aller mieux », a-t-il dit. Il m'a regardée dans les yeux et n'a rien dit sur les cours ou les livres. « Tu es belle », m'a-t-il dit.

J'ai souri, rougissant un brin, m'écartant de lui.

« Attends une minute », a dit Dumbe. Il a jeté quelques serviettes par terre, puis a gentiment posé mes pieds dessus. Il a retiré ses bottes, puis ses chaussettes épaisses et chaudes. Elles étaient encore sèches.

Il a glissé les chaussettes sur mes pieds, puis s'est levé et a drapé mes épaules de sa veste. Le regard rieur qu'il m'a jeté m'a dégelée complètement.

« Viens », a-t-il dit, en se tournant pour sortir. « Grimpe sur mon dos. Je vais te porter et tes jolis pieds vont rester bien au sec. »

J'étais tellement ébahie que j'ai fait ce qu'il disait, et nous avons franchi cahin-caha les quatre ou cinq collines menant à mon dortoir. Quand nous sommes arrivés, nous riions tous deux et parlions librement de nous-mêmes. La danse m'était complètement sortie de l'esprit. Je ne pouvais que penser à Dumbe, à quel point il était délicat et, pourtant, fort et discret, mais plein de rêves.

Avant que Dumbe me laisse dans le hall de mon immeuble, je me suis penchée pour lui redonner ses chaussettes.

« Non, a-t-il dit. Je vais me sentir bien plus au chaud si je sais que tu les portes encore. »

Il m'a serrée dans ses bras, a fait au revoir de la main et a descendu la rue tranquillement. J'étais là dans ses chaussettes, presque irradiant la chaleur, l'observant jusqu'à le perdre de vue.

C'est une habitude que nous gardons depuis dix-huit ans maintenant, Dumbe et moi. Cette première soirée s'est passée il y a quatre diplômes pour nous deux, mais peu importe où mon mari, Dumbe, s'en va, je l'accompagne à la porte, le serre dans mes bras, et je reste là dans ses chaussettes, à l'observer descendre la rue jusqu'à le perdre de vue. Cela me réchauffe jusqu'au bout des pieds.

Pamela Elessa

« C'est peut-être une femme célibataire pour vous,
mais pour moi, c'est MAMAN!...
Ramenez-la à 9 heures. »

Reproduit avec la permission de Randy Bisson.

Aimer Henry

La main d'un enfant dans la vôtre soulève tant de tendresse et donne tant de pouvoir. Vous devenez instantanément la pierre de touche de la sagesse et de la force.

Marjorie Holmes

« Je veux pas! Je veux pas! » hurlait-il.

Dans son chandail de joueur de hockey, Henry jeta un regard furieux de dessous la table. Ses cheveux blonds en bataille pointaient vers six directions différentes, son menton était levé et menaçant, tout son visage de 6 ans formait un masque de défiance.

« S'il te plaît, mon chéri, l'implora Pauline. Maman veut parler à son ami. Tu ne veux pas aller dehors jouer avec Zach? »

Henry décida qu'apparemment, il n'avait pas été assez clair. Il frappa sur la table avec son walkie-talkie.

« Non! Non! Non! » hurla-t-il de plus belle.

« Il va falloir que tu partes », dit Pauline, pas à Henry mais à moi. « Je suis désolée. Il est jaloux et ne se calmera pas tant que tu seras là. »

C'était de mauvais augure. Pauline et moi venions de renouer après dix-huit ans. Il y a longtemps, nous avions songé à nous marier, mais j'avais reculé, souffrant de la maladie du non-engagement. Pauline avait épousé quelqu'un d'autre, dont elle avait divorcé après dix ans. Dès que j'ai appris qu'elle était célibataire, je lui ai téléphoné. Une des premières questions qu'elle m'a posées était si j'étais marié. Quand je lui ai répondu que non, elle m'a dit qu'elle ne l'était pas non plus. « Il n'y a qu'Henry et moi », dit-elle.

Qui était Henry?

« Mon garçon de 6 ans. Mon seul amour. »

C'était un problème. J'étais réputé pour ne pas m'entendre très bien avec les enfants. En fait, quand j'ai téléphoné à mon frère à Denver pour lui annoncer les nouvelles à propos de Pauline et de son fils, il a ri : « Combien de fois as-tu dit que tu ne pourrais pas vivre avec un enfant? »

« Je le sais, dis-je, mais j'aime sa mère, et peut-être que j'avais tort. »

« Peut-être pas », dit-il avant de raccrocher.

Au début, je voulais prouver à mon frère qu'il avait tort. Aimer Pauline était facile et naturel. Nous étions tout naturellement revenus à nos anciennes habitudes. Pourquoi aimer Henry ne serait-il pas aussi simple? Et lorsque Pauline m'a dit que l'anniversaire d'Henry était le 11 avril, le même jour que le mien, mes espoirs furent confirmés. Bien sûr que j'aimerais son fils qui était né le même jour que moi!

La crise de bienvenue d'Henry mit fin à ces espoirs, et tout malaise qu'Henry ressentait en ma présence n'avait d'égal que ce que j'éprouvais à son égard. Je ne pouvais le maîtriser, et sa voix aiguë me tombait sur les nerfs.

Chaque rencontre multiplia les preuves qu'Henry me rejetait, et plus je le voyais, moins je pouvais me voir dans le rôle de son père.

Quand même, mon amour pour Pauline stimula mes efforts. Je l'invitai chez moi, ainsi que Henry, pour dîner, leur servant ma spécialité : une soupe aux courges à la crème accompagnée de pointes d'asperges. Peut-être que cette soirée nouerait un lien spécial entre nous. Dès que Pauline et Henry virent mon repas de gourmet, ils se consultèrent entre eux. Puis, elle se tourna vers moi et sourit. « Tu ne connais pas grand-chose aux enfants, n'est-ce pas? »

« Qu'est-ce que tu veux dire ? » dis-je, sur la défensive.

« Il n'y a pas un enfant sur la planète qui mangerait quelque chose comme ça. » Elle fouilla dans mes armoires en quête d'une boîte de céréales et installa Henry devant la télé. Adieu le lien spécial.

Peu après cette soirée, j'étais assis sur le canapé chez Pauline lorsque Henry vint s'asseoir près de moi. « Maman me dit que tu as déjà été un soldat », jeta-t-il.

« J'étais dans la défense aérienne, lui dis-je. Ils lancent des missiles sur les avions ennemis. »

« Avais-tu un fusil ? »

« Un M-14. Pour l'entraînement de base. » Je ne lui révélai pas que j'avais été commis-dactylo durant une grande partie de ma carrière dans l'armée.

« Tous les autres gars du condo ont des fusils, mais maman veut pas que j'en aie un », se plaignit-il.

« Oh ! tu devrais avoir un fusil ! » lui avouai-je, sans aucune autorisation pour le faire. Je m'accrochais à n'importe quoi pour entrer dans ses bonnes grâces.

Henry était ravi. Pauline était fâchée. « Tu lui as promis quelque chose que tu ne peux lui donner », m'accusa-t-elle, sa voix enterrée par les supplications d'Henry : « S'il te plaît, maman, s'il te plaît. » Je m'étais donc arrangé pour me mettre la mère et le fils à dos.

Au fil des semaines, mes progrès avec Henry furent chancelants. Lors des pique-niques familiaux auxquels nous participions, il semblait heureux de pouvoir me montrer pour les jeux père-fils, comme la course bipède. Mais quand Pauline et moi nous prenions la main durant nos promenades, il courait entre nous deux, rompant notre lien. Il était évident qu'il ne voulait pas nous voir ensemble, mais Pauline disait : « Il doit t'aimer. Au moins, il ne te roule pas dessus avec son tricycle, comme il l'a fait avec mon ancien copain. »

C'était quand même bon signe. Malgré tout, j'étais mal à l'aise avec Henry, et pas seulement à cause de lui. Notre difficulté à nous accepter l'un l'autre était mutuelle, et cet échec était magnifié par la réussite totale que nous avions, Pauline et moi. Nous discutions déjà mariage. Mais quel genre de père serais-je?

Après dîner un soir, Pauline me surprit. « Henry m'a demandé comment il allait t'appeler après notre mariage, dit-elle doucement. Je lui ai demandé s'il voulait t'appeler Terry. Il m'a dit qu'il voulait t'appeler Papa, mais pas avant le mariage. » J'étais content. Si seulement je pouvais me sentir comme un « papa ».

Quelques jours plus tard, en allant au supermarché, j'ai croisé Henry qui jouait dehors. Il m'a aperçu et m'a demandé de venir avec moi. Il gambadait à mes côtés, m'expliquant sa vie à la garderie. Rendus à une intersection achalandée, il s'empara instinctivement de ma main. *Une réaction naturelle, les enfants dépendent des adultes pour leur sécurité,* me suis-je dit. Mais ce petit geste me toucha profondément à l'intérieur de moi, dans un endroit dont j'ignorais l'existence. Soudain, je compris que c'est un acte de foi énorme pour un enfant de vous tendre la main. Dans la mienne, sa main était petite et démunie, et cette vulnérabilité dégagea en moi un flot inattendu de sentiments paternels. Henry voulait un père et il voulait que je sois ce père. Je pris soudainement conscience que je ne voudrais jamais tromper sa confiance. Pour la première fois, je compris ce que signifiait l'amour d'un enfant — et ce qu'aimer Henry voulait dire.

Deux mois plus tard, Pauline et moi nous mariâmes, et Henry portait nos anneaux. Dès que nous eûmes parcouru l'allée après la cérémonie, Henry est accouru et m'a enlacé

la jambe. Levant son regard approbateur vers moi, il dit :
« Bonjour papa! »

Ma voix se brisa quand je lui répondis : « Bonjour, mon
fils. »

Terry L. Fairchild

« Ce n'est que notre premier rendez-vous.
Ne le gâchons pas en étant nous-mêmes. »

Reproduit avec la permission de Randy Glasbergen.

Le dernier rendez-vous

La première fois que je posai les yeux sur Rob, je me lamentai à mon amie : « Pourquoi est-ce que je ne rencontre jamais quelqu'un comme lui? » Même à distance, il semblait tellement… parfait.

Puis, je l'ai connu. De près, ce n'était plus la même histoire. Il était toujours très beau et, d'une certaine manière, il correspondait parfaitement à mon idéal : c'était un ingénieur de talent, propriétaire d'une belle maison, gentil avec les personnes âgées et les animaux, et il conduisait sa voiture comme s'il était Steve McQueen. Mais nous étions deux personnes de planètes différentes. Nous avions peine à trouver de quoi parler, à plus forte raison, sur quoi s'entendre. C'était un scientifique qui avait grandi dans une ferme du Midwest, un républicain, un pilote, une personne ordonnée, efficace, méthodique. J'étais… totalement différente. Il aurait fallu inventer une langue pour pouvoir nous parler. La seule fois où nous avons discuté politique, je me suis tellement fâchée que j'ai ouvert la porte pour m'en aller, et nous étions dans la voiture à 50 kilomètres heure!

Mais nous avions tous deux déjà connu tout cela. Nous avions tous deux 40 ans, et n'avions jamais été mariés. Oh, nous étions sortis avec des tas de gens, en fait, nous avions tous deux épuisé les ressources de notre petite ville. Mais quelque chose clochait toujours. Pour une raison quelconque, la motivation de s'engager était absente. Et les gens commençaient à nous connaître. Lorsque je dis à une amie que je voyais Rob, elle me dit : « Fais attention. Sa photo est dans le dictionnaire à côté de "peur de l'engagement". » Et mes amis appelaient maintenant mes rendez-vous des « entrevues », me demandant : « Comment s'est-il débrouillé en entrevue? »

Nous sommes sortis quelques fois en plusieurs mois. Nos rendez-vous étaient toujours étranges, et nous ne nous sentions jamais assez intimes pour nous embrasser. Et pourtant, j'avais le vague sentiment que si ce n'était de tant de choses qui ne cliquaient pas, ce serait parfait. Le fait qu'il était le portrait de mon père, que j'adorais, jouait en sa faveur. Mais mon père et moi n'avions jamais eu besoin de causer toute la soirée. Sur le plan de la conversation, Rob et moi étions tout à fait désaccordés. Si je commençais à parler d'un roman que je lisais, Rob me répondait en me livrant ses pensées sur la structure des vecteurs orbitaux. Il me raconterait une blague, et je prendrais la défense de la blonde.

Tout de même, nous sortions ensemble de temps à autre. Ai-je mentionné que nos premiers cheveux gris avaient fait leur apparition? Que nous étions après tout assez âgés pour promener nos petits-enfants en poussette?

Finalement, notre manque d'enthousiasme atteignit son paroxysme. Au même moment, avons-nous découvert plus tard, nous avons tous deux décidé de tenter un dernier rendez-vous. Rob avait déjà des billets de théâtre et avait réservé pour dîner dans un restaurant japonais. Je mis une robe moulante et me coiffai pendant une demi-heure. Nous faisions tout comme il faut.

Ce fut agréable, très agréable. Mais nous avons découvert plus tard que, assis en silence dans le théâtre bourdonnant durant l'entracte, nous avions une fois encore pensé la même chose. Cette fois, c'était : « Mettons un terme à tout cela. » Durant le trajet de retour, nous ne nous sommes même pas donné la peine de discuter en détail des idées plus ou moins erronées de l'autre sur la pièce féministe radicale que nous venions de voir. Quelle importance? Nous aurions bientôt d'autres chats à fouetter.

Nous avons remonté en voiture la longue allée qui mène chez moi. Rob coupa le contact, et nous sommes restés en silence un moment. Rob m'a dit, plus tard : « Je savais que c'était notre dernier rendez-vous, et je me sentais soulagé d'une certaine manière. Liberté! Mais je me disais que j'avais toujours voulu embrasser cette femme. »

Alors… il m'a embrassée. C'était notre premier baiser. Il fut long. Nous avons eu le temps de quitter lentement nos planètes distantes, de voir toute la création en chemin et d'atterrir doucement dans mon allée, complètement transformés. Je n'ai eu aucune pensée pendant un bon moment, puis, lorsque nous avons lentement relâché notre étreinte, j'eus une énorme pensée, plus grande que moi. C'était ce que j'avais attendu toute ma vie.

Aujourd'hui, nous parlons du dernier coup pendable du chat, du menu du dîner, de la raison pour laquelle les ordures sont encore dans la cave. Nous évoquons parfois la joie qui se lisait sur le visage de nos mères quand nous nous sommes mariés, il y a six ans. Parfois, nous parlons pendant des heures des choses qui nous tiennent à cœur. Et parfois, nous ne parlons pas du tout.

En fait, j'en suis venue à la conclusion que parler n'est pas aussi sensationnel qu'on le prétend. Il m'est même arrivé de croire que les républicains peuvent avoir raison, parfois. Pourquoi se battre? L'amour se déguise parfois d'une drôle de manière seulement pour vous surprendre.

Cindy Jevne Buck

3

TROUVER L'AUTRE

*Atteindre l'âme d'un autre être humain,
c'est marcher en terre sacrée.*

Stephen R. Covey

La rencontre de
David et Lily

Voici l'histoire sur la façon dont David et Lily se sont rencontrés, ou du moins, c'est ce qu'ils nous ont toujours raconté. Nous n'avons appris la vérité que bien des années plus tard.

Il y a des années, une bonne famille a emménagé au troisième étage de l'immeuble que nous habitions dans le Bronx. David était le fils et il allait à la faculté de médecine. C'était aussi un lecteur passionné qui passait donc le plus clair de ses temps libres à la bibliothèque.

La bibliothécaire était une jolie jeune femme douce nommée Lily. Nous, les enfants, l'aimions tous. Si nous ne trouvions pas un livre, elle interrompait quelque tâche que ce soit, nous souriait gentiment et commençait une recherche pour nous aider à le trouver. Elle travaillait dur.

Elle admirait également en secret notre nouveau voisin, David. Chaque fois qu'il entrait dans la petite bibliothèque de quartier, les yeux de Lily s'allumaient et le suivaient parmi les piles de livres. Jamais elle n'entamait la conversation avec lui, cependant. Elle était beaucoup trop timide, et dans ce temps-là, une femme ne s'adressait pas à un étranger sans avoir été officiellement présentée.

Un soir, comme Lily fermait la bibliothèque, son adjointe se pencha près du bureau pour cueillir une enveloppe cachetée par terre. Elle la montra à Lily. Toutes deux remarquèrent qu'elle provenait d'un grand hôpital de la ville.

« Ça semble bien important, dit l'adjointe. Cette pauvre personne est probablement en train de la chercher partout. Elle a dû tomber de sa poche ou d'un livre. »

Lily jeta un coup d'œil à l'adresse du destinataire et fut surprise de constater qu'il s'agissait de l'immeuble voisin du sien. Elle prit la lettre pour la laisser à l'appartement de cet homme en retournant chez elle.

Elle éteignit les lumières, verrouilla la bibliothèque et rentra en vitesse chez elle, où elle déposa prestement ses sacs. Agrippant l'enveloppe, elle courut à l'immeuble voisin, entra dans le hall et examina les boîtes aux lettres. Elle trouva un « Gordon », le nom figurant sur l'enveloppe, et sonna à cet appartement.

« Qui est là? » grincha une voix de femme sur l'interphone.

« Je suis la bibliothécaire, répondit Lily. Nous avons trouvé une lettre adressée à un certain David Gordon sur le plancher de la bibliothèque. Ce nom vous dit-il quelque chose? La lettre semble importante. »

Après une pause, la voix répondit : « Oui. Pouvez-vous me la monter, à l'appartement B3? Je suis tombée il y a quelques semaines et je ne peux prendre l'escalier. »

Lily monta les trois étages et fut accueillie à la porte par une gentille dame âgée, appuyée sur une béquille.

« Oh! merci beaucoup, dit-elle. Comme vous voyez, je ne peux vraiment pas me servir de l'escalier. »

Lily sourit. « Je comprends. Eh bien, voici la lettre. David Gordon est-il votre époux? »

« Oh! non, répondit-elle. C'est mon fils. Nous nous demandions où était passée cette lettre. » Elle examina Lily de haut en bas. « Vous dites l'avoir trouvée à la bibliothèque? »

« Oui, fit Lily. J'y suis bibliothécaire, mais j'habite l'immeuble voisin, alors ce n'était pas un grand dérangement de vous apporter la lettre. »

« Mais regardez-nous donc!, debout là comme des étrangers! » dit la dame, avec un large sourire. « Venez vous asseoir un moment et prendre le thé. Je vous en prie. »

Poussant Lily vers un siège, la dame parla de la lettre. « Lorsque je reçois du courrier pour mon fils, je le mets toujours sur la table de la cuisine pour qu'il le trouve en rentrant. Cette lettre était importante, alors je l'ai placée dans son livre. Vous savez, il va à la faculté de médecine pour devenir spécialiste », dit-elle fièrement.

À ce moment précis, la porte s'ouvrit, et son fils, David, entra. S'apercevant que c'était bien le jeune homme qu'elle admirait depuis longtemps, Lily sentit son cœur battre plus rapidement. Sa mère lui expliqua avec animation ce qui était arrivé à la lettre.

David regarda Lily avec étonnement. « Mais oui! vous êtes de la bibliothèque! Merci, je cherchais cette lettre dans tous les coins. » Il se tourna vers sa mère. « Tu vois, j'ai été accepté dans le programme médical de l'hôpital. »

Puis, il revint à Lily et sourit timidement : « Merci encore, Mademoiselle euh… je n'ai pas saisi votre nom. »

« Lily », dit-elle avec son plus beau sourire. Son cœur battait encore la chamade et elle était certaine d'avoir rougi.

Pendant ce temps, Mme Gordon s'affairait tout autour, dressant la table pour le thé. « Asseyez-vous! Asseyez-vous! » pria-t-elle le jeune couple.

« Avez-vous décidé dans quelle discipline de la médecine vous voulez vous spécialiser? » demanda Lily à David.

« La cardiologie », répondit David, souriant toujours. « Et cette lettre est le coup d'envoi de ma carrière. Je m'inquiétais beaucoup de n'avoir rien reçu de l'hôpital. Je songeais à m'en aller quelque part dans l'Ouest, mais je préfère de beaucoup demeurer à cet hôpital, ici en ville. »

Puis, à l'improviste, David lança : « Aimeriez-vous aller au cinéma avec moi samedi soir ? »

Avant que Lily puisse reprendre son souffle, Mme Gordon lui saisit la main et dit : « Oh! oui, Lily! Je vous en prie, dites oui! »

Lily rit : « J'en serais ravie! »

Et c'est ainsi que commença la vie commune de Lily et David.

Maintenant, voici toute l'histoire. Après 25 ans de mariage, il nous révéla la vérité sur la lettre. Il était alors spécialiste cardiovasculaire, et sa chère Lily, la mère de leurs trois enfants, était assise à ses côtés lorsqu'il nous la raconta.

Il semble qu'après tout David n'était pas un lecteur passionné. Il voulait seulement regarder la jolie jeune bibliothécaire. Il a parlé à sa mère de la jeune fille de la bibliothèque, mais il était timide et ne savait trop comment l'approcher. Sa mère trama un plan. Chaque fois que David allait à la bibliothèque, il devait échapper par terre une enveloppe qui lui était adressée. Sa mère espérait que Lily la récupérerait pour lui, l'appellerait à son bureau et lui offrirait la chance d'entamer la conversation. Alors David, obéissant, laissa tomber une lettre par terre chaque fois qu'il allait à la bibliothèque, mais chaque fois, quelqu'un apercevait l'enveloppe tombant sur le plancher et se précipitait pour la lui remettre. « Eh! Monsieur! » entendait-il crier, mais en se retournant, ce n'était jamais Lily.

Le jour où il rencontra enfin Lily, David attendit qu'il n'y ait plus personne d'autre dans l'édifice que Lily et son adjointe. Une fois de plus, il laissa tomber sa lettre près du bureau. Le lendemain, espérait-il, il pourrait revenir et demander à Lily si elle avait trouvé une enveloppe à son nom. Le plan fonctionna beaucoup mieux qu'il ne l'avait imaginé quand Lily apparut en personne pour livrer la lettre.

Pendant que David racontait son histoire, sa merveilleuse épouse, Lily, se mit à rire à gorge déployée.

« David », dit-elle, reprenant son souffle. « Tu n'as pas très bien cacheté cette enveloppe. Nous l'avons ouverte à la bibliothèque. J'ai vu qu'il n'y avait rien d'autre qu'une feuille de papier vierge à l'intérieur. Je me mourais d'envie de savoir ce que tu préparais, alors j'ai joué le jeu. David, tu étais un si mauvais acteur! » Elle tourna son regard scintillant vers son mari.

« Mais oh! David, je t'aimais tellement! »

Et c'est ainsi que David et Lily se sont vraiment rencontrés.

Arnold Fine

La minute fatidique

Vous raterez toujours cent pour cent des lancers que vous ne tentez pas.

Wayne Gretzky

Je sais quand c'est arrivé… la minute exacte.

Aéroport international de Houston, 23 h 30. Mon vol avait trois heures et demie de retard. Je me suis assise à un téléphone public dans la section des bagages pour vérifier mes messages d'affaires, et soudain, je fus frappée comme par un éclair. Si je tombais raide morte à ce moment précis, aucun passant voulant louer une voiture ou récupérer ses valises ou accueillir un être cher ne saurait qui j'étais, d'où je venais ou bien où j'allais. Pendant un bon moment, personne ne saurait que j'aurais disparu. Ce fut un moment de ma vie étrange, solitaire et déterminant. Je décidai alors de trouver quelqu'un qui compterait et à qui je manquerais si je ne revenais pas.

Après avoir pris cette décision, je dînai avec une amie de longue date qui m'écouta me plaindre à propos de mes tentatives de « trouver quelqu'un ». Je lui dis qu'on ne pouvait pas trouver d'hommes honnêtes « dans ce monde ». Sans hésitation et sans même lever les yeux de sa salade, elle me demanda ce que j'avais fait le jour même dans ma recherche. Lorsque je dis : « Rien car j'étais trop occupée », elle me répondit : « Ou bien tu fais quelque chose dans ce but chaque jour, ou bien tu te tais. »

Après cette mise au point, je me décidai, mais *comment!?* Je me demandai où « ils » [les hommes honnêtes] étaient. Les vieilles façons classiques dont tout le monde parlait — les bars, les cours, les réunions, les amis, les rendez-vous surprises, etc. — me semblaient inconfortables et pas faites pour moi. Après tout, il semblait que ma vie quotidienne présentait certaines de ces occasions mais « qu'ils » n'étaient tout simplement pas là. Alors ma voix intérieure me dit : « Essaie autre chose. »

Je pris le journal et je lus cent petites annonces de femmes « les » cherchant.

Les annonces gratuites de cinq lignes disaient toutes la même chose. Et je voulais être différente.

J'appelai au journal et découvris que les annonces de cette taille étaient gratuites, mais que si j'en voulais une plus longue, ce serait coûteux.

J'ai toujours cru que, lorsqu'on veut quelque chose, il faut tout faire pour l'obtenir. Ce que je fis.

Une amie et sa mère m'aidèrent à rédiger l'annonce qui allait changer ma vie. Après dix-sept brouillons, j'écrivis « l'annonce ». Elle comptait 23 lignes, était chère et me décrivait réellement. J'enregistrai aussi un message vocal que chacun d'entre « eux » entendrait.

L'annonce se terminait par « ça me manque de me faire appeler "chérie" », et c'était la pure vérité.

Dans les deux semaines qui suivirent, j'eus 104 réponses. Les messages qu'ils laissèrent me donnèrent l'impression d'hommes accomplis à la voix délicieuse, de ma région et de mon groupe d'âge, qui étaient également lassés des méthodes usées et douteuses pour rencontrer un éventuel conjoint. Ils étaient aussi blasés des bars, des groupes, des rencontres sociales et ainsi de suite. Ils étaient tous intrigués par quelqu'un voulant se faire appeler chérie et la plupart, étouffant des rires nerveux, utilisaient ce mot à un moment de leur message. Je dressai une longue liste de priorités. Trois en ressortaient. Un agent du FBI, un propriétaire d'entreprise et un pompier. Le pompier se révéla enchanteur au téléphone, mais hésitait à poursuivre plus loin. L'agent du FBI me rencontra pour déjeuner et s'inquiéta de *mes* motifs de m'intéresser à lui. Je lui rappelai qu'il avait répondu à mon annonce. Je terminai rapidement mon repas et biffai son nom de ma liste.

Dans mon message enregistré, j'avais dit que mon film préféré de tous les temps était *Le jour où la Terre s'arrêta* (toujours mon préféré). Le troisième homme de ma liste, le propriétaire d'entreprise, me laissa cette réponse : « Michael Rennie, Patricia Neal, Hugh Marlow, Sam Jaffe, Billy Gray, téléphonez-moi ! » Il avait énuméré les principaux membres de la distribution de *Le jour où la Terre s'arrêta*.

Étant donné que je devais quitter la ville précipitamment, je n'eus pas le temps de le rappeler immédiatement. À mon retour, j'entendis son deuxième message. Cette fois, il nommait tous les acteurs et le réalisateur, le producteur et les grands cinéastes. Il récita la phrase clé du film (« Klaatu Barada Nikto ») et dit : « Téléphonez-moi. » C'est ce que Patricia Neal disait à Gort, le robot, pour qu'il vienne en aide à Michael Rennie, à qui les gens sur Terre, terrorisés, faisaient passer un mauvais quart d'heure.

Encore une fois, le destin s'en mêla et je ne pus lui répondre sur-le-champ. Alors quand je revins chez moi, cette fois, il y avait un message de la part du personnel de tout son bureau qui chantait en chœur : « Veuillez répondre à cet homme, il nous rend fous. »

J'appris plus tard qu'en entendant mon message, cet homme l'avait fait écouter à son frère en Californie qui lui avait dit : « Si jamais elle te répond, tu vas l'épouser. »

Enfin, nous nous sommes parlé, avons pris rendez-vous pour déjeuner et choisi d'aller au cinéma. Lorsqu'il s'est approché du restaurant (j'étais arrivée la première pour le voir), j'ai su que je l'épouserais. Son aspect, sa démarche et son élan me disaient que c'était « lui ».

Au milieu du repas, il déposa sa fourchette et dit : « Je crois qu'on va se marier. » Je souris.

Comme je viens d'une génération autonome, je lui dis durant le repas que je voulais acheter les billets de cinéma. Il sourit et les tira de sa poche, disant que son côté italien ne me laisserait pas payer et qu'il savait que j'allais offrir de les payer.

Nous nous sommes fréquentés pendant neuf mois, avons organisé notre mariage et l'avons célébré sous un dais dans un temple, et avons eu une lune de miel à l'italienne.

À notre retour, mon mari me fit un présent. Sur la table de notre maison, se trouvait un bloc de Leucite. Le bloc portait l'inscription de la date de nos noces et la fameuse phrase : « Klaatu Barada Nikto. »

Il dit : « Ces mots étaient vrais dans le film, et ils sont vrais pour moi. »

Traduction libre : « Tu m'as sauvé la vie. »

Carol A. Price-Lopata

Le professeur d'anglais

Grand-maman Sophie travaillait dans la cuisine quand sa petite-fille revint de l'école. L'adolescente se pencha pour embrasser la vieille dame. « Bonjour grand-maman, dit-elle, qu'est-ce que tu fais? »

« Le souper. Comment s'est passée ta journée à l'école? » répondit la grand-mère en se penchant pour l'embrasser à son tour.

« Grand-maman, je suis en amour. »

« Et avec qui, puis-je savoir? Ce mignon petit jeune homme avec qui tu faisais tes devoirs la semaine dernière? »

« Non », dit Jeannie avec un soupir alangui. « Je suis amoureuse de mon professeur d'anglais. Il est tellement jeune et tellement beau! Il est tout nouveau à l'école. Ses traits sont tellement fins, je ne peux m'empêcher de le regarder toute la journée. Et il parle si bien, comme un annonceur de radio. »

« Eh bien, c'est merveilleux que tu puisses admirer un professeur à ce point-là », s'exclama la grand-mère.

« Il a lu un poème d'Elizabeth Barrett Browning aujourd'hui, soupira-t-elle. Je pourrais l'écouter à longueur de journée. Sa voix est si profonde et si chaude. Quand il a lu un des Sonnets de la Portugaise, j'ai cru sincèrement qu'il s'adressait à moi directement. »

« Bon », sourit grand-maman, voulant changer de sujet. « As-tu des devoirs? »

Jeannie soupira de nouveau. « J'ai des maths à faire et je dois écrire une composition en anglais. »

« Eh bien, ma chérie, vas-y. Débarrasse-toi de tes devoirs, puis viens m'aider à mettre le couvert avant que ta mère arrive. »

Jeannie, encore éblouie, se tourna vers sa grand-mère pour lui demander : « Grand-maman, as-tu déjà été en amour ? »

La vieille dame se mit à glousser : « Tu peux en être sûre ! J'ai même déjà été bébé. » Elle se pencha vers la jeune fille et lui chuchota : « … et moi aussi, je suis tombée amoureuse de mon professeur d'anglais. Ah, mon Dieu ! qu'il était beau et jeune. »

Jeannie approcha une chaise et se mit à sourire : « Raconte-moi, s'il te plaît, dis-moi ce qui est arrivé. »

La vieille dame se rinça les mains sous l'eau du lavabo, s'essuya avec une serviette en arborant un large sourire. « C'était un très bel homme. Et moi, je suis revenue à la maison et lui ai écrit une lettre d'amour. »

« C'est pas vrai ! » fit la jeune fille incrédule.

« Oui, c'est vrai. Je lui ai dit à quel point je le trouvais beau et comme il parlait superbement bien. Le lendemain, j'ai posé la lettre sur son bureau à l'abri de tous les regards. La cloche a sonné, et nous sommes tous allés au cours suivant. »

Jeannie était tout ouïe et tout sourire.

« Le lendemain, continua grand-maman, lorsque je suis arrivée en classe, il m'a regardée. Avec amour. Je savais que ma lettre l'avait touché. Je me demandais ce qu'il ressentait à mon égard. Puis, en donnant son cours, il prit des feuilles sur son bureau et les distribua aux élèves. Il me tendit une feuille, et je me suis rendu compte que c'était la note que je lui avais laissée. J'ai regardé la feuille et j'ai pensé mourir. Il l'avait corrigée ! Il y avait des corrections en rouge partout. Il avait écrit : "Mademoiselle Goodman, votre sujet est excellent, mais votre grammaire et votre ponctuation sont mauvaises. Vous avez un échec pour cet exercice. Tentez de faire mieux." »

La vieille dame souriait en se remémorant. « J'étais anéantie. Il avait ajouté une autre remarque au verso : "Veuillez corriger le texte et me le remettre demain." »

Jeannie prit le bras de sa grand-mère pour la serrer. « Qu'est-ce qui est arrivé ensuite? »

La vieille dame se mit à rire. « Je suis rentrée en larmes. Comment pouvait-il me faire ça? Je l'aimais tant. Il avait corrigé ma lettre d'amour! Mais je me suis assise et j'ai récrit la lettre avec toutes les corrections indiquées. Mes larmes coulaient partout sur la page. Les taches d'encre étaient manifestes. J'étais vraiment blessée », expliqua-t-elle.

« Le lendemain, en classe, je remis la lettre récrite. Il fit un signe de tête approbateur en voyant la lettre sur son bureau. Ce fut tout. Croirais-tu qu'il m'a recalée à ma première année d'anglais au secondaire? Mais je lui ai rendu la monnaie de sa pièce. »

La vieille dame se leva de sa chaise et se dirigea vers la cuisinière. « J'étais tellement aveuglée par l'amour. Puis les années passèrent, je finis mes études secondaires et entrai au collège. Dans le métro, un jour, devine qui monta et se planta devant moi? C'était ce merveilleux prof. Oh! il était superbe. Je ne savais pas s'il me reconnaissait, mais moi, je l'ai reconnu. Je dis : "Excusez-moi, êtes-vous…?" » Il me regarda et se mit à sourire :"Oh! mon Dieu. Vous êtes sûrement cette jolie petite fille qui m'écrivait ces notes délicieuses lors de ma première année d'enseignement au secondaire."

« J'étais tellement gênée, fit la grand-mère. Mais j'ai acquiescé de la tête. Puis, il m'a dit :"Je vous dois des excuses. Puis-je me reprendre samedi soir? J'ai des billets pour le festival Shakespeare. Je suis certain que vous aimeriez." »

La grand-mère sourit. « Et c'est comme ça que tout a commencé. Je lui ai vraiment rendu la monnaie de sa pièce.

J'ai épousé ton grand-père il y a 51 ans. Même aujourd'hui, il m'appelle encore sa jeune mariée. »

La vieille dame respira à fond et ajouta : « Et à ce jour, il corrige encore mon orthographe et ma grammaire. Viens, finissons de mettre le couvert. Grand-papa va revenir de sa promenade dans quelques minutes. »

Arnold Fine

Les vivaces

Que votre pelouse soit la robe de velours de votre mai-
son et que vos fleurs en soient la décoration sans trop
de promiscuité.

Anonyme

Si les fleurs peuvent être accusées de promiscuité, alors mon jardin n'est rien de moins qu'un petit voyou. Les ancolies et les céraistes bordent ma pelouse. De gigantesques plates-bandes débordent de roses trémières blanches, de marguerites pourpres et d'asters multicolores. Même certains de mes arbres portent des fleurs pendant deux semaines au printemps.

Et j'ai un jardin de roses que personne ne m'a jamais promis.

Ma passion pour les fleurs est née immédiatement après avoir quitté la maison pour le collège. Je découvris que le jardinage était un excellent moyen d'éliminer le stress résultant d'aller à l'école et de travailler à temps plein. Je rentrais du travail à dix heures du soir, trop tendue pour étudier ou dormir. Alors je sortais dans le noir et désherbais mon jardin de fleurs. Ça me régénérait. Après une heure environ passée à creuser la terre à main nue et à sentir les arômes enivrants, je me sentais comme neuve, prête à m'emparer du monde. Ou de la théorie politique. Ou de quoi que ce soit.

La terre était toujours différente parce que je changeais souvent de résidence. En grandissant, nous avons déménagé tellement de fois que ma sœur et moi prétendions que notre teint olivâtre tenait à notre sang de bohémienne. La fiction était préférable à la réalité — que notre père hispanique avait tiré sa révérence avant que nous allions à la maternelle et que ma mère avait attaché nos vies à un beau-père qui lui promettait la stabilité, ce qu'ils cherchaient en étant perpétuellement en mouvement. Lorsque j'eus 18 ans, j'avais vécu dans quinze endroits différents et fréquenté sept écoles.

Une fois seule, la vie était plutôt la même. Je vivais avec une série de colocataires, mais quand il y avait désaccord, j'emballais mes affaires et je déménageais. J'ai appris à plier bagage en moins de cinq heures, et le bureau de poste m'envoyait un formulaire de changement d'adresse tous les six mois, que j'en fasse la demande ou non.

La seule constante dans ma vie, c'étaient les fleurs. J'ai dû planter des milliers de fleurs durant les quatre années où j'étais à l'université. En dix endroits différents.

C'était toujours un contenant différent, des pots de céramique ou des plates-bandes dans l'allée, mais le contenu demeurait le même : des annuelles.

Des fleurs qui ne reviennent pas. « Pourquoi s'embarrasser de vivaces, me disais-je. Je ne serai pas ici assez longtemps pour en profiter. Rien n'a jamais duré dans ma vie. Pourquoi me donner de faux espoirs? »

Chaque printemps, je n'achetais que des annuelles. C'était amusant de les replanter. Facile. Et surtout, sécurisant.

Après l'université, je décrochai un bon emploi, mais je gardai mes vieilles habitudes. Vivre quelque part six mois. Planter des annuelles. Et déménager de nouveau. Une terre fraîche. Des tapis propres. Pas d'attaches.

Puis, je rencontrai John.

John était un autre annuel. À notre premier rendez-vous, il dit : « Je ne me marierai jamais et je suis pleinement satisfait de vivre seul, alors ne t'attache pas trop. »

J'admirai son honnêteté. Ce n'était pas un homme qui dirait m'aimer seulement pour m'emmener dans son lit.

Nous avons joué ce jeu pendant environ deux ans — lui vivant seul dans son appartement, et moi habitant un endroit différent à tout bout de champ. Nous avions tous deux notre espace, et avons pris beaucoup de temps pour faire connaissance. J'ai appris que c'était un homme qui chérissait ses moments de solitude, et j'ai appris à ne pas me sentir froissée lorsqu'il avait besoin de fuir à l'intérieur de lui pour quelques jours. Je continuai à planter des tonnes de fleurs à une seule vie, hésitant à risquer des vivaces.

Durant ces deux ans, j'ai lentement appris à faire confiance. En dépit de sa mise en garde, John était là, printemps après printemps. La même caresse. Le même sourire. Le même homme.

Puis, par un jour d'été torride, alors que j'étais agenouillée dans un lot de pétunias, John m'a posé cette question magique : « Achèterais-tu la moitié d'une maison avec moi? Parce que tout seul, je ne peux me permettre celle que je veux. »

Aucun de nous n'était pressé de se marier, mais nous savions tous deux ce qu'il voulait dire. Aucun de nous ne vivrait avec l'autre à moins que ce ne soit permanent.

Nous avons déménagé dans notre maison toute neuve de deux cent trente mètres carrés, deux semaines avant l'Action de grâce. Les premiers mois, nous avons déplacé et redéplacé notre mobilier modeste, tentant de remplir l'espace. Durant l'hiver, je ne pensais jamais beaucoup aux fleurs.

C'est arrivé au premier jour tiède de février. La fièvre du printemps me frappait toujours en février, même si je savais qu'il allait probablement neiger la semaine suivante. Normalement, je me contentais de lire des catalogues d'horticulture et de visiter des jardineries. Mais j'ai découvert quelque chose de magique lors de ma première visite à une quincaillerie, en tant que véritable propriétaire : les roses.

Les roses sont des vivaces, mais vous pouvez planter les rosiers quand il fait encore froid, parce qu'ils sont dormants. Et ils fleurissent la première année que vous les plantez.

J'étais possédée. J'avais la moitié d'un hectare de terre à ma disposition, et je pouvais commencer à planter sur-le-champ. J'ai acheté douze rosiers (des bâtons plutôt que des arbustes), à 2,99 $ chacun. Ils avaient l'air de petites antennes de télévision sortant du sol, et j'ai planté ma première roseraie. C'était la première marque permanente dans le sol de ma nouvelle maison.

Ce printemps-là, je me suis livrée à la dépense à la pépinière pour des fleurs — œillets de poète, violettes tricolores, ibéris et phlox odorants. J'étais étonnée des nouveaux croisements et couleurs que je n'avais jamais vus, parce que je ne m'étais jamais donné la peine de regarder dans la section des vivaces. Je me suis rendu compte qu'il y avait peut-être des tas de choses qui n'attendaient qu'à être découvertes, si je m'ouvrais les yeux et que je regardais.

Le premier printemps où John et moi avons travaillé ensemble au jardin a mis à l'épreuve les limites de notre relation. J'ai découvert ce qu'est l'amour véritable quand j'ai essayé de construire une trémie de semoir avec l'aide de l'homme le plus méticuleux de la planète — un homme qui non seulement lit toutes les instructions avant d'entamer un projet, mais qui va à la quincaillerie acheter tous les outils recommandés. Je suis une femme qui se contente de planter des clous dans le mur avec sa chaussure.

L'été arriva sur notre amour intact et une abondance de vivaces plantées partout. Nous avons traversé trois autres printemps avant de terminer l'aménagement floral de notre cour avant, puis nous avons décidé de légaliser notre union. Nous nous sommes dit que si notre amour pouvait survivre à la culture de vingt mètres carrés de pelouse et à la construction d'une terrasse de granit, il pouvait survivre à n'importe quoi.

Nous nous sommes mariés il y a trois ans — au printemps, naturellement — et avons connu les joies et les frustrations que comporte un contrat de mariage. Je ne lis plus la section des appartements à louer lorsque nous avons une dispute, et il laisse la porte ouverte quand il se retire dans sa rêverie privée.

Mon histoire d'amour avec les fleurs est toute de tendresse. Mais la différence entre les fleurs et les gens est que ceux-ci peuvent choisir d'être annuels ou vivaces.

Parfois, quand je travaille au jardin, je jette un regard à John et je n'ai aucun doute que nous continuerons de croître ensemble, année après année. Nous sommes des vivaces.

Jackie Shelton

De quel signe êtes-vous?

Nul instinct n'égale celui du cœur.

Lord Byron

Pendant que ma mère changeait les draps du lit de ma petite sœur, j'étais allongée sur le mien, plongée dans l'article de mon magazine pour adolescentes, "Comment reconnaître votre partenaire amoureux". « Maman », dis-je, fermant le magazine, « comment as-tu su que tu aimais papa? »

Elle effaça les plis du drap et me regarda tout en faisant des coins d'infirmière impeccables. « Je l'ai su, c'est tout. »

Balançant les jambes sur le bord du lit, je m'assis. « Mais, maman, as-tu entendu des cloches? Ou des violons? T'es-tu sentie étourdie ou quelque chose? »

Ma mère rit. Vexée, je me levai et criai : « Mais enfin, dis-moi comment tu as su. »

Elle enfila un oreiller dans une taie propre. « Ma chérie, quand tu vas aimer quelqu'un, tu vas le savoir. »

Je soupirai, levai les yeux au ciel et retombai sur mon lit, fixant le plafond, frustrée. Je ne pouvais pas croire ma mère. Pourquoi me donnait-elle ces réponses énigmatiques?

D'un coup de poignet habile, elle fit voler le couvre-lit en l'air. Il se gonfla au-dessus du matelas comme un parachute et se déposa lentement sur les couvertures. Après l'avoir bordé en place, elle vint vers mon lit, se pencha et me regarda. « Tout ce que je peux te dire d'autre, chérie, c'est que si tu te demandes si c'est de l'amour, ça n'en est pas. »

Super, ça m'aide vraiment, me dis-je. Habituellement, ma mère donnait des ordres directs, simples comme « Fais ta chambre », « Accroche ton manteau » ou « Lâche le téléphone ». Tout à coup, elle parlait en paraboles comme un maître zen. Elle prit le panier à linge et passa dans le couloir vers la chambre de mon frère.

Je fermai les yeux et baignai dans mon impatience d'adolescente, tandis que les mots « Tu vas le savoir » tournaient dans ma tête comme un refrain obstiné. *Elle a tort,* pensai-je. *Il faut qu'il y ait quelque chose de concret, de défini, un signe tangible. Quand on est en amour, il doit y avoir un indice ou une marque d'identité. Un alignement particulier des corps célestes serait bien,* me disais-je. *Ou des oiseaux et des papillons tournoyant au-dessus de nos têtes, comme dans* Blanche Neige *de Disney. Il doit y avoir une indication qu'on a passé du côté où vivent les gens en amour.* Tiens, je me serais même contentée de quelque chose d'aussi cucu qu'une lueur dans les yeux.

Alors, armée des seuls mots « Tu vas le savoir », je me suis aventurée dans le monde de l'amour. Heureusement, mes histoires d'adolescente ne m'ont jamais obligée à me demander s'il s'agissait d'amour ou non. Malgré mon manque d'expérience des affaires du cœur, je reconnaissais mes liaisons d'adolescente pour ce qu'elles étaient, rien d'autre que des béguins, des fantasmes furtifs ou le besoin d'être accompagnée à une danse par un corps masculin.

Au début de la vingtaine, cependant, l'amour est devenu un sujet beaucoup plus sérieux. Les enjeux étaient plus élevés. Pariez sur le mauvais type, et adieu le cercle des gagnants. J'avais des amis dont le mariage venait de quitter la barrière des départs mais qui boitait déjà. Prudente, j'entendais étudier le terrain à fond avant de placer ma mise.

Forte de cette attitude, j'ai accepté un rendez-vous surprise avec un homme plus âgé, Ed. Il avait 25 ans, cinq bonnes années de plus que moi, d'âge moyen, vraiment. Il était diplômé de l'université, travaillait depuis trois ans et avait son propre appartement. Dans mon esprit, j'imaginais un Dean Martin en smoking dans un appartement avec terrasse, dégustant un martini. Tous les garçons avec qui j'étais sortie étaient encore aux études. Il était d'une espèce qui m'était encore inconnue. Ce pouvait être un prospect sérieux; j'allais l'étudier à la loupe.

Par un soir de novembre très frais, la sonnette se fit entendre et j'ouvris la porte sur le beau visage chaleureux d'Ed qui me souriait. Il portait une veste de velours côtelé, un chandail rayé, des jeans et des souliers en suède — pas de smoking. Je poussai un soupir de soulagement.

Au cours de nos premiers rendez-vous, j'appris qu'il préférait la bière au martini, qu'il ne portait un smoking qu'à des noces et qu'il partageait un appartement avec un ami. C'était loin d'être un appartement avec terrasse. Son divan, amputé d'une patte, reposait sur une brique, et les décorations murales consistaient en un calendrier commercial et une reproduction de la *Joconde* dans un cadre en plastique doré, suspendu au-dessus des toilettes. Au moins, il appréciait les arts.

Ed était bon et honnête, et, contrairement à d'autres types avec qui j'avais eu des rendez-vous surprises, il n'était pas en rétablissement, sur le lithium ou en probation.

Nous étions très compatibles, et une grande amitié s'est épanouie pour se transformer en quelque chose de plus. Mais qu'est-ce que c'était? Était-ce seulement de l'affection? Était-ce l'amour? Je respectais Ed et je l'admirais. Toutefois, je respectais et admirais le pape aussi, mais il ne m'intéressait certainement pas comme futur conjoint.

Au cours des quelque mois suivants, cette question, "comment savoir si c'est de l'amour", me tourmenta. Me réfugiant dans les paroles célèbres d'Alexander Pope : « Les idiots se précipitent là où les anges craignent de mettre les pieds », je passai une grande partie de cet hiver-là en retrait avec les créatures célestes, attendant « le signe » qui me permettrait de me précipiter.

À l'approche de la Saint-Valentin, Ed et moi étions invités à une réception. Une chute de neige m'obligea, moi, femme soucieuse de la mode, à l'impensable — porter des bottes d'hiver. Nous avons zigzagué sur les routes glissantes dans sa Toyota verte et franchi des bancs de neige pour parvenir à la soirée.

Une fois arrivés, Ed prit nos manteaux et alla les ajouter à la montagne empilée sur le lit de notre hôte, tandis que je retirais mes bottes, ou devrais-je dire, que j'essayais de les retirer. M'accrochant au mur pour garder l'équilibre, j'appuyais un orteil sur le talon de ma botte. Celle-ci ne bougeait pas. J'essayai de me pencher et de tirer dessus, mais ma robe était trop étroite. Alors j'alternais, d'un pied à l'autre, appuyant sur les talons dans une sorte d'étrange danse folklorique.

Ed revint et me vit lutter. « Viens », dit-il, me prenant par la main et me menant à une chaise non loin. « Laisse-moi t'aider. » Puis il s'agenouilla devant moi et je regardai cet homme si gentil tirer et pousser, et voler presque de l'autre côté de la pièce lorsque ma botte se dégagea enfin. En s'époussetant et s'agenouillant pour tirer sur l'autre botte, il rit et chercha mon regard.

Alors je sus.

Il n'y a pas eu de poussière de lutin, ni de violons, ni de feux d'artifice. Mais j'ai su à cet instant que c'était l'amour. L'amour !

Tout ce temps, je m'attendais à trouver les signes de l'amour dans le spectaculaire et l'extraordinaire. Mais je ne les ai jamais aperçus dans des douzaines de roses, des boîtes de chocolats en forme de cœur ou les vers fleuris d'un sonnet. Pour moi, l'amour s'est glissé dans mon cœur sans préavis, sans fanfare, sans cérémonie, et il a emménagé tranquillement pour révéler sa présence dans une simple gentillesse ordinaire.

Comment savoir si c'est de l'amour? Comme disait ma mère : « Tu vas le savoir. »

Janice Lane Palko

Reproduit avec la permission de Andrew Toos.

Une bouchée d'amour

L'amour, c'est comme faire des biscuits. On commence par des ingrédients riches, on les mélange et on y applique de la chaleur. Le résultat : l'amour dès la première... bouchée.

Christine Harris était agente de bord pour TWA à New York. Elle était beaucoup mieux connue pour son habileté à créer de magnifiques broderies sur des chemises et des jeans que pour ses délicieux biscuits aux brisures de chocolat. Sa mère, Ruth Harris, lui avait appris à faire des biscuits dans sa cuisine où elle donnait des leçons culinaires à tous les enfants du voisinage. On la surnommait « la maman des biscuits aux brisures de chocolat ».

Wally « Famous » Amos était agent d'affaires à Los Angeles, à plus de quatre mille kilomètres de Christine. Il s'occupait d'artistes comme Paul Simon, Art Garfunkel et Dionne Warwick. Lui aussi n'était qu'un gamin lorsqu'il apprit à faire des biscuits aux brisures de chocolat de sa tante Della, une femme heureuse, tellement remplie d'amour et de bonté que ses biscuits devinrent symbole d'amour pour Wally. Dans une période creuse de sa vie, il commença à faire les biscuits aux brisures de chocolat de sa tante Della pour se remonter le moral, et il les donnait en guise de carte de visite.

Christine était souvent affectée au vol entre New York et Los Angeles, et c'est une collègue qui lui a fait connaître Wally. « Il y a un type qui vend des biscuits aux brisures de chocolat chez Bloomingdale's, dit-elle. Ils ne sont pas aussi bons que les tiens, mais tu devrais aller voir. »

Le lendemain, Christine travaillait en première classe sur un vol de New York à Los Angeles, quand Wally embarqua dans l'avion. Il lui adressa son sourire dévastateur.

Mesurant 1 m 90 et vêtu d'un complet élégant, il avait l'air d'un prince. Il lui tendit un tas de biscuits.

« Tenez, dit-il, partagez-les avec l'équipage. »

Wally venait tout juste de s'installer dans son siège quand une autre agente de bord s'arrêta pour causer avec lui. Elle désigna Christine du doigt et dit : « Vous savez, vous devriez parler à Christine de broder des biscuits sur votre veste. Elle vous donnerait toute une allure! Et en passant, elle fait de succulents biscuits aux brisures de chocolat! »

Wally et Christine se parlèrent devant l'aéroport de Los Angeles et échangèrent leurs cartes. Wally ne pouvait la quitter des yeux. « Vous devriez visiter mon magasin à Hollywood », dit-il de sa voix chantante. « Peut-être pourrions-nous partager des biscuits et un verre de lait. »

Christine rit. « Bien sûr », et regardant sa veste, elle répliqua : « Je pourrais broder une veste pour vous. »

Leur amitié se limita à cet échange pour les trois mois qui suivirent.

Elle était à New York quand le téléphone sonna. C'était Wally. « Christine? J'ai pensé que vous aimeriez peut-être venir dîner avec moi? »

« Oui! Oui! J'aimerais bien. »

En raccrochant, Christine sortit ses ustensiles de cuisine. « C'est le meilleur moment pour lui offrir des biscuits aux brisures de chocolat vraiment délicieux. »

Elle en prépara un mélange, prit une bouteille de champagne et se rendit à son hôtel en voiture.

« Bienvenue à New York », dit-elle, souriante, comme Wally montait dans la voiture, mais quelque chose en elle disait « Bienvenue dans mon cœur ».

C'était sans doute le lait et les biscuits ou peut-être le champagne ou encore les visages amusants que Christine avait peints sur les biscuits. Peu importe, la soirée fut divine.

Avant longtemps, Christine et Wally passèrent tant de temps ensemble que Christine dût quitter son emploi pour voyager avec lui, assurant la promotion de ses biscuits comme s'il s'agissait des siens. Elle l'aidait à devenir « Famous ». Et ils étaient heureux ensemble.

À la suggestion de Christine, Wally laissa tomber l'image du complet d'affaires en faveur de chemises hawaïennes et de panamas, brodés de ses arcs-en-ciel, ses cœurs ou ses soleils multicolores et uniques. Même ses bas et ses souliers portaient sa marque créatrice.

Artiste née, Christine aimait donner à Wally une personnalité lumineuse par ces habits aux couleurs vives, et elle ajoutait sa touche aux biscuits aussi. Elle inventait des personnages en biscuit, des garçons et filles appelés « Brisure et Biscuit ». Elle en ornait des chandails qui disaient « L'amour dès la première bouchée ».

L'entreprise de biscuits prospéra, et ils déménagèrent à Hawaï en 1978. Lorsqu'ils se marièrent en 1979, l'invitation disait : « Il était une fois une élégante Brisure de chocolat — qui rencontra ce mignon petit Biscuit… »

Le reste est affaire… de biscuit.

Christine Harris-Amos
Recueilli par Cliff Marsh

Une femme instruite

Mon grand-père, Stavros Economy, était venu de Grèce en Amérique au tournant du siècle, en quête d'une vie meilleure pour lui-même. Plutôt que de s'installer sur la côte Est, comme tant d'autres Grecs, Stavros apprit qu'on embauchait des hommes pour construire le réseau de chemins de fer dans l'Ouest. Alors il prit la route menant au pays aride et désolé du Wyoming, pour gagner péniblement sa croûte.

Le temps vint enfin pour Stavros et ses économies de sortir du Wyoming et de s'installer ailleurs. Il alla à Chicago et dit à des parents là-bas qu'il cherchait une épouse. Les mariages arrangés étaient la coutume chez les immigrants, qui apprenaient à s'aimer plus tard. « Quel genre de femme veux-tu ? » lui demanda son cousin George.

« Une femme d'une bonne famille grecque, dit-il. Et quelqu'un d'instruit. » Stavros avait appris par lui-même à lire et à écrire l'anglais. Il aimait l'opéra et étudiait les grands poètes et philosophes grecs : Homère, Platon et Socrate. Il voulait une femme avec qui partager son amour de la connaissance.

« Je crois que je connais précisément celle qu'il te faut, dit George. C'est la cadette de la famille Mallieris. Elle s'appelle Stavroula. Elle est très belle, et je suis certain qu'elle est assez instruite. » Un rendez-vous fut donc fixé pour les présenter l'un à l'autre.

Stavroula était assise sur un fauteuil du salon, dans sa plus belle robe du dimanche. Son père avait très hâte de la marier. Après tout, il avait quatre filles à sa charge. « Tiens », dit-il, lui tendant un journal. « Il veut une femme instruite. Lis ça quand il passera la porte. »

« Mais, papa, tu sais que je ne sais pas lire », gémit Stavroula.

« Ne t'inquiète pas, dit-il confiant, Dieu s'occupe de tout. »

Après les présentations des parents de Stavroula, Stavros s'approcha du salon pour rencontrer son éventuelle fiancée. Il se raidit, frisa les extrémités de sa large moustache, pressa le revers de son habit rayé et entra d'un pas décidé dans le salon.

Ce qu'il vit était encore plus beau qu'il n'aurait pu l'imaginer. Un ange était là. Stavroula avait un teint de lait et des traits délicats. De longs doigts minces, un petit nez parfait et une bouche pleine. Avec ses cheveux blonds ondulés, elle n'avait pas vraiment l'air grec. Des yeux bleus comme un ciel d'été pur se levèrent du journal pour le regarder.

Complètement envoûté, Stavros sut qu'il n'avait pas à chercher plus loin. Stavroula serait sa jeune épouse. Elle était belle *et* instruite. Ils allaient se marier, déménager au Colorado et fonder une famille — la première famille grecque de Denver.

Il se pencha pour la saluer, prenant sa petite main douce dans la sienne. Jamais il ne remarqua qu'elle tenait le journal à l'envers.

Christine E. Belleris

La chance d'une vie

Dans vingt ans d'ici, vous serez davantage déçus des choses que vous n'aurez pas faites que de celles que vous aurez accomplies. Alors, larguez les amarres. Voguez loin de votre havre de sécurité. Laissez les alizés gonfler vos voiles. Explorez. Rêvez. Découvrez.

Mark Twain

« C'est la chance d'une vie », ai-je déclaré à mon amie Stacy en verrouillant la porte du bureau et en quittant le restaurant que je gérais. « C'est le rêve de toute femme de 27 ans de vivre à New York, et dans quelques mois, je saurai si je suis mutée. »

J'ai regardé le clair de lune miroiter sur les eaux de Laguna Beach. « Je vais m'ennuyer d'ici, mais vivre dans la Grosse Pomme, c'est tout ce que j'ai toujours voulu — un rêve devenu réalité. »

Nous avons rencontré un groupe d'amis dans un café, et j'ai parlé de la possibilité de mon départ. Des rires ont fusé d'une table voisine. J'ai vu un bel homme capter l'attention de ses amis avec une histoire intéressante. Son large sourire invitant et la confiance qu'il dégageait m'ont fait tomber en extase.

Stacy me poussa du coude. « Tu le fixes, Michelle, et tu es à la veille de baver d'admiration. »

« Wow », ai-je chuchoté. J'observais le beau mec relever les manches de son chandail bien rempli. Tout le monde à sa table avait les yeux rivés sur lui. « C'est l'homme que je veux épouser. »

« Mais oui, fit Stacy. Parle-nous donc plutôt d'où tu aimerais demeurer à New York, parce qu'on a tous l'intention de te visiter quand tu vas décrocher cet emploi. »

En parlant, mon regard revenait sans arrêt sur le bel homme.

Trois mois plus tard, mes amis et moi nous sommes réunis au même restaurant. « Vive la vie dans la Grosse Pomme ! » firent-ils en trinquant.

« Ma chance d'une vie ! » Nous avons parlé pendant des heures. Je leur ai fait part de mon intention d'économiser en quittant ma maison de la plage et en louant une chambre pour les mois qui restaient.

Notre ami m'a fait une offre : « J'ai un ami sud-africain qui songe à louer une des quatre chambres de sa maison. Il s'appelle Barry. Un gars formidable. » Il a gribouillé quelque chose sur une serviette de table. « C'est son numéro. C'est un célibataire endurci de 42 ans. Il dit qu'être père célibataire l'occupe beaucoup trop pour être un mari. »

J'ai pris rendez-vous pour visiter la chambre le même jour. Je me suis approchée de l'entrée de l'immense maison, et la porte s'est ouverte. « Vous devez être Michelle », dit-il. Il releva les manches de son chandail bien rempli et arbora son beau sourire. C'était l'homme du restaurant des mois auparavant — celui que je voulais épouser.

J'étais là, le regard fixe, la bouche ouverte, espérant ne pas baver.

« Vous êtes bien Michelle, n'est-ce pas ? » dit-il, me sortant de ma transe. « Aimeriez-vous voir la chambre ? »

Je l'ai suivi pour le tour du propriétaire, puis j'ai accepté la tasse de thé qu'il m'offrait. Barry était d'une gentillesse toute douce et écoutait attentivement mon bavardage nerveux à mon sujet. Ses lunettes à monture d'argent accentuaient les touches de gris dans ses cheveux foncés. Son sourire invitant a eu tôt fait de me mettre à l'aise, et nous avons passé les deux heures suivantes à causer tranquillement. Finalement, j'ai décidé de ne pas prendre la chambre et lui ai dit au revoir à contrecœur.

Les mois ont passé rapidement tandis que je m'occupais de préparer mon départ. Je pensais souvent à Barry, mais je ne pouvais envisager de lui téléphoner.

« Je déménage à New York dans trois semaines », ai-je dit à Stacy en sortant de mon bureau et en entrant dans la salle à manger du restaurant. « C'est sûr que j'aimerais bien le revoir, mais ça ne ferait que compliquer les choses. »

« Eh bien, attends-toi à des complications », murmura Stacy, indiquant la porte.

Barry, avec ses immenses yeux bleus et son sourire invitant, entrait dans mon restaurant.

« Bonjour, fit-il avec douceur. As-tu le temps de prendre un café avec moi? »

« Bien sûr. » J'essayais de respirer.

Nous avons glissé sur une banquette et la conversation a repris là où elle avait cessé. Lui aussi faisait un changement de carrière et retournait en Afrique du Sud. Il partait une semaine avant moi. Il fallait que je calme mon cœur qui me martelait la poitrine. Nous n'avions manifestement pas d'avenir ensemble. Il a noté mon numéro de téléphone et m'a invitée à dîner un de ces soirs. J'ai accepté, niant ma tristesse, sachant que je partais dans deux petites semaines et que ce rendez-vous n'aurait probablement jamais lieu.

Mais il a eu lieu. Il est venu me chercher quelques jours plus tard pour aller au cinéma et au restaurant. Nous avons parlé pendant des heures de nos vies, de nos espoirs et de nos rêves distincts — le mien à New York, le sien en Afrique du Sud. Jamais je n'avais parlé aussi librement, aussi aisément avec un homme. Sa main se tendit par-dessus la table et prit la mienne. J'ai cru voir dans ses yeux le même amour que celui qui me gonflait le cœur. Il a dit : « Je suis désolé de t'avoir rencontrée rien qu'une semaine avant mon départ. »

« Nous avons encore sept jours », dis-je faiblement.

« Alors, profitons-en pleinement. » Il m'a aidée à mettre mon chandail. Main dans la main, nous nous sommes rendus à sa voiture et avons planifié de nous voir le lendemain, et le surlendemain et le jour suivant. Dans sa voiture, la chanson de Tracy Chapman disait « donne-moi une bonne raison de rester, et je reviens sur mes pas ». Son cœur chantait-il à l'unisson?

La semaine suivante, nous avons passé une partie de chaque jour ensemble. Je savais que j'en étais amoureuse, mais je n'osais pas le dire. Je ne pouvais pas saboter nos chances d'une vie.

« Et je sais qu'il m'aime aussi », me lamentai-je à Stacy devant une tasse de café à mon restaurant désert. « Nous avons même parlé de nous voir pour les Fêtes. Il vient me rencontrer ici tantôt pour me donner un cadeau-souvenir. »

À ce moment même, Barry entra. Je me suis levée pour voler dans ses bras. Nous nous sommes assis, sirotant notre café. « Tu vas tellement me manquer, dit-il doucement. Mais je sais que tu vas penser à moi chaque fois que tu entendras ceci. » Il a placé le disque de Tracy Chapman devant moi. Puis il a montré la chanson-titre, « Donne-moi une raison ». « On peut écouter la même musique et se souvenir l'un de l'autre. »

J'ai avalé mon café pour chasser la masse dans ma gorge. « Je ne t'oublierai jamais, Barry. Jamais. »

« Oh! et autre chose pour que tu te souviennes de moi. » Il plaça une petite boîte par-dessus le disque. La même extase que j'avais ressentie lors de notre première rencontre me paralysait maintenant. L'amour que j'ai vu dans ses yeux était un cadeau suffisant pour toute une vie. Finalement, j'ai pris la boîte et l'ai ouverte lentement.

Une bague à diamant.

« Michelle, je t'ai aimée dès le premier instant où je t'ai vue. À notre premier rendez-vous, même avant de prendre un café, je savais que tu étais la femme que j'allais épouser. Je me suis éveillé ce matin, désespéré, pensant c'est le 3 mai! Dans trois jours, je vais perdre mon ange. Bien sûr, ma carrière en Afrique du Sud est la chance d'une vie, mais *toi,* Michelle, tu es mon rêve devenu réalité. Je t'en prie, épouse-moi. »

« Oui, Barry, oui », criai-je.

« Je sais ce que partir pour New York signifie pour toi, mais veux-tu venir en Afrique du Sud avec moi? Je crois de tout mon cœur que nous avons été réunis pour une raison, Michelle. Rien dans ma vie ne se déroule comme je l'avais prévu, mais je sais que ça fait partie d'un plan supérieur. » Barry rit. « Dieu a un bon sens de l'humour, mais il choisit mal ses moments. »

Exactement un an plus tard, le 3 mai, nous nous sommes mariés sous un ciel africain. Notre rêve se réalise. Notre chance d'une vie.

Michelle Wolins
Recueilli par LeAnn Thieman

Le bon

Mon grand-père et ma grand-mère célébrèrent leur 55e anniversaire de mariage entourés de leurs enfants, de leurs petits-enfants et de leurs amis de toute une vie. Je croyais que grand-maman avait tout oublié de son époque de célibataire. J'avais tort.

En se préparant pour la fête et en enroulant ses longs cheveux blancs dans un chignon, ma grand-mère commenta : « Je suis toujours surprise quand je me regarde dans la glace et que je vois toutes ces rides. » La main sur le cœur, elle ajouta : « Ici, je suis encore une jeune femme. » Et elle appliqua un rouge à lèvres écarlate.

J'étais assise sur le lit à l'observer. « Alors, quel est le secret d'un long mariage heureux? »

Elle vaporisa de l'eau de Cologne sur ses poignets. « Ne te contente pas de moins. »

J'ai dû avoir l'air perplexe.

« Ne te contente pas de moins. C'est tout ce que tu dois savoir. » Elle remit une mèche rebelle en place.

Je tournai mes cheveux autour de mes doigts, espérant en faire une boucle. Tournant les pages de l'album de photos de grand-maman, je vis une photo brouillée de marches indescriptibles. « Où est-ce? »

« C'est là que ton grand-père m'a demandée en mariage; ça faisait six semaines qu'on se connaissait. La première fois qu'il m'a vue, il a dit à son cousin qu'il avait vu la fille qu'il allait épouser. C'était avant même qu'on se soit dit un seul mot. »

« Six semaines? » Ma notion de la modestie édouardienne était ébranlée. Ma grand-mère était née en 1890. À côté de la photo des marches se trouvait un portrait de studio sépia d'une jeune femme aux cheveux frisés et aux yeux limpides. C'était grand-maman, dans une blouse de dentelle à haut col, la bouche sagement fermée, ses grands yeux fixant l'avenir inconnu. « Je croyais que les gens se courtisaient longtemps. »

« J'ai été courtisée longtemps, mais pas par ton grand-père. » Elle ricana. Les yeux de grand-maman n'avaient pas changé depuis que cette jeune femme avait pris une pose guindée pour le photographe.

Ma grand-mère venait d'une famille de treize enfants. Ses parents avaient une grande maison, un manoir selon grand-maman. Ce n'était pas une famille typique du tournant du siècle. Une des sœurs de grand-maman faisait de la tenue de livres, une autre, Ceil, était avocate. Une plaque sur un immeuble en Pennsylvanie commémore l'emplacement de son bureau.

Grand-maman a toujours voulu être épouse et mère. Elle avait 25 ans quand elle a épousé mon grand-père.

« Grand-maman, j'ai toujours cru que les choses étaient différentes à cette époque. Je croyais que grand-papa te visitait et s'assoyait dans le boudoir, le salon ou je ne sais où pendant des années avant de faire la grande demande. »

Grand-maman sourit et s'approcha, tout comme une amie s'installant pour commérer. « J'ai fréquenté un autre homme pendant six ans. Il faisait constamment pression pour que je l'épouse, et je disais toujours que je ne voulais pas quitter ma mère ou que je n'étais pas prête. Des excuses. La vérité, c'est qu'il n'y avait pas d'étincelle. Il était gentil mais… ce n'était pas le bon. »

Je me penchai. Les années avaient quitté la voix de grand-maman. Sa voix était jeune, pleine d'espoir.

« Tout le monde me disait : "Annie, quand est-ce qu'on danse à tes noces?" Les gens jasaient — les gens ont toujours aimé les ragots. On disait que je finirais vieille fille.

Nous prenions ce genre de chose au sérieux. Je continuais à le fréquenter, mais quelque chose m'empêchait de le fiancer. Ce n'était pas lui. Ma mère se faisait du souci pour moi. Je n'étais pas inquiète. Je savais qu'il y avait quelqu'un, quelque part. Je n'étais pas disposée à me contenter de moins. »

Elle pressa ma main.

« Alors, j'ai rencontré ton grand-père. Il m'a vue me promener avec mes amis et a découvert — Dieu sait comment — qu'il connaissait mon cousin. Quelques jours plus tard, il s'est arrangé pour me rendre visite avec mon cousin, que je n'ai jamais revu d'ailleurs.

« Six semaines plus tard, ton grand-père m'a demandée en mariage. » Elle rit de nouveau jusqu'à ce que ses yeux s'emplissent de larmes. « Il disait avoir besoin d'une femme pour gérer son argent, mais il n'avait pas le sou. »

« Savais-tu cela avant de l'épouser? » lui demandai-je, songeant aux histoires que j'avais entendues au sujet de ses parents bien nantis.

« Bien sûr que je le savais. Je savais aussi que c'était celui que j'attendais », dit-elle. Elle regarda nos visages dans le miroir au cadre orné. Dans le mien, elle voyait la jeune femme qu'elle avait été et dans le sien, je voyais mon avenir. Je l'ai embrassée sur la joue, sachant que je ne me contenterais jamais de moins. J'attendrais le mien, le bon, et j'étais maintenant certaine que je le reconnaîtrais en le voyant.

Diane Goldberg

« Pourrais-tu préciser les avantages sociaux ? »

Reproduit avec la permission de Jim Willoughby.

4

CHANGER LES CHOSES

La vie n'est pas une « brève chandelle ».
C'est une torche splendide
que je veux faire brûler
aussi ardemment que possible
avant de la transmettre
aux générations futures.

George Bernard Shaw

Mme Grodefsky

Si le monde te semble froid, allume des feux pour le réchauffer.

Anonyme

Si quelque chose se passait dans le voisinage immédiat, on pouvait l'apprendre sur-le-champ de Mme Grodefsky, la dame qui tenait la confiserie du coin. Son mari était décédé un peu après qu'ils eurent ouvert le magasin, et elle n'avait pas d'enfants, alors elle était au magasin du matin au soir. C'était sa vie, et les gens du quartier qui allaient et venaient dans son commerce étaient sa famille.

Mme Grodefsky était le "Bulletin de nouvelles" de notre époque, un journal parlant. Elle ne faisait que travailler derrière le comptoir à servir des boissons gazeuses. Mais dans ces années-là, personne dans le quartier n'avait le téléphone excepté la confiserie du coin. Alors, si Mme Silverman recevait un appel à la confiserie et qu'un médecin lui disait que ses résultats étaient positifs, elle disait : « Oh! docteur, c'est merveilleux. Mon mari va être si heureux! » Et Mme Grodefsky savait qu'un bébé s'en venait. Si le petit ami de Selma Lieberman la demandait en mariage au téléphone, en quittant la cabine, Selma embrassait Mme Grodefsky.

Comment Mme Grodefsky transmettait-elle ces « bulletins » instantanés au voisinage en général? C'est simple! Si quelqu'un donnait naissance, elle accrochait une petite poupée de caoutchouc dans la vitrine. Si quelqu'un se fiançait, deux énormes boîtes de chocolat étaient déposées dans la vitrine, avec un écriteau où l'on pouvait lire « Mazel Tov! » Tout le monde connaissait ses signaux dans le quartier.

Le samedi soir était à ne pas manquer à la confiserie du coin. Nous, les jeunes, nous tenions devant le magasin à compter de dix-neuf heures, attendant les appels de « rendez-vous ». Lorsque le téléphone sonnait, Mme Grodefsky faisait signe à l'un d'entre nous, nous donnait l'adresse et nous disait : « Va chercher Sarah Goldberg, c'est son petit ami. Tu auras cinq sous de pourboire. Crie fort! »

Nous courions à l'immeuble en question, allions dans le hall et hurlions : « Sarah Goldberg! Téléphone! C'est ton copain. Ça marche pour ce soir! » Sarah dévalait les marches de l'escalier, tout sourire, déposait une pièce de cinq sous ou de dix sous — parfois même de vingt-cinq sous — dans notre main tendue et courait à la confiserie.

Les affaires étaient bonnes pour Mme Grodefsky aussi. Si le garçon ne passait pas acheter une boîte de bonbons, la prochaine fois qu'il téléphonait, nous avions l'ordre d'appeler sa petite amie au téléphone « doucement ». S'il n'y avait pas de réponse, Mme Grodefsky disait à l'interlocuteur : « Son cavalier de la semaine dernière doit déjà être sorti avec elle. Il lui a acheté une énorme boîte de chocolats. Où étiez-vous donc? J'avais une boîte qui vous attendait! » L'interlocuteur comprenait le message — et achetait des bonbons la semaine suivante — et la jeune fille obtenait ses appels.

Lorsque vinrent les années de guerre, Mme Grodefsky changea la vitrine. Elle afficha un grand carton sur lequel elle écrivit avec application aux crayons de couleur « Au service de notre pays ». Elle colla en dessous les photos des hommes qui ont pris les armes. Tous les gars du voisinage lui envoyaient des photos, d'où qu'ils fussent dans le monde. En fait, nombre d'entre eux avaient inscrit son nom et son adresse sur les documents de l'armée où l'on demande qui aviser en cas d'urgence. Ils savaient que Mme Grodefsky était celle qui annonçait les nouvelles aux parents, en cas d'urgence.

Quand un type du coin était déclaré disparu au combat, Mme Grodefsky voyait un garçon de la Western Union, la compagnie de télégramme, enfourcher sa bicyclette devant la maison en face de son magasin. Dans ces années-là, quand on voyait un garçon de la Western Union, on savait que c'était de mauvaises nouvelles. Alors Mme Grodefsky fermait le magasin et allait à l'appartement où le télégramme avait été livré. D'après les hurlements qu'elle entendait dans le corridor, elle savait déjà ce que disait le télégramme. Ce soir-là, la photo du jeune homme accrochée avec les autres dans sa vitrine porterait une bordure au crayon noir. En très peu de temps, le carton de sa vitrine afficha huit photos à bordure noire.

Chaque fois qu'un jeune homme était porté disparu, elle restait littéralement assise durant la *shiva*, la semaine de grand deuil juif, pour chacun. C'étaient ses enfants! Chacun d'eux! En fait, les *enfants* lui confiaient souvent des choses qu'ils ne pouvaient pas dire à leurs parents. Elle écrivait à chacun dans son style inimitable et joignait toujours un bâton de gomme à mâcher Wrigley pour qu'ils n'oublient pas la vieille confiserie du coin.

Après la guerre, Mme Grodefsky retira le carton de sa vitrine et enleva délicatement les photos des jeunes hommes morts à la guerre. Elle fabriqua un autre carton qu'elle borda de noir. Elle plaça les huit photos des disparus au centre, et chaque soir, aussi longtemps que je me souvienne, elle allumait une bougie commémorative *Yahrzeit* et la plaçait devant le carton. C'était sa lumière éternelle pour « ses garçons ».

La vieille dame garda cette confiserie durant des années, même après que la plupart des gens du quartier eurent déménagé. Les jeunes Portoricains qui ont emménagé dans la communauté ont continué à être « ses garçons ». Ils aimaient cette vieille dame.

Lorsqu'elle mourut, je crois que c'est la seule fois de l'histoire que plus de Portoricains que de Juifs se sont rendus à notre vieux temple. Ils sont tous allés rendre hommage à la chère femme. Bien qu'elle n'ait pas eu de famille immédiate, au moins mille personnes se massaient dans les rues au passage du cortège funèbre qui l'emmenait à son dernier repos.

Des gens qui ont eu vent de son décès se sont réunis il y a quelque temps et ont payé l'entretien perpétuel de sa tombe, et y ont fait installer une pierre tombale assez originale. On y voit une bougie *Yahrzeit*, tout comme celle qu'elle allumait dans sa vitrine chaque soir, sculptée dans la pierre. Dessous, il est simplement écrit : « Elle a retrouvé ses garçons. »

Je crois qu'il faut à chaque quartier une Mme Grodefsky, quelqu'un qui materne la communauté au complet. Quelqu'un qui tient une main tremblante, qui apaise une âme torturée ou un cœur brisé.

Arnold Fine

Un jour à la fois

La bonté engendre la bonté.

Sophocle

À un certain moment de nos vies, nous traversons tous une nuit sombre dans notre âme. Nos vies semblent alors stériles, sans but et douloureuses. Ma nuit sombre est venue dans la débâcle de mon divorce, et je l'ai sentie avec le plus d'acuité la veille du mariage de mon frère. C'était le premier mariage auquel j'assistais depuis le divorce.

Même si j'étais fière de mon frère et heureuse de ce nouveau tournant de sa vie, j'éprouvais le vide de la mienne. Cette nuit-là, tournant et me retournant dans mon lit de chambre d'hôtel, je subissais l'assaut de nombreuses peines : les rêves brisés, la peur de ne jamais avoir d'enfant, et l'insensibilité de ma famille et de mes amis qui, bien que sympathisant avec moi, resserraient leurs propres liens familiaux, comme si le divorce était une maladie contagieuse. J'ai prié, supplié et pleuré, ne comprenant pas pourquoi je devais subir tout cela. La solitude me guettait, et je me demandais si mes prières se rendaient aux cieux.

Après la noce, je suis retournée au travail en Pennsylvanie, sachant que je devais prendre ma vie en main. Je louais une chambre chez une dame très gentille, mais j'avais besoin de ma propre cuisine, d'un endroit pour mes livres et peut-être même d'un animal de compagnie pour partager mes nuits solitaires. J'étais lasse de prendre tous mes repas seule au restaurant ou dans ma voiture. Je n'avais peut-être pas d'amour dans ma vie, mais je pouvais trouver un petit endroit qui serait chez moi.

Les appartements étaient au-dessus de mes moyens, mais j'ai trouvé une maison mobile, très sale, dans un parc délabré. Avec un budget serré, je pouvais me permettre cette folie. J'ai frotté de fond en comble, et sous la crasse et les ordures, j'ai trouvé les assises d'une maison. J'ai cousu des rideaux dans des restants et réparé les quelques meubles abîmés laissés par le propriétaire précédent. J'ai acheté un bureau d'une boutique d'occasion.

Des roses sauvages, des arbustes anarchiques et des haies négligées depuis longtemps bordaient la cour au gazon trop long. J'ai taillé, tondu et désherbé. Puis un jour, en plantant des chrysanthèmes, j'ai levé les yeux sur un jeune garçon sale et en haillons, planté devant moi.

« Vous vivez ici, Madame? » a-t-il demandé. Avant que je puisse répondre, un autre enfant est accouru. Il y a eu d'autres questions. Puis, d'autres enfants sont apparus de nulle part. Bientôt, une véritable foule — j'ai compté quatorze enfants en tout — m'encerclait, tous posant des questions avec animation.

J'ai vite appris que, dans ce voisinage, les jeunes enfants grandissaient aussi sauvages et parfois aussi négligés que les haies que je venais de tailler. Mais sous les visages malpropres et les cheveux douteux, ils étaient absolument charmants. Et affamés. Ils avaient faim de nourriture, de vêtements chauds, de chaussures, d'orientation, d'attention et d'affection.

Je ne pouvais pas combler tous leurs besoins mais par la grâce de Dieu, j'ai fait ce que j'ai pu. J'ai acheté de la farine en vrac et fait cuire du pain. L'arôme se dégageant par les fenêtres ouvertes les a attirés à ma porte. En échange, perchés sur le comptoir de la cuisine ou assis à l'indienne dans la fenêtre du salon, ils ont dessiné des images aux couleurs vives pour décorer mon réfrigérateur.

Quelques-uns des enfants savaient lire mais n'avaient pas de livres. Alors j'ai acheté une petite bibliothèque à la boutique d'occasion, et j'ai fait le tour des marchés aux puces et des ventes de garage pour trouver des livres d'enfants. Ensemble, nous avons mis sur pied une bibliothèque de prêt dans ma cuisine. Les enfants adoraient écrire leur nom sur les « fiches de bibliothèque » et sortir de chez moi avec deux ou trois livres sous le bras.

Nous lisions ensemble des heures, nous soutenant de pain chaud et de lait froid. Nous parlions de l'école, de la lecture, de Dieu, de la mort, du divorce et de la prison — toutes des choses qui les concernaient, eux et leurs familles.

J'ai compris que ma vie n'était pas si difficile après tout, et elle n'était plus solitaire. Parfois, ma communauté de jeunes drainait mes finances et mon énergie jusqu'à épuisement. Les parents des enfants profitaient souvent de ma générosité. Mais les jours de neige et de glace, je trouvais parfois le sentier déneigé jusqu'à ma boîte aux lettres, ou le pare-brise de ma voiture déblayé. Et aussi longtemps que j'avais des bras d'enfants autour du cou et des rires dans ma maison, je ne m'inquiétais pas. J'avais allumé la lueur vive de la confiance dans les yeux des enfants, et j'étais capable de partager ma passion des livres et de la lecture avec le public le plus reconnaissant du monde.

Je ne savais pas alors qu'un jour je trouverais l'amour et que je donnerais naissance à mes propres précieux enfants, ou que je deviendrais bibliothécaire scolaire et auteure d'histoires. Mais je n'avais pas besoin de le savoir. Je n'avais qu'à faire ce qui se présentait à moi, tendant la main un jour à la fois. Et graduellement, la nuit sombre de mon âme s'est dissipée. Mes prières dans ma chambre d'hôtel solitaire avaient été entendues après tout, et j'ai été bénie maintes fois depuis.

Cathy Gohlke

Avant J.C.

Pouvez-vous m'aimer?

Plus on écoute fidèlement sa voix intérieure, mieux on entend les sons extérieurs.

Dag Hammarskjöld

L'image de la fillette à la télévision vacilla devant moi comme un fantôme, exigeant mon attention. « J'ai besoin d'une maman qui peut m'aider à devenir une jeune femme », disait la petite de 12 ans à l'écran. J'écoutais un reportage intitulé : « Des enfants de la Californie en attente », où l'on interviewait des grands enfants en foyer d'accueil qui voulaient être adoptés. Je ne savais pas si je m'apitoyais davantage sur la fillette ou sur moi. Elle n'avait pas de mère, je n'avais pas d'enfant, mais je ne pouvais répondre à sa demande.

Je faisais face à la maternité en tant que femme célibataire, je voulais donc commencer à zéro, avec un bébé tout neuf et innocent qui pourrait doucement m'initier aux épreuves et aux joies d'être parent. Et puis, cette enfant à la télévision avait déjà connu tant de problèmes, je savais que je ne pourrais m'occuper d'elle seule.

Mais quelque chose dans la voix de la fillette m'arrêta net. « J'ai besoin d'une maman », insista-t-elle, fixant non seulement la caméra, mais moi. Je regardai ses yeux et fut frappée par son honnêteté. Elle savait que personne ne voulait adopter une pré-adolescente au passé difficile, une enfant qui avait des problèmes d'une ampleur bien supérieure à ceux d'une fillette ordinaire. Pourtant, elle nous défiait de sa voix : j'ai besoin de vous. Pouvez-vous m'aimer?

Je me redressai sur mon siège et pris le téléphone. Je voulais l'aimer. Serait-ce suffisant? Je respirai à fond et promis d'essayer. Je composai le numéro affiché à l'écran et je m'abandonnai à l'adoption : la paperasse, l'enquête des travailleurs sociaux, l'attente sans fin, et l'incertitude de pouvoir aimer une enfant comme elle et qu'elle puisse m'aimer. Le processus prit des mois, et lorsque j'eus répondu à toutes les exigences, la fillette que j'avais vue ce jeudi soir avait déjà été adoptée.

L'appel que j'eus finalement concernait un garçon, beaucoup plus jeune, mais son passé...

« Michael n'est pas facile, me mit en garde la travailleuse sociale. Sa mère était toxicomane. » Elle téléphonait de l'hôpital, où Michael avait été hospitalisé pour une jambe cassée. « Nous croyons que c'est sa mère de famille d'accueil qui lui a fracturé la jambe, dit-elle. Il n'y retournera pas. »

Le lendemain matin, j'étais à l'extérieur de sa chambre d'hôpital, le regardant. Il n'avait que 4 ans, ses cheveux étaient ébouriffés et son regard était inquiet, usé. Sa jambe cassée était élevée au-dessus de lui, en traction. « C'est qui ? » demanda-t-il à la travailleuse sociale en m'apercevant. Je reculai de quelques pas. Quelques mois auparavant, j'avais promis d'aimer un enfant, mais si cet enfant me haïssait ? Et si je découvrais qu'il était trop difficile, que j'étais incapable de l'aimer ?

« Je m'appelle Pam », dis-je, prenant mon courage à deux mains. « Je suis venue te rendre visite. Est-ce que ça te va ? »

J'attendais une réponse brusque, un regard suspicieux sur cette autre adulte qui passait dans sa vie. À mon grand étonnement, Michael fit oui de la tête avec empressement. Il était tellement content qu'il ne pouvait pas parler. Nous avons passé cet avant-midi-là et plusieurs autres de la semaine suivante à colorier, à jouer, à chanter, à parler. Lorsque le médecin est venu lui faire un plâtre, Michael, en pleurs, m'a suppliée — moi, une étrangère — de rester avec lui. Il ne me connaissait pas, mais il savait qu'il avait besoin de moi et pour cette raison, c'était facile de lui donner mon amour.

Finalement, ce n'est pas Michael que j'ai pu adopter, mais ses propres jeunes frère et sœur. La fillette, ma fille, est née dépendante de l'héroïne ; elle et son frère ont besoin de médicaments ne serait-ce que pour se comporter normalement, et ils ont vu plus d'épreuves qu'une personne trois fois plus âgée qu'eux. Ma maison est bruyante et chaotique, mes journées épuisantes et exigeantes. Parfois je crois que je n'y arriverai pas seule.

Récemment, cependant, les enfants ont passé la nuit chez un ami, et je me suis retrouvée devant quelque chose que je n'avais pas eu depuis longtemps : une soirée tranquille, seule. En savourant un moment de paix, je me suis installée sur le divan à regarder la télévision, et j'ai souri. Peu de temps avant, une brave jeune fille sur cet écran de télévision avait parlé en son nom et au nom de milliers d'autres enfants comme elle. Elle m'avait demandé de relever le défi d'être mère, et j'avais eu peur de craquer sous la pression. Ce soir, la maison était si tranquille que je voulais crier !

Mes enfants sont exigeants, et j'en suis fière. Ils peuvent t'affronter, hurler de colère, puis se retourner et s'accrocher à toi, leurs bras t'étouffant presque. « J'ai besoin de toi, disent-ils. Peux-tu m'aimer ? » Et je réponds avec satisfaction : « Oui, je t'aime. »

Pamela J. Chandler

Noël s'en vient!

Je me suis assise par terre près de Jeremy, mon fils de trois ans, et lui ai tendu les décorations assorties à accrocher à l'arbre de Noël. Il est monté sur une boîte de maïs soufflé pour atteindre le milieu de l'arbre, la hauteur maximum pour lui. Il riait avec un pur enchantement enfantin chaque fois que je disais : « Noël s'en vient! » Même si j'avais essayé à maintes reprises de lui expliquer Noël, Jeremy croyait que c'était une personne. « Noël s'en vient! ricanait-il. Et tous ces cadeaux sont pour Noël quand elle va venir! »

Je le regardais se sourire à lui-même en posant minutieusement chaque décoration sur l'arbre. *Il ne peut en connaître assez long sur Noël pour l'aimer tant que ça*, pensais-je.

Nous habitions un petit appartement à San Francisco. Le temps y était habituellement doux, mais ce Noël-là, il faisait assez froid pour allumer un feu. La veille de Noël, j'ai déposé une bûche dans la cheminée et j'ai regardé mon fils glisser dans l'appartement, en chaussettes sur le plancher de bois franc. Il attendait Noël avec grande hâte. Bientôt, il ne se posséda plus et commença à sauter de haut en bas. « Quand est-ce qu'elle va venir, maman? J'ai hâte de lui donner tous ces présents! »

Encore une fois, je tentai de le lui expliquer. « Tu sais, Jeremy, Noël, c'est une période de l'année, pas une personne. Et ça va arriver plus tôt que tu penses. À minuit, Noël sera ici mais tu vas probablement faire dodo, alors quand tu vas te réveiller demain, ce sera Noël. »

Il rit comme si je lui racontais une blague stupide. « Maman, dit-il, est-ce que Noël va prendre son déjeuner avec nous? » Il étendit les bras au-dessus des cadeaux sous l'arbre. « Tous ces cadeaux sont pour Noël! Tous! »

Je lui chatouillai le ventre et je ris avec lui. « Oui, dis-je. Ils sont tous pour Noël. »

Il galopa dans l'appartement jusqu'à ce que la fatigue le fasse ralentir et qu'il s'étende sur le tapis, près de l'arbre. Je me blottis contre lui et quand il s'endormit enfin, je le portai dans son lit.

Je décidai de me faire un chocolat chaud avant de me mettre au lit, et en le buvant, j'observais de la fenêtre les rues décorées de San Francisco. Le tableau était charmant. Mais une chose me dérangeait. Directement à l'extérieur de notre appartement, à l'endroit où je mettais d'habitude les ordures, il y avait ce qui semblait être un amas de vieux vêtements froissés. Mais je me suis vite rendu compte de ce qu'était vraiment l'amas. C'était une vieille femme sans abri qui se tenait habituellement près du magasin du coin, au bas de la rue. Nous étions habitués de la voir dans le quartier, et j'avais déposé des pièces de monnaie dans son sac quelques fois, après avoir fait l'épicerie. Elle ne demandait jamais d'argent, mais je crois qu'elle recevait l'aumône des passants parce qu'elle semblait tellement démunie.

En regardant dehors en cette veille de Noël, je m'interrogeais sur cette pauvre vieille. Qui était-elle? Quelle était son histoire? *Elle devrait être en famille, et pas à dormir dans les rues froides en cette période de l'année.*

J'eus un serrement de cœur. J'étais là, avec un bel enfant qui dormait dans la chambre à côté. Je m'étais souvent prise en pitié comme mère célibataire, mais au moins je n'étais pas seule à vivre dans la rue. C'était un sort désespérant et triste pour qui que ce soit, à plus forte raison, pour une femme qui devait avoir 80 ans.

J'allai à ma porte et descendis dans la rue. Je demandai à la vieille femme si elle voulait entrer. Au début, elle m'ignora presque. J'essayai de l'amadouer, elle dit qu'elle ne voulait pas d'aide. Mais quand je lui dis que j'aimerais avoir de la compagnie, elle céda et accepta de passer Noël avec Jeremy et moi.

Je l'ai installée pour dormir dans le salon, sur notre divan-lit. Le lendemain matin, j'ai été réveillée par Jeremy qui hurlait à tue-tête : « Noël est là! Noël est là, maman! »

J'enfilai ma robe de chambre en vitesse et accourus au salon, où je trouvai un petit garçon tout excité qui présentait à une « Noël » très étonnée les cadeaux de sous l'arbre. « On t'attendait! » dit-il avec joie. Il riait et dansait tandis qu'elle ouvrait les cadeaux qu'il lui avait donnés.

Je ne pense pas que « Noël » ait connu un Noël comme celui-là depuis très longtemps. Et moi non plus. Je savais aussi qu'il aurait fallu plus d'une journée spéciale pour soulager le fardeau du cœur fatigué de cette femme, mais j'étais contente quand elle a promis de revenir l'année suivante. J'espère qu'elle le fera. Et Jeremy sait qu'elle viendra.

Deb Gatlin Towney

Un cœur de maman

*Je commence à comprendre que ce sont les choses
simples et tendres de la vie qui sont la réalité, tout
compte fait.*

Laura Ingalls Wilder

Tous les mardis et vendredis, ma meilleure amie
Marilyn et moi allions à l'hospice des enfants trouvés, situé
derrière l'hôpital. Comme bénévoles, nous avions la tâche
d'aider les trois infirmières diplômées à changer, nourrir et
soigner quelque vingt bébés en attente d'adoption.

Nous aimions notre travail et rêvions constamment
d'adopter un de ces poupons. Nous avions chacune nos préférés. Mais nous n'avions que 18 ans, alors ce n'était pas
dans nos plans immédiats.

En revêtant nos uniformes de bénévoles, je regardai
notre image dans le miroir et pensai à quel point Marilyn
était chanceuse. Elle avait hérité de tous les traits exquis de
sa mère et elle était très jolie. Ma mère était belle, aussi,
mais mon frère avait ses traits délicats, son teint clair, ses
cheveux bouclés et sa personnalité extravertie.

Tout le monde disait que j'étais le portrait de mon père.
J'avais son teint foncé, son long nez, de minces cheveux raides, même sa voix rauque et sa réserve. Papa était bel
homme, mais sur moi, ses traits étaient loin d'être ravis-
sants.

Maman était une vraie dynamo : bénévole à l'hôpital,
ménagère accomplie et ange gardien du voisinage, venant
toujours en aide à quelqu'un. Elle se précipitait chez un voisin malade avec un plat chaud ou remplissait des sacs d'épicerie pour une famille temporairement en chômage. Elle
aidait des bambins à enfiler leurs pyjamas quand ils séjour-

naient chez nous pendant que leurs mères accouchaient à l'hôpital.

Sa charité ne s'arrêtait pas là. Elle secourait les petits animaux perdus, les gardait avec les nôtres jusqu'à ce qu'elle trouve leurs propriétaires, et soignait des animaux sauvages victimes de délits de fuite jusqu'à ce qu'ils se rétablissent. Son énergie était sans borne.

Un vendredi, Marilyn et moi sommes arrivées à la pouponnière. Nous avons salué tous nos précieux bébés, langé chacun d'eux et commencé à les installer avec des jouets sur le plancher couvert de matelas. Puis nous avons changé les lits ensemble.

Les infirmières semblaient plus préoccupées qu'à l'habitude par un minuscule poupon dans une section autour de laquelle on avait installé un cordon de sécurité.

« Ce bébé est très malade », chuchota l'une des infirmières. « Dites une prière… s'il vous plaît. Il faudra peut-être l'opérer. »

Je dis une brève prière, mais bientôt nos nombreuses tâches nous ont accaparées. Nous aidions à préparer les biberons pour l'après-midi et versions à la cuiller de la nourriture tiède dans de tout petits plats pour les bébés plus vieux. Après avoir mangé, tous les bébés étaient langés avant d'être placés dans leurs berceaux pour la sieste.

Nous profitions de la sieste pour nettoyer la pouponnière, trier et plier la lessive propre, et plier des dizaines de couches de tissu. Normalement, nous restions jusqu'à ce que tout soit en place pour le biberon suivant. Alors nous mangions, nous nous changions et nos petits amis venaient nous chercher à la pouponnière.

Soudain, il y eut un flot d'activités dans le coin. Deux médecins sortirent en trombe, et j'ai entendu une infirmière pleurer doucement. L'infirmière-chef passa en vitesse.

« Je suis désolée de vous obliger, les filles, mais on a besoin de nous à la salle d'opération. Le bébé va être opéré. Gardez le fort, d'accord? » Elle n'a pas attendu notre réponse, et nous a laissées seules.

« Je reste seulement jusqu'à ce que Bruce arrive, gémit Marilyn. Je le connais. Il va aller à la danse sans moi. Et je ne laisserai pas une de ces vampires faire ses crocs sur mon amoureux. »

Bruce est arrivé quand nous préparions le dîner des bébés.

« Téléphone à quelqu'un! » cria Marilyn, puis elle prit le bras de Bruce et l'entraîna dehors, me laissant seule.

Je réchauffais des biberons lorsque j'ai senti une main sur mon épaule. C'était Nick, mon copain attitré.

« Où est tout le monde? » demanda-t-il, regardant autour.

Il sécha mes pleurs quand je lui racontai la situation.

« S'il te plaît, va à la danse sans moi. Tous les bébés sont affamés; je ne peux pas les laisser. Il faut vraiment que je reste. »

« Où est-ce que je peux me laver? » demanda Nick en retirant sa veste de football. « Je n'ai jamais échappé un ballon de football, alors un bébé devrait être en sécurité dans mes mains. »

« Merci », chuchotai-je, l'enlaçant.

« Je ne peux pas danser sans ma partenaire préférée. Je ne connais pas d'autres orteils qui pourraient endurer ce supplice », dit-il en riant.

Peu après, nous étions assis sur le plancher couvert de matelas, entourés de bébés tenant leur biberon, tandis que nous nourrissions les poupons et les faisions éructer. Nick s'arrêta un moment pour me regarder bercer et calmer un poupon capricieux.

« Je sais que Marilyn est ta meilleure amie », dit-il doucement, « et que tu crois qu'elle est si belle. Mais tu as la plus grande des beautés », dit-il en embrassant ma joue. « Tu as un cœur pur et bon. C'est pour ça que je t'aime tant », chuchota-t-il.

Et soudain je me suis rendu compte que maman avait peut-être légué sa beauté à mon frère, mais qu'elle m'avait transmis son don le plus précieux.

Toni Fulco

L'ange de la banque

Dans la vie, la question la plus pressante est : que faites-vous pour autrui ?

Martin Luther King Junior

Il y a quelques années, à New York, il y avait un petit *shteibel* (un petit temple). S'il y avait dix hommes rassemblés pour la prière, il n'y avait que des places debout. (C'était auparavant la boutique d'un serrurier, qui n'a pas besoin de grand espace pour fabriquer des clés.)

La vieille boutique du serrurier avait été vacante durant des années, jusqu'à ce que le rabbin Seigel arrive dans le quartier et demande au propriétaire s'il pouvait utiliser la boutique vide pour ses gens et leurs services religieux. Il promit de vider les lieux dès que le propriétaire trouverait un locataire. Le propriétaire, Morris Rabinowitz, se rendait compte que la communauté juive du quartier avait besoin d'un endroit pour prier, mais c'était l'époque de la Grande Crise, et la congrégation ne pouvait certainement pas amasser assez de fonds pour louer une boutique, même petite comme celle-là.

Mais Rabinowitz était quelqu'un de bien, et il laissa les gens se servir de la boutique. « Jusqu'à ce que j'aie un locataire, leur rappelait-il. Alors je devrai vous demander de partir. Il faut bien que je gagne ma vie. »

Ainsi, pendant bien d'autres années, la boutique demeura sans locataire, et la congrégation s'y assemblait soir et matin pour prier.

Rabinowitz était une bonne âme, et il aimait venir en aide aux autres. Malheureusement, la Crise ne le ménagea pas non plus. Il perdit la plupart de ses propriétés et n'en garda que quelques-unes, dont le petit *shteibel*. Il vivait seul, avec très peu de moyens.

Un jour, la femme d'un vieil ami vint voir Rabinowitz pour lui expliquer que son fils avait été arrêté et qu'elle avait besoin de 300 $ immédiatement pour un avocat. Pouvait-il l'aider? Rabinowitz alla à la banque et demanda son solde à la jeune caissière. Il avait 532 $. Il retira 300 $ qu'il remit à la dame. Elle le bénit et lui promit de le rembourser dès que possible. Il sourit et dit : « Quand vous l'aurez, vous me le donnerez. Pas avant! »

Quelques mois plus tard, un autre ami approcha Rabinowitz et lui demanda 500 $ pour marier sa fille. Rabinowitz lui dit qu'il n'avait pas cette somme, mais qu'il lui donnerait volontiers ce qu'il avait. Il se précipita à la banque, remplit un bordereau de retrait et le tendit à la caissière. « Vous êtes ma caissière préférée », dit-il à la jeune fille. « Voyez-vous, j'ai vraiment besoin de 500 $ pour aider Rosen, mais donnez-moi ce qu'il reste dans mon compte », dit-il avec bonhomie.

La jeune fille lui sourit en retour et dit : « M. Rabinowitz, vous avez 5 532 $ dans votre compte. »

« C'est impossible! » s'exclama-t-il.

La jeune fille vérifia de nouveau et dit : « Non, j'ai raison. Il y a bien 5 532 $ dans votre compte. »

« Bon, dit Rabinowitz. Dans ce cas, donnez-moi les 500 $ dont Rosen a besoin pour les noces de sa fille. »

La caissière lui remit l'argent et il partit, toujours très perplexe. En marchant, il se disait : « Peut-être que le Seigneur a falsifié leurs livres pour que je puisse avoir assez d'argent à donner à Rosen. Qui suis-je pour remettre en question les voies de Dieu? »

Quelques semaines plus tard, le rabbin du petit *shteibel* vint voir Rabinowitz. « Morris, dit-il, je sais que les affaires n'ont pas été trop bonnes pour toi dernièrement, mais nous sommes désespérément dans le besoin. Tu connais les Goldberg qui vivent au coin de la rue, au-dessus de l'épicerie? Leur enfant doit être opéré d'urgence. Pourrais-tu leur prêter environ 5 000 $ pour sauver la vie de l'enfant? »

Rabinowitz soupira. « Je n'ai pas la somme au complet, mais je vais te donner ce que j'ai. Sauver la vie d'un enfant, qu'y a-t-il de plus important? »

Une fois de plus, Rabinowitz se rendit à la banque. Il présenta à sa caissière préférée un bordereau de retrait pour fermer son compte.

« Vous n'avez pas à fermer votre compte si vous voulez 5 000 $, M. Rabinowitz, lui dit-elle. Il y a 10 000 $ dans votre compte. »

« Dix mille dollars! Je n'ai pas fait de dépôt depuis des semaines! » s'écria-t-il.

La jeune fille revérifia et sourit : « Vous avez bien 10 000 $ dans ce compte. »

« En êtes-vous certaine? demanda Rabinowitz. Absolument certaine? Je ne veux pas que la banque me coure après pour ravoir l'argent. »

La jeune fille vérifia encore et appela même le directeur de la banque, qui confirma que le compte contenait 10 000 $. La jeune fille remit à Rabinowitz un chèque bancaire de 5 000 $ qu'il apporta au *shteibel* et donna au rabbin.

Mais Rabinowitz ne souffla jamais mot de l'argent qui semblait pousser dans son compte de banque.

Quelque temps après, une dame âgée vint voir Rabinowitz et lui dit que son petit-fils voulait être médecin, mais qu'elle n'avait pas l'argent pour ses études.

Rabinowitz sourit. « Laissez-moi vérifier où en est mon compte de banque. Si j'ai la somme, elle est à vous. »

Il alla à la banque, approcha sa caissière préférée et lui demanda de fermer son compte de sorte qu'il puisse donner ce qui s'y trouvait au petit-fils de la vieille dame.

« Très bien, dit la jeune fille. Voulez-vous les 25 000 $ en entier? »

« Vingt-cinq mille! C'est impossible! Je ne suis pas venu à la banque depuis mon dernier retrait! »

La jeune fille appela le directeur. Il confirma que le solde était exact. Rabinowitz retira 24 000 $ et s'empressa de les remettre à la dame. « Il me reste 1 000 $, lui dit-il. Revenez si vous en avez encore besoin. »

Ainsi, durant toute sa vie, Rabinowitz — qui n'avait pas de famille et ne s'était jamais marié — continua de faire de petits miracles pour ses amis de la communauté, donnant ce qu'il avait aux autres plutôt qu'à lui-même. Les années passèrent, et sa santé déclina. Le jeune homme dont il avait payé les études de médecine le visitait jour et nuit. Lorsque son état empira, la jeune femme dont il avait payé la dot le soigna. Le jeune garçon dont la vie avait été sauvée par une opération était devenu un homme, un banquier prospère qui veillait à ce que Rabinowitz ne manque de rien.

L'édifice qui abritait le *shteibel* fut donné au rabbin qui, avec l'aide de Rabinowitz, arriva à recueillir assez d'argent pour transformer l'immeuble en une magnifique synagogue où les fidèles pouvaient prier tous les matins et tous les soirs. La vie de Rabinowitz s'éteignit.

Quel est donc le mystère du compte de banque toujours regarni?

La caissière préférée de Rabinowitz était la fille d'un homme qui avait déjà connu de sérieuses difficultés financières. Rabinowitz avait aidé cet homme. Par pur hasard, cet homme, qui n'était pas juif, acheta un billet de sweepstake irlandais et gagna des millions. Il investit l'argent habilement et en avait plus qu'il en aurait jamais besoin.

Lorsqu'il se rendit compte que sa fille entendait continuer de travailler à la banque où se trouvait le compte de Rabinowitz, il eut une idée. Il déposa un million de dollars à la banque et ordonna à sa fille de voir à ce que le compte de Rabinowitz soit toujours plein. Et comme Rabinowitz faisait toujours affaire avec la même caissière, elle était toujours en mesure de s'assurer que l'argent était là, pour quelque besoin que ce soit.

Rabinowitz mourut sans jamais rien savoir de tout cela, cependant, et jusqu'à sa mort, il voyait la douce jeune caissière comme un ange incarné, envoyé pour bénir un pauvre homme seul qui faisait le bien pour autrui.

Arnold Fine

5

PARENT CÉLIBATAIRE

Faites-vous confiance.
Vous en savez plus que vous ne le croyez.

Benjamin Spock, M.D.

« *Vous avez bien rejoint la ligne de soutien des mères célibataires. Pour parler à un conseiller, appuyez sur 1 avec votre nez.* »

Reproduit avec la permission de Randy Glasbergen.

Des mains pour servir

Dès le départ, nos enfants étaient turbulents. Ils étaient cinq, tous instruits à domicile, chacun s'adonnant à une activité sportive ou musicale, selon ses talents. C'est ce que Steve et moi voulions pour eux. Notre maison était remplie de ballons de soccer, de justaucorps et de chaussons de ballet, et l'air résonnait des sons du piano, du violon, de la viole et de la musique enregistrée. Avec les enfants et leurs activités, Steve et moi avions constamment les mains occupées, mais nous aimions ce rythme de vie. Nous étions satisfaits de voir nos enfants grandir et devenir des personnes fortes, intelligentes et compétentes.

Puis, Steve est mort. Être le parent célibataire de cinq enfants âgés entre 6 et 17 ans semblait une tâche herculéenne. Je n'avais que mes deux mains pour emmener les enfants à leurs cours, applaudir aux récitals, panser les genoux éraflés. J'étais débordée par les dix jeunes mains que me tendaient mes cinq enfants. Ils avaient besoin de leur père, mais il n'était plus. Ils avaient besoin de moi, mais je ne pouvais concevoir comment répondre à tous leurs besoins.

Outre le stress d'essayer d'être le père et la mère, les difficultés financières s'amoncelaient. Les leçons de musique et les sports coûtent de l'argent. J'occupais plusieurs petits emplois à temps partiel, et entre ceux-là, je conduisais constamment quelqu'un quelque part. Je commençais à réaliser que je n'étais presque jamais là pour mes enfants. Je commençais à me sentir perdue — perdue dans mon propre quartier, dans ma propre maison, dans ma vie.

Je me suis tournée vers Terri, mon amie intime, qui avait été une grande source de courage et de réconfort au moment de la maladie et du décès de mon mari. Mais Terri avait sa propre famille à élever, et n'était pas alors en mesure de m'aider. J'ai comparé sa situation avec la mienne. Elle aussi enseignait à ses enfants à la maison. Ils participaient à des sports et à d'autres activités. Pourtant, sa vie semblait se dérouler si calmement et paisiblement, alors que la mienne demeurait un soulèvement tumultueux. Quelle était la différence entre nos vies? Peut-être détenait-elle le secret d'une vie sans accroc.

Un soir, je me suis assise seule dans mon salon avec un crayon et une tablette à dessin, tâchant de trouver au-delà des mots une façon d'exprimer mon désespoir et mon désarroi. En premier, j'ai illustré la famille « idéale » de Terri, dessinant deux garçons en forme de bâton qui demandaient amour, aide et conseils. Autour d'eux, j'ai dessiné leur mère aimante, leur père solide et utile, leur grand-mère et leur tante. Je me suis soudainement rendu compte que ces enfants vivaient avec quatre adultes bienveillants. Ils n'avaient qu'à tendre la main et huit mains fortes se tendaient en retour. Le « secret » de Terri consistait-il simplement à avoir de nombreuses mains aimantes, quatre pour chaque garçon?

Comparer ma famille à celle de Terri a été dévastateur. La vie semblait injuste. Pire, les enfants commençaient à se sentir comme des adversaires, sous le poids desquels je ployais. Je me sentais plus seule et découragée que jamais.

Le lendemain soir, mes enfants et moi étions réunis autour de la table, finissant de manger. J'ai commencé à leur parler des mains, à quel point mes mains étaient occupées : subvenir à leurs besoins, les aider et les emmener à leurs nombreuses activités. Je leur ai décrit leurs amis, la famille de Terri, et le nombre de mains qui aidaient ses garçons.

Puis j'ai tendu mes deux mains et demandé à chacun de mes enfants de les prendre. Dix mains apparurent autour de la table. Chaque enfant ne trouva que deux doigts à saisir. Ils étaient si nombreux et il n'y avait que moi. Nous étions cloués sur place dans un silence stupéfait, et je me rendais compte que je ne pouvais absolument pas répondre à tous leurs besoins.

Une petite voix a rompu le silence. « Maman, si nous nous appuyons tous les uns sur les autres, chacun pourrait avoir toute une main. »

Lâchant mes doigts, frères et sœurs se sont tendu la main. Chaque personne s'est agrippée solidement à deux mains aimantes et aidantes. Des sourires se sont dessinés sur nos visages.

Nos journées sont encore remplies d'enseignement à domicile, de leçons de danse, de gymnastique, de parties de balle, de récitals, de concerts et ainsi de suite. Je suis toujours le parent célibataire de cinq enfants actifs et intelligents. Mais mes enfants ont dû développer un peu plus de force. Ils ne se tournent pas exclusivement vers maman pour leur venir en aide, ils s'entraident aussi. Je n'ai toujours que deux mains et dix doigts.

Mais avec ces dix autres mains, notre famille est désormais un cercle d'aide et de soutien. Nous avons assez de mains pour suffire à la tâche.

Linda Butler

Courage, maman

Pour chaque chose que vous avez manquée, vous avez gagné quelque chose d'autre.

Ralph Waldo Emerson

Être divorcée et très jeune mère à la fin des années 1950 n'était pas une situation réjouissante. Les gens avaient vite fait de juger. Même si à l'extérieur j'affichais une façade de bravoure, j'étais profondément blessée du manque de compréhension et de soutien de mes pairs et de mes proches. L'isolement et la pauvreté désespérée qu'il créait étaient insupportables, et m'ont poussée plus d'une fois à l'envie de mettre fin à tout cela. Faire face à cette nouvelle vie de maternité dans un monde désapprobateur était terrifiant.

Contre toute attente, nous deux, les « petites filles » — car j'étais à peine une adulte moi-même — avons grandi ensemble, souvent plus comme des meilleures amies que comme un parent et son enfant. Nous l'avons échappé belle bien souvent quand j'ai dû soigner ma petite fille pour la pneumonie, la rougeole, des grosses fièvres et toutes les autres maladies d'enfants. Souvent, je n'avais pas assez d'argent pour l'emmener chez le médecin.

Nous avons toutes deux eu le cœur brisé lorsque j'ai dû la laisser avec des étrangers à la maternelle, mais si je devais gagner notre vie, je n'avais pas le choix. Je n'avais jamais travaillé pour de l'argent dans ma courte vie, même après l'école, alors c'était une autre première angoissante. Pour empirer les choses, nous n'avions pas de voiture, alors nous allions partout à pied. Je portais souvent Cathy sur de longs trajets, jusqu'à ce que je ne puisse littéralement plus la soulever de terre.

Dans les premiers temps de notre toute petite famille de deux, il y a eu des moments désespérés où notre diète frugale consistait à partager un hamburger à vingt-cinq cents, ou une seule boîte de farine apprêtée de mille façons, des crêpes, de la sauce, ainsi de suite.

J'ai commis bien des erreurs. J'avais tellement peur de manquer mon coup — qu'elle meure, ou qu'elle finisse par me haïr — mais j'essayais de faire du mieux que je pouvais. Bien sûr, je me sentais terriblement coupable de ne pas lui donner une « vraie famille » et de jolies choses.

À travers tout ce tumulte, j'étais déterminée à être une bonne mère et à réaliser mes rêves, peu importe que j'aie été mise à l'écart par ma famille et mes amis en tant que « Mademoiselle l'artiste mouton noir », un cas désespéré. Ainsi, Cath n'avait pas encore deux ans et j'en avais moins que vingt quand j'ai décidé de retourner à l'école pour obtenir mon diplôme.

Un jour, mon professeur de psychologie pour enfants nous annonça vouloir faire une expérience. Nous devions observer deux très jeunes enfants, un à la fois. Le parent quitterait la pièce et regarderait par la petite fenêtre de la porte, à l'insu de l'enfant.

Le premier enfant venait d'une famille de deux parents, bien adaptée et aimante, avec tous les avantages propres à la classe moyenne. Le deuxième enfant venait d'une famille monoparentale (alors appelée famille désunie) qui manquait de tous les privilèges enviables.

Selon ce que nous avions lu dans nos manuels, nous nous attendions à ce que l'enfant numéro un affiche un sentiment de sécurité au départ du parent, une indépendance coopérative en présence d'étrangers dans un milieu non familier ainsi qu'à un accueil normal ou à une réaction neutre au retour du parent.

Le deuxième enfant était censé faire preuve d'insécurité, marquée par un comportement dépendant, larmoyant ou destructeur et possiblement, un retrait et des pleurs.

Nous étions tous curieux de voir ce qui allait vraiment se produire. L'enfant numéro un fut emmené et le père quitta la pièce. L'enfant se dirigea immédiatement vers les fenêtres du troisième étage où nous étions, et tenta d'en sortir. Il lutta contre quiconque tentait de le ramener et d'attirer son attention sur des activités plus créatrices. Il ne voulait rien entendre! Toute sa visite fut une épreuve bouleversante. En fait, son père dut être rappelé plus tôt que prévu pour nous sauver du chaos.

Quand l'enfant numéro deux fut laissée aux soins de la classe, elle alla directement au tableau, prit une craie, grimpa sur le siège du professeur et commença à babiller en langue de bébé. Elle entreprit avec confiance d'enseigner à sa classe, dessinant et pointant au tableau, puis regardant son auditoire captivé. Après une longue « conférence », le petit professeur descendit et replaça la craie à sa place. Elle se promena ensuite dans la salle en tenant des conversations intimes, tout en fouillant avec bonheur dans les profondeurs mystérieuses des bourses des filles et en exposant « ses » trésors sur tout le plancher.

Finalement, notre professeur éreinté, revenant à peine de reconduire son propre fils à la maison, demanda à la mère, qui n'avait presque pas manqué à sa fille, de revenir en classe.

Quand j'entrai et pris mon siège, Cathy leva les yeux de son jeu et monta sur mes genoux comme si je n'étais jamais partie. Elle me serra très fort.

La classe se mit à rire de joie. Ils se sont levés et nous ont applaudies. J'éclatai en sanglots. Après tout, nous étions les défavorisées, les déshéritées; j'étais la citoyenne de deuxième classe et elle était l'enfant numéro deux.

Par suite de cette expérience, mes jours sombres d'étudiante solitaire prirent fin. Ma petite Cath et moi étions invités à des déjeuners, des dîners et des sorties avec ces nouveaux amis et ces nouvelles familles.

Au fil des ans, nous avons parcouru un long chemin ensemble, Cathy et moi. Et il y avait toujours de nouveaux défis. Bien des années plus tard, dans notre confortable maison de Californie sous les pins, près de la mer, Cathy traversait un des nombreux rites de passage difficiles et solitaires de l'adolescence. Je lui dis : « Toi, plus que qui que ce soit d'autre au monde, tu mérites la vie de famille idéale, avec deux parents qui t'aiment, des frères et des sœurs, le rêve au complet. Mais ce n'est pas comme ça pour nous, j'en suis tellement désolée. Je t'aime plus que tout au monde et je fais de mon mieux. Il n'y a que toi et moi. Si on accepte les choses comme elles sont, on peut créer une vie vraiment magique, à partir de qui l'on est et de ce que l'on a. »

Cathy me regarda droit dans les yeux et dit : « Courage, maman, tu es la meilleure. »

Enlacées, pleurant et riant dans notre jolie cuisine, ce soir-là, nous avons eu l'un de nos nombreux soupers aux chandelles, seulement nous deux. Après tout, nous sommes les meilleures amies.

Cielle Kollander
Recueilli par Eileen Lawrence

Un vrai Noël

Je déposai le reste de la pâte à biscuits précuisinée sur la tôle à biscuits et l'enfournai. Ces biscuits aux brisures de chocolat usinés étaient une pâle imitation des petits bijoux que j'avais confectionnés au cours des 26 dernières années, mais la seule raison qui m'avait poussée à cet effort était que mon fils le plus jeune, Ross, avait ouvert à quatre reprises le pot de biscuits la veille, disant avec le tact de ses 14 ans : « Quoi? Pas de biscuits de Noël cette année? »

Puisque nous étions le 23 décembre, et que ses frère et sœur plus âgés, Patrick et Molly, devaient arriver la veille de Noël, Ross m'informa qu'ils seraient « super-désappointés » s'il n'y avait pas de « desserts d'enfer » à manger. Et cela venait d'un enfant qui n'avait jamais regardé un spécial de Noël à la télé de sa vie et à qui l'on devait tirer l'oreille pour la photo de famille de la carte de Noël annuelle.

Je n'ai pas envisagé de photo familiale cette année. Un gros morceau de la famille manquait désormais — est-ce que quelqu'un s'en rendait compte?

Tous mes amis me répétaient la même chose depuis les funérailles : « Pam, la première année après le décès de ton mari est la pire. Tu dois vivre la première Saint-Valentin sans lui, le premier anniversaire de naissance, le premier anniversaire de mariage… »

Ils ne blaguaient pas. Ce qu'ils ne m'avaient pas dit, c'est que Noël remporterait la palme du « dur à prendre ». Ce n'est pas que Tom aimait tant Noël. Il s'était toujours plaint que le tout était beaucoup trop commercial et qu'à bien y penser, Pâques semblait une célébration axée sur le Christ beaucoup plus importante pour l'Église.

Le téléphone sonna. Molly appelait à frais virés de la route. Elle et deux copines revenaient à la maison après les examens finals.

« Sais-tu à quoi j'ai hâte? » dit-elle.

« Dormir durant 72 heures d'affilée? » demandai-je.

« Non. » Son ton était un peu démonté. « Revenir à la maison après la messe de minuit et voir tous les cadeaux empilés sous l'arbre. Ça fait des années que je ne me soucie pas de savoir ce qu'ils contiennent ou s'ils sont pour moi. J'aime simplement les voir là. C'est bizarre, tu trouves pas? »

Pas bizarre du tout, mon amour, me dis-je. Je soupirai, pris une feuille de papier et notai quelques idées de cadeaux pour Ross, Molly, Patrick et sa femme, Amy, mon petit-fils, Shane.

Puis, je posai le crayon avec rage sur le comptoir. Une partie de moi comprenait que les enfants étaient dans le déni. La mort subite de Tom onze mois auparavant les avait laissés déroutés et effrayés. Et maintenant, à Noël, ce choc se traduisait par un excès d'enthousiasme. Les traditions de Noël de la famille Cobb leur procuraient un sentiment de normalité. Patrick m'avait même demandé la semaine précédente si j'avais encore le vieil album de Noël de John Denver.

Mais, en ce qui me concerne, il n'y avait pas de quoi faire tout un remue-ménage. Tom n'était plus. J'étais vide et sans motivation. Au pire, j'espérais qu'ils déballent les cadeaux et servent la dinde sans moi.

Lorsque la minuterie du four sonna, j'empilai deux douzaines de biscuits bruns sur une assiette et laissai un mot pour Ross : « Je ne veux plus t'entendre te plaindre! Partie magasiner. Je t'aime. Maman. »

J'étais celle qui se plaignait, pourtant, en jouant du coude dans la foule du centre commercial.

Tom avait raison, me dis-je. *C'est une grosse farce.*

Il y avait tout ce que je détestais : de la musique préenregistrée distillant sa fausse joie, des affiches criardes appâtant le client, des familles fatiguées se traînant les pieds un peu partout, se préoccupant de la limite de leurs cartes de crédit tout en perdant patience avec les enfants.

C'est curieux, me dis-je en regardant des boucles d'oreilles que Molly ne porterait pas. *Tout le temps que Tom me montrait ces choses-là, elles ne me dérangeaient pas du tout. Maintenant, je ne vois que ça.*

J'abandonnai l'idée des boucles d'oreilles et commençai à explorer les magasins, espérant être inspirée pour que Molly puisse voir quelque chose sous l'arbre. Ça ne pouvait pas être comme par les années passées, j'aurais dû le lui dire. Elle n'allait pas admirer une pile de trésors magnifiquement emballés, qui faisaient toujours hocher la tête à Tom.

« Tu as encore fait des folies », me disait-il toujours, avant d'ajouter une autre contribution. Au lieu de m'acheter un cadeau, il faisait un chèque en mon nom à Compassion Internationale ou à une banque alimentaire locale, le mettait dans une enveloppe rouge et le déposait sur une branche de l'arbre de Noël.

« C'est un vrai cadeau de Noël *chrétien*, disait-il. C'est une petite démonstration que le Christ est réel dans nos vies. »

Je m'arrêtai au milieu du centre commercial, laissant la foule défiler près de moi.

Tom n'était plus, fait que le reste de la famille ne voulait ni aborder ni discuter. Mais il pouvait encore être parmi nous, ne serait-ce qu'un tout petit peu.

Je quittai le centre commercial et trouvai rapidement un marchand de sapins de Noël. Il sembla très heureux de se débarrasser d'un arbre très sec à moitié prix. Il l'attacha même au toit de ma voiture.

Puis, j'allai au supermarché, où j'achetai une dinde de onze kilos et tous les accompagnements. De retour à la maison, les boîtes de décorations n'étaient pas enfouies trop loin dans le garage. Je venais à peine de les ranger l'année dernière quand Tom a fait sa crise cardiaque.

Je triais encore les boîtes quand Ross sortit de la cuisine, savourant le dernier des deux douzaines de biscuits.

« Oh! je pensais qu'on n'aurait pas d'arbre, cette année », dit-il entre deux bouches pleines.

« Bien, on en a un. Peux-tu m'aider à le dresser? »

Deux heures plus tard, Ross et moi admirions notre arbre de Noël. Les lumières clignotaient doucement tandis que je redonnais forme à un ange scintillant que Molly avait fabriqué en deuxième année, et à la boule de Noël du premier anniversaire de Ross.

J'avais envie de pleurer.

La maison reprit vie quand tout le monde arriva, la veille de Noël. Au milieu de la messe, toutefois, mon esprit s'égara. Il n'y avait pas pire solitude que d'être au milieu de sa famille à chanter « Sainte Nuit », entourée de ma fille si vivante, de ma tendre et gentille belle-fille, de mon fils de 25 ans beau et ambitieux, de mon petit-fils de trois ans énergique et curieux, et d'un drôle d'adolescent dont les étreintes étaient comme des lacets mouillés, et d'être douloureusement consciente de l'absence de quelqu'un.

De retour à la maison, tout le monde continua d'éviter le sujet.

« L'arbre est *magnifique,* maman », dit Molly. Elle s'agenouilla et commença à retirer des cadeaux d'un sac pour ajouter à ma pile.

« J'aime vos emballages, Pam, dit Amy. Vous êtes toujours si inventive. »

« J'ai oublié d'acheter du papier d'emballage, lui dis-je. J'ai *dû* utiliser du papier journal. »

C'était un Noël comme d'habitude, il était plus facile de faire semblant que tout était normal que de composer avec la dure réalité. Ross et Patrick se disputèrent à savoir quel bas de Noël était à qui, et Shane se stationna devant un bol de bonbons. Ils avaient tous la permission d'ouvrir un seul cadeau, tradition de la veille de Noël, après quoi ils allaient au lit.

Mais il restait une autre chose à faire. J'allai au bureau de Tom, trouvai une enveloppe rouge dans le premier tiroir et y glissai un chèque tiré à l'ordre de l'American Heart Association. C'était approprié, à mon avis.

« Je sais que les enfants — et même moi — doivent poursuivre leur vie, Tom, chuchotai-je. Mais j'aimerais que tu sois ici. »

En déposant l'enveloppe au milieu de l'arbre, je me suis dit que peut-être un des enfants dirait : « Oh! oui, je me souviens qu'il faisait toujours ça. » Il y aurait ensuite un silence embarrassé et peut-être quelques regards penauds.

Je l'espérais.

Le matin, ou du moins l'aube, vint beaucoup trop tôt. Shane fut debout avant le livreur de journaux. Je me traînai dans la cuisine qui sentait déjà comme un café de Seattle.

« C'est ce que nous buvons à l'école », me dit Molly en me tendant une tasse.

« Les autres sont-ils debout? » demandai-je.

Elle hocha la tête, et pour la première fois, je remarquai une lueur dans ses yeux que je n'avais jamais vue à cette heure.

« Qu'est-ce que tu fricotes? » dis-je.

« Maman! » cria Patrick du salon, « il faut que tu viennes voir ça. »

« À cette heure… »

Ce que j'ai vu, c'était ma famille alignée sur le divan comme une rangée de canaris délicieusement coupables. Ce que j'ai vu ensuite, c'était notre arbre de Noël, tacheté d'enveloppes écarlates.

« Seigneur, je te dis qu'il y avait foule ici la nuit dernière, dit Ross. Je suis descendu ici vers deux heures et j'ai fait peur à Amy. »

« J'ai failli appeler 911 quand je suis descendu, dit Patrick. Jusqu'à ce que je m'aperçoive que c'était Molly et pas un cambrioleur. »

Je n'avais rien entendu. Je marchai jusqu'à l'arbre et palpai chacune des cinq enveloppes que je n'y avais pas mises.

« Ouvre-les, maman, dit Molly. Ç'a toujours été le meilleur moment de Noël. »

De Patrick, il y avait un chèque pour la jeunesse chrétienne, pour aider les jeunes à aller en excursion missionnaire semblable à celle où son père l'avait envoyé, en Haïti, cinq ans plus tôt. Le chèque d'Amy était destiné à notre église pour des feuilles de musique, parce que certains de ses souvenirs les plus chers de son beau-père étaient de le voir venir en aide à la chorale des enfants. Molly avait alloué quelques billets de vingt dollars au centre local d'urgence grossesse, parce que, selon elle, bien des femmes qui y vont n'ont jamais connu l'amour d'un mari comme son père. Et Ross donnait un billet de vingt dollars à un programme local anti-drogue pour les jeunes, « parce que papa angoissait pour que je reste sobre ».

La dernière enveloppe était épaisse. Quand je l'ai ouverte, une poignée de monnaie s'en est échappée.

« C'est à moi, grand-maman », dit Shane, son petit bec dessinant une moue affirmative. Amy termina sa pensée : « Il veut que l'argent aille à un refuge pour animaux, vous savez, pour les chiens perdus, comme celui qu'il a visité avec son grand-père juste avant son décès. »

Je pressai toutes les enveloppes sur ma poitrine et les enlaçai.

« Sais-tu ce qui est bizarre? dit Molly. Je me sens comme si papa était ici avec nous. »

« Ouais, c'est pas mal bizarre », dit Ross.

« Mais vrai, dit Patrick. J'ai senti sa présence tout ce temps-là. Je croyais être déprimé ce Noël, mais je n'ai pas à l'être. »

« Non, c'est vrai, mon amour », dis-je. En moi-même, j'ajoutai : *Moi non plus. J'ai ma famille, et j'ai ma foi.*

Nancy Rue

Sur la ligne de touche

J'étais du type mère célibataire féministe post-moderne, tellement certaine que je pouvais être le père et la mère de mon fils. Plongeant dans mon double rôle, je suis devenue le genre de mère qui connaît la marque de tous les camions, qui joue au baseball dans la cour et qui ne recule pas devant un combat d'oreillers bien rangé.

Mais devant le formulaire de permission que mon fils, en cinquième année, me brandissait au visage, j'étais déconcertée. C'était quelque chose sur quoi je n'avais pas compté, que je ne voulais pas aborder.

« Du football! Chéri, tu ne veux pas jouer au football », dis-je à mon fils.

Silence. J'ai commencé à défendre ma cause.

« Mon trésor, le football, c'est une excuse des hommes pour célébrer la testostérone, se frapper les uns les autres en toute légalité et crier des vilains mots au téléviseur. »

Mon fils n'était pas impressionné.

« Le football a été inventé pour que les membres du sexe masculin qui sont socialement déficients puissent avoir un sujet de conversation. Les gens se font mal en jouant au football. » J'ai conclu ma plaidoirie sur un ton un peu élevé.

Mon fils était imperturbable. « Maman, je veux jouer au football. »

Puis, je me suis rendu compte du réel. Cet enfant, cet adorable petit garçon joufflu au derrière large qui voulait vivre dans un appartement avec ascenseur pour ne pas avoir à monter les marches deux fois par jour... dont les meilleures matières sont encore la collation et la récréation... qui crie, trois pièces plus loin : « Maman, viendrais-tu me porter mon verre de lait? » Cet enfant ne survivrait pas aux rigueurs d'un seul entraînement de football.

J'ai signé la permission.

Il est revenu de son premier entraînement sur les genoux, en sueur, sale. J'ai tenté de demeurer neutre. « Et puis? »

« Maman », il avait peine à parler, haletant. « Nous courions… autour du terrain, et je n'étais pas capable, et l'entraîneur… m'a crié : "Petit, tu peux marcher si tu veux, tu peux même ramper, mais tu finis ce tour du terrain de foot". »

« Mon chéri, est-ce que ça t'a fait de la peine? »

Mon fils, indigné, se ressaisit : « De la peine? Maman, c'est du football! »

Par devoir, j'ai assisté aux matchs. Mon fils a joué onze secondes dans la première partie. On apprend vite à se tenir loin de l'action. Même dans le "Royaume des animaux", on ne vous laisse pas entendre le couguar rompre les os de l'antilope.

L'entraîneur Reggie s'adonnait à un genre de chorégraphie durant les matchs. Lorsqu'un jeu ratait, il lançait sa casquette par terre et sautait de haut en bas comme un pantin, comme s'il voulait fendre le sol. S'il n'aimait pas la décision de l'arbitre, il chargeait comme un bull-terrier enragé. Les garçons de cinquième et de sixième année de l'équipe B rayonnaient, se sentant protégés et couvés.

La saison tirait à sa fin. L'équipe avait gagné trois matchs et en avait perdu quatre. J'avais appris à laver les uniformes, à crier les encouragements de mise et à goûter les joies d'un « coup solide ». Mon fils avait terminé la saison comme joueur de ligne avant partant.

Au banquet de remise des prix du football, les enfants ont engouffré de la pizza qui goûtait la boîte de carton dans laquelle elle était livrée. Les trois équipes sonnaient comme l'Indianapolis 500 dans une pièce à écho. Soudain, le silence fut. Trois athlètes, tous trois au cou invisible, faisaient face à la foule. C'était les capitaines de football de l'école secondaire.

Enfin, j'allais être initiée à cette fraternité secrète, aux promesses et aux rêves transmis d'un *homme presque fait* à un garçon. Un des capitaines s'est éclairci la voix, a regardé l'assemblée et a dit : « Continuez à vous entraîner dans la salle de musculation. » Il s'est assis.

C'était maintenant le moment de la remise des prix. L'entraîneur Reggie prit la parole.

« Ç'a été toute une année, et il y en a long à dire. Mais je veux vous parler d'un des garçons, dit-il. Aucun prix ne lui est décerné, mais je veux vous en parler quand même.

« Au premier entraînement, cet enfant ne pouvait même pas faire le tour du terrain. Je lui ai dit de marcher ou de ramper, mais il fallait qu'il finisse le tour. Il l'a fait. Et il a continué de le faire et de venir à l'entraînement et d'essayer, d'essayer sincèrement. Il a commencé la saison en jouant onze secondes, maintenant, il est mon joueur de ligne avant partant.

« L'autre jour, on a fait une course. J'ai demandé aux deux garçons les plus lents de courir le tour du terrain. Ce petit est à égalité avec l'autre, et il m'aperçoit au bout. Il court et court encore plus fort. Et il me culbute, le petit… chose. »

Reggie rit de bon cœur. « Ce n'est peut-être pas le meilleur joueur sur le terrain, mais j'échangerais n'importe quel joueur pour un Solomon Black, qui essaie sans relâche. »

Mon fils m'a jeté un regard disant *ne pleure surtout pas en public*.

Nous n'avons jamais reparlé de ce banquet. Ce n'était pas nécessaire.

L'année suivante, mon fils a été le premier à joindre la liste de l'équipe. Quand il n'y avait pas de commentateur sportif attitré pour les matchs à domicile, je prenais le micro :

« Bien, il semble que Reading tente un renversement double dans le champ intérieur arrière, mais leur joueur est intercepté par le numéro 73, Sol Black. »

Je jurerais que mon fils a regardé la galerie de la presse et m'a fait un clin d'œil à travers son masque. Et je l'ai remercié en silence d'au moins me laisser me tenir sur la ligne de touche, et de le regarder franchir des frontières là où une mère ne peut l'emmener.

Judith Black

« *Vous aurez la garde partagée des enfants. Ils vivront avec leur mère et vous les aurez quand ils sont fatigués et maussades.* »

Reproduit avec la permission de Randy Glasbergen.

Les amis de Marty

Quand Marty avait trois ans, il a fait la navette au travail avec moi toute une année, à la garderie de mon entreprise, et de retour à la maison avec des collègues en covoiturage. Nous nous sommes beaucoup attachés l'un à l'autre.

Quand Marty a eu quatre ans, sa mère et moi avons embauché une gardienne d'enfant dans le cul-de-sac où nous habitions — de longues journées avec la douce et gentille Mme Olson.

Chez Mme Olson, Marty a créé ses deux amis imaginaires, Shawn et Kawn. Il nous a dit que Shawn et Kawn étaient des enfants itinérants et qu'il avait décidé de les adopter.

Les petits garçons étaient toujours aux côtés de Marty, ricanant, blaguant, chuchotant. Marty leur a assigné à chacun une place à table, le haut du lit superposé et des sièges dans l'automobile. Leurs réparties, traduites par Marty, étaient tordantes. Naturellement, Shawn et Kawn étaient invisibles. Seul Marty pouvait les voir.

Le frère de Marty, Jimmy, sept ans, levait les yeux au ciel et haussait les épaules pour manifester son acceptation plus qu'hésitante de Shawn et Kawn et de leurs aventures secrètes. Bien sûr, à l'occasion, ils servaient de bouc émissaire aux gaffes de Jimmy.

Marty avait presque cinq ans quand sa mère et moi nous sommes séparés. Peu après, nous avons divorcé. Après une fin de semaine passée ensemble à mon petit appartement urbain, je faisais les bagages pour le retour chez sa mère. Venant chercher d'autres sacs, j'ai entendu Marty pleurer dans la salle de bains. J'ai ouvert la porte. Il était

assis sur la toilette, sa lèvre inférieure tremblotante de chagrin.

J'ai eu une pensée angoissante — il veut habiter ici. Il
m'a regardé et a dit : « Papa, je vais m'ennuyer de Shawn et
Kawn. » Puis, il regarda la baignoire qui était remplie d'eau
savonneuse et de jouets flottants.

« Mais ils sont dans la voiture avec Jimmy, dis-je, prêts
à s'en aller avec toi. »

Marty a hoché lentement la tête, puis a pris son souffle.
« Non, papa, ils sont dans le bain. Nous avons beaucoup
parlé cette fin de semaine. Shawn et Kawn ont décidé de
vivre avec toi à compter de maintenant. Nous ne voulions
plus que tu sois seul. »

Plus tard ce soir-là, j'ai marché dans le parc, suivi de
Shawn et Kawn. J'ai eu peine à retenir mes larmes, sachant
que le geste le plus aimant que j'aie ressenti depuis longtemps était le cadeau de ses amis que m'avait fait mon fils
de quatre ans.

James M. Jertson
Recueilli par Elizabeth Peterson

Rien ne dure pour toujours, pas même vos problèmes.
Arnold Glasow

Rien ne vous serait impossible

Commencez par faire le nécessaire, puis le possible et soudain, vous ferez l'impossible.

Saint François d'Assise

« Eh! maman, je vais poser ma candidature au programme d'échanges d'étudiants pour étudier les arts dans un pays étranger cet été. »

J'ai failli échapper les assiettes que j'apportais sur la table de la salle à manger. « Bien sûr, ai-je répliqué, et je crois que je vais essayer de devenir danseuse du ventre au Népal cet été. »

« Maman, c'est sérieux. Mon amie Heather est allée en Allemagne l'été dernier. Pense à l'expérience que c'est! »

« Jeanne, tu as 16 ans. D'ailleurs, les programmes d'échanges à l'étranger sont pour les enfants riches. Ils coûtent des milliers de dollars. As-tu oublié que je suis mère célibataire avec trois autres enfants à ma charge à part toi, et que j'ai déjà trois emplois à temps partiel? Je t'en prie, ma chérie, sois raisonnable. »

Le lendemain, Jeanne a envoyé sa demande au programme d'échanges d'étudiants à New York. Élève enthousiaste à l'école secondaire des arts de Milwaukee, rien ne pouvait — pas même sa mère négative — freiner son élan.

J'ai hoché la tête et murmuré une prière pour qu'elle ne soit pas trop déçue en découvrant que nous ne pouvions réellement pas nous permettre de la laisser aller en Europe pour l'été.

Quelques semaines plus tard, quand les responsables du programme lui ont envoyé un formulaire de demande plus détaillé à remplir, j'ai lu le paragraphe qui disait : « Les frais totaux de 2 750 $ couvrent les tarifs aériens internationaux, l'accueil, la chambre et pension, les assurances, les activités, le matériel, les excursions, les consultations et le soutien administratif pour le programme d'été de six semaines. »

Trois mille dollars, incluant l'aller-retour à New York. *Impossible*, ai-je pensé. *Comment peut-elle être assez effrontée pour même penser que je peux envisager ça ?* J'ai posé le formulaire sur le comptoir et suis retournée à l'évier pour peler des pommes de terre.

Quelques jours plus tard, Jeanne m'a dit qu'elle avait rempli la deuxième demande et l'avait postée.

Mon cœur avait mal pour elle, et j'ai détesté mon statut monoparental de plus belle.

« Jeanne, tu sais qu'on ne peut pas se le permettre. Et puis, tu ne connais rien des voyages à l'étranger. Tu ne parles même pas de langue étrangère. Attends au moins d'être à l'université pour avoir des rêves aussi grands. »

« Maman, il *faut* que je fasse la demande. Je ne saurai jamais si je peux y aller si je n'essaie pas. »

Quelque chose sonnait juste dans ses propos. Était-ce l'optimisme inébranlable que j'avais moi-même toujours eu avant que le statut monoparental ne me projette dans le pessimisme total ?

Quelques semaines plus tard, j'ai reçu un appel du programme d'échanges de New York. « Mme Lorenz, nous avons reçu la demande de Jeanne pour le programme d'été à l'étranger, mais elle n'a pas envoyé les frais de dossier. »

J'ai poliment répondu à la jeune femme que je ne pouvais me permettre ces frais et qu'un séjour à l'étranger pour l'été était hors de question financièrement pour ma fille. Je lui ai expliqué que j'étais récemment devenue parent célibataire, et que régler mes factures et survivre au jour le jour étaient ma principale préoccupation. « Même avec une bourse de mille dollars, je ne pourrais toujours pas me permettre de la laisser aller », ai-je dit à la jeune femme.

Deux mois plus tard, le vice-président du programme m'a téléphoné au travail. « Mme Lorenz, nous avons été tellement impressionnés par la demande de Jeanne que nous avons téléphoné à quelques-uns de ses enseignants pour en savoir davantage à son sujet. Elle tirerait certainement parti de notre atelier des beaux-arts de Cologne, cet été. La date limite des demandes finales est échue, et nous avons encore des fonds pour les bourses. Pouvez-vous me dire exactement ce que vous *pourriez* payer? »

J'ai soupiré, me demandant si ces gens allaient un jour me laisser en paix. Presque à la blague, j'ai mentionné une somme dérisoire que j'avais mise de côté pour les urgences, quelque chose comme trois cents dollars.

« Nous allons combler la différence avec des bourses et des subventions », m'a répondu M. Lurie. « Commencez les démarches pour lui obtenir un passeport. »

Était-ce *possible?* me suis-je demandé, stupéfaite. Je m'inquiétais. Je priais. Comment un rêve semblable pouvait-il se réaliser? Je me suis souvenu d'un extrait du Nouveau Testament : « Je vous le dis en vérité, si vous avez de la foi gros comme un grain de sénevé, vous direz à cette montagne : "Déplace-toi d'ici à là", et elle se déplacera et rien ne vous sera impossible. » (Matthieu 17,20).

Je me demandais où ma fille avait bien pu puiser une telle foi du charbonnier.

J'ai téléphoné aux professeurs d'arts de Jeanne et leur ai demandé leur avis sur le fait de l'envoyer à Cologne cet été.

« Quelle occasion! » a dit l'une d'elles au téléphone. « Cologne est un des centres d'arts du monde! Laissez-la y aller! »

Cet après-midi-là, j'ai fabriqué une énorme affiche disant « Bon voyage, Jeanne » et l'ai collée sur la porte d'entrée. En arrivant de l'école, elle a crié, fait le tour de la cuisine en dansant, effacé ses larmes de joie, puis m'a serrée très fort.

Quand j'ai rencontré ma fille à l'aéroport à la fin de l'été, après son voyage outremer, j'ai vu une jeune femme différente de la fille à qui j'avais dit au revoir six semaines plus tôt.

Elle avait eu l'expérience la plus incroyable de sa vie. Les trois premières semaines, durant les cours intensifs de dessin et d'histoire de l'art, elle avait vécu dans une auberge de jeunesse. Puis, elle avait séjourné chez un architecte, sa femme et leurs deux enfants. M. Schweizer aimait l'art avec passion et était enchanté d'avoir une invitée qui partageait son enthousiasme.

Les Schweizer ont comblé Jeanne de visites dans les musées, les cathédrales et de voyages dans d'autres villes allemandes pour voir des spécimens de l'art et de l'architecture gothiques, romans et baroques. Elle a pris un bain de culture allemande, la patrie de nos ancêtres Kobbeman et Lorenz. Elle est revenue en Amérique avec un nouveau sentiment de fierté à l'égard de son propre pays et de ses diverses cultures. Mais surtout, elle est revenue avec la confiance de pouvoir réaliser de grands rêves.

Après son retour à la maison, Jeanne a passé les mois suivants à faire des demandes à diverses universités. Même si elle a reçu une bourse d'études en arts de l'université du Wisconsin, elle a fait la demande de passer un an en Yougoslavie par l'entremise du même programme d'échanges d'étudiants. Elle a été acceptée dans le programme après avoir appris que l'agence d'information américaine donnait à chacun des quinze étudiants allant en Yougoslavie une bourse de deux mille dollars, ce qui, une fois de plus, rendait le programme abordable pour nous. Sans hésitation, Jeanne a décidé de reporter l'université d'un an.

Alors, de nouveau, une incroyable expérience à l'étranger s'ouvrait à cette enfant de parent célibataire, un parent qui jamais de la vie n'aurait cru que des possibilités d'éducation outremer seraient à la portée de son enfant.

Aujourd'hui, quand je regarde ma fille — qui est diplômée depuis et a du succès comme artiste et professeure — je me souviens de sa foi dans l'impossible quand, comme élève de 16 ans du secondaire, elle voulait plus que tout visiter un pays étranger. Je vois combien elle a mûri et appris de ses expériences en Allemagne et en Yougoslavie, et je sais que, toute sa vie, la même foi l'animera.

Ce verset de la Bible qui parle de transporter les montagnes, affiché au-dessus de l'évier de la cuisine, est un rappel quotidien de garder le cœur ouvert et de croire que, peu importe le nombre d'obstacles, je peux tenter d'atteindre l'étoile. Parce que, ce faisant, il y a de fortes chances que je décroche toute une galaxie.

Patricia Lorenz

Pour toujours

Après le divorce, sa fille adolescente est devenue de plus en plus rebelle.

Le point culminant est survenu un soir où la police a téléphoné pour lui dire qu'elle devait aller chercher sa fille au poste de police, parce qu'elle avait été arrêtée pour conduite en état d'ébriété.

Elles ne se sont pas parlé jusqu'au lendemain après-midi.

Maman relâcha la tension en donnant à sa fille une petite boîte emballée comme un cadeau.

Sa fille l'ouvrit nonchalamment et y trouva une petite pierre.

Elle roula les yeux et dit : « C'est mignon, maman, à quoi ça sert? »

« Voici la carte », dit la mère.

Sa fille retira la carte de l'enveloppe et la lut. Des larmes coulèrent lentement sur ses joues.

Elle se leva et étreignit sa mère comme la carte tombait par terre.

On y lisait ces mots :

« Cette pierre a plus de 200 millions d'années. C'est le temps qu'il faudra avant que je ne te laisse tomber. »

Rob Gilbert et Karen Wydra

Du côté du cœur

Ne parlez plus. N'écoutez que votre voix intérieure.

Rumi

Emma mit l'enveloppe bleue contenant son chèque de paie dans sa poche. De l'épicerie pour une autre semaine, pensa-t-elle. L'hypothèque, la facture d'électricité.

« Tu ferais mieux de regarder, Em », dit Mary, sa patronne. « Je crois que tu seras contente. »

Emma eut un regard interrogateur, et déchira l'enveloppe. Ah! une autre augmentation de salaire, la deuxième depuis les quelques mois qu'elle occupait cet emploi dans une usine militaire. Des chaussures pour Betsy furent sa première pensée.

« Ce sont de bonnes nouvelles, Mary », dit-elle en souriant faiblement.

« Tu l'as mérité, Em, et plus encore. Tu es l'une des meilleures travailleuses que cette section a jamais eues. »

Emma sourit de nouveau. La vérité, c'est qu'elle n'avait jamais voulu aller travailler. Sa maison et sa famille étaient tout pour Emma. Avoir des enfants et tenir maison pour Frank et leur progéniture étaient sa seule ambition. Mais maintenant, Frank n'était plus, ses poumons détruits par la tuberculose qui l'avait rendu malade si longtemps. La petite pension de veuve qu'elle recevait de sa compagnie avait à peine suffi à leur garder la tête hors de l'eau, mais les besoins des enfants excédaient de loin la maigre somme. La ville offrait de l'aide, mais la seule pensée d'y recourir faisait rougir Emma. Elle était fière, l'aide sociale était donc impensable. Non. Elle devait se prendre en charge et, d'une manière ou d'une autre, joindre les deux bouts. Ça n'allait pas être facile. On était en 1944, le pays était en guerre.

Ils ont tous fait de grands efforts. Les voisins achetèrent rapidement les miches de pain sortant du four d'Emma, et ses talents de couturière hors pair étaient toujours en demande, alors il y avait quelques entrées d'argent. Frankie lui remettait de plein gré tout ce qu'il faisait en distribuant les journaux, et Louise prêtait main-forte au magasin de variétés, mais leurs petits salaires ne suffisaient pas — et Emma détestait prendre leur argent.

Elle s'inquiétait de ses enfants : à 14 ans, Frankie se levait tôt par des matins glacials, gardant en équilibre une bicyclette chargée de journaux sur des routes accidentées et parfois glacées, puis devait marcher longtemps pour se rendre à l'école. Louise, 16 ans, aidait Emma au ménage et à la lessive quand elle n'était pas à l'école ou au magasin, et surveillait Betsy qui n'avait que 6 ans, mais il lui fallait aussi des loisirs.

Même Jake voulait aider. Il avait trois ans de moins que Frankie et n'était pas très robuste, sa tâche consistait à couper du bois pour le poêle. Il voulait couper du bois pour les voisins aussi, mais Emma l'en empêcha.

Ainsi ils se serrèrent la ceinture et firent de leur mieux, mais malgré leurs efforts, ce n'était toujours pas suffisant. Emma devait aller travailler.

Il y avait plein d'ouvertures à l'usine près de la rivière; les hommes étant à la guerre, les femmes soudaient désormais des outils, opéraient des machines et fabriquaient moteurs et pièces pour la défense. Il n'y avait qu'à se présenter pour être embauché. Cependant, le seul quart de travail disponible était de 15 heures à 23 heures. Emma se demandait comment elle y arriverait par-dessus tout le reste, mais croyait que vouloir, c'est pouvoir.

Le trajet au travail d'Emma commençait chaque jour par une marche de 2,5 kilomètres vers l'arrêt d'autobus le plus près. Elle ne partait qu'après le retour de l'école de Betsy, passant les dernières minutes avec sa cadette. Betsy comprenait que maman devait aller au travail, mais leurs rituels du soir — les chansons qu'elle chantait — lui manquaient terriblement. La voix de maman était la seule que voulait entendre Betsy au moment de la border dans son lit le soir, les bras de maman bien serrés autour d'elle. Emma savait à quel point elle manquait à sa petite fille, et elle ravalait ses propres larmes quand Betsy pleurait et suppliait maman de rester à la maison « juste pour ce soir ».

Et il en fut ainsi, Emma à son travail tous les soirs jusqu'à 23 heures, prenant l'autobus jusqu'à son arrêt en bas de la côte, puis trottant sur le long chemin solitaire menant à son refuge au haut de la côte. Elle ne faisait pas de cas de travailler, mais être éloignée de ses enfants lui déchirait le cœur.

Tard un après-midi, Frankie se rendit à l'usine à l'improviste, portant un sac de papier brun. « Voici ton souper, maman » dit-il, le lui présentant en souriant. Elle l'avait oublié parce qu'elle était en retard pour prendre l'autobus après avoir enlevé une écharde qui infectait le genou de Jake.

Emma enlaça son fils attentionné. « Merci, mon garçon. C'était loin pour toi. »

« De rien, maman, il faut que j'y aille. » Il planta un petit baiser sur sa joue et partit.

Comme Frankie longeait le corridor, une des collègues d'Emma vint la voir. « C'est ton fils, n'est-ce pas ? » dit-elle. Emma acquiesça avec fierté. « Mon Dieu, Emma, il est atrocement maigre. »

À ces mots, Emma figea. Elle ouvrit la bouche pour parler, mais le choc l'en empêcha. Ses épaules s'affaissèrent, et suivant Frankie du regard dans le corridor, elle vit tout d'un coup les épaules étroites et minces, le dos frêle, et se rendit compte que son amie disait vrai. Elle eut un haut-le-cœur.

« Oui », fit-elle doucement, presque en elle-même. « Oui, il est maigre, n'est-ce pas? » Elle ne dit rien pendant un moment, regardant son fils. Elle savait qu'elle devait prendre une décision, qui n'en était pas réellement une.

Elle démissionna ce soir-là. Quoi qu'il faille, y compris l'aide sociale qu'elle détestait tant, Emma savait que ses enfants avaient plus besoin d'elle que de son salaire. Quelque épreuve qu'ils aient à subir, ils y feraient face, mais Emma serait à la maison où elle savait qu'elle appartenait.

Quelques jours plus tard, c'était son dernier soir à l'usine. Ses collègues s'étaient rassemblés quelques minutes avant leur départ pour lui souhaiter bonne chance. Emma serra chacune d'elles dans ses bras et les remercia toutes de leur amitié et de leurs bons vœux. Puis, elle sortit de l'usine pour la dernière fois.

Descendue de l'autobus, ses pas résonnaient fort sur la route de terre tandis qu'elle se pressait de rentrer à la maison. Il était plus de minuit, et cette nuit de début d'avril était encore froide.

Enfin rendue en haut de la côte, le regard d'Emma tenta de percer l'obscurité devant elle. Elle fut un peu déçue de ne pas apercevoir de lumière à la maison. Habituellement, les enfants en laissaient une allumée, et ils savaient que ce soir-là était son dernier à l'usine. Oh et puis, ça ne faisait rien, dans quelques minutes, elle serait à l'intérieur, en sécurité chez elle.

Tout était paisible quand elle traversa la cour. Montant les marches de l'escalier sur la pointe des pieds, elle arriva à la porte arrière et tourna la poignée sans bruit, ouvrant délicatement la porte de la cuisine pour ne pas réveiller Jake qui dormait derrière des rideaux dans une alcôve donnant sur la cuisine. Comme sa main se tendait vers le commutateur, un son, un petit hennissement, vibra dans l'obscurité. Elle alluma rapidement, et comme la lumière inondait la cuisine, des voix crièrent en chœur : « Surprise ! »

Au centre de la cuisine, au beau milieu de la nuit, se trouvaient ses enfants dans leurs vêtements de nuit, des sourires radieux illuminant leurs visages. Une bannière était accrochée d'un mur à l'autre et portait en énormes lettres aux couleurs vives l'inscription BIENVENUE À LA MAISON, MAMAN ! Une casserole bosselée contenait du chocolat chaud sur le poêle. Un gâteau un peu bancal, confectionné avec amour par Louise, attendait sur la table.

Betsy dansait de joie, ses yeux brillaient. « Es-tu surprise, maman ? J'ai aidé à faire le gâteau. » Le visage de Jake exultait. Frankie et Louise échangèrent un sourire heureux.

Bouleversée pendant un moment, Emma reprit son souffle et admira les visages épanouis de ses enfants chéris. Les larmes lui montèrent aux yeux et coulèrent lorsqu'elle ouvrit les bras et prit sa famille sur son cœur. Ils y arriveraient d'une manière ou d'une autre. Elle était à la maison pour de bon.

Brenda Nichols Ainley

À *signaler*

Moins d'un an après les funérailles de ma femme, j'ai dû faire face aux pires réalités d'un veuf avec cinq enfants.

Les avis de l'école.

Permissions d'excursions scolaires, bulletins de vote scolaires, bons de commande de livres d'enfants, inscriptions aux activités sportives, formulaires médicaux et innombrables rapports d'étape scolaires — un déluge de paperasse, gracieuseté de la bureaucratie éducative.

Cette « documentation » doit être lue et signée, ou placée au fond de la cage d'oiseaux. Peu importe sa destination, il faut s'en occuper chaque jour.

Un jour, Rachel, ma fille de 8 ans, m'aidait à remplir cinq (je dis bien cinq) formulaires de traitement d'urgence pour l'école. Elle inscrivait l'information générique (nom, adresse, numéro de téléphone), et j'ajoutais le reste (numéros d'assurance, nom du médecin, date, signature).

Après avoir signé les formulaires, je les ai vérifiés. C'est alors que j'ai remarqué que sur chaque fiche, dans l'espace à côté de « Téléphone au travail de la mère », Rachel avait écrit « 1 800 PARADIS ».

Rob Loughran

Une tasse à la mer

Vous avez en vous en ce moment tout ce dont vous avez besoin pour encaisser quoi que ce soit que le monde vous réserve.

Brian Tracy

Mes pleurs ont dû le réveiller. Mon fils, P. J., est devant moi, ses yeux bleus remplis d'inquiétude.

« Qu'est-ce qu'il y a, maman? Pourquoi tu pleures? »

Que puis-je lui dire qui ne trahira pas ma peur? Mes enfants n'ont que moi, et je dois être forte pour eux.

« C'est seulement que je trouve ça difficile des fois de prendre soin de vous et d'aller à l'école en même temps », lui dis-je enfin. « Les examens sont la semaine prochaine, et je suis seulement… ma voix se brisa… seulement fatiguée, je pense. »

Tellement fatiguée.

Aller à l'université à temps plein en tant que parent célibataire de deux enfants avait été un choix difficile. Mais je ne voulais pas être une assistée sociale. Je voulais plus pour mes enfants — qu'ils valorisent l'instruction, qu'ils soient fiers de leur mère. Pourtant, sans soutien affectif et familial, j'ai découvert que c'était une aventure solitaire, où je me sentais seule et faisais tout seule.

Ce soir, tout m'avait frappée d'un coup. C'était trop difficile de payer toutes les factures, de prendre soin des enfants, d'étudier en vue des examens, de tenir maison. La vie s'empilait autour de moi, et tout à coup je voulais m'enfuir.

« Je ne peux plus continuer, Seigneur, ai-je crié. Je ne suis plus capable ! C'est trop dur. Je croyais en avoir la force, mais c'est faux ! »

C'est alors que mon fils a interrompu mes pensées terrifiées pour la deuxième fois. Tenant sa poupée bien serrée, il s'approcha et dit très doucement : « Dieu a fait le monde entier, maman, et c'est un parent célibataire. »

Je m'agenouillai près de lui. « Qu'est-ce que tu as dit ? »

P. J. répéta timidement : « Dieu aussi est un parent célibataire. »

Ses paroles chassèrent ma solitude, mon apitoiement, ma colère contre le monde et Dieu.

« P. J., c'est fantastique ! Je vais mettre ta phrase sur des affiches, des cartes, des chandails, partout ! »

J'ai pris ses petites mains, et nous avons dansé dans le salon, riant et chantant. Puis, je l'ai porté dans son lit.

Le moral remonté, j'ai étudié presque toute la nuit.

Après les examens, j'ai tenu ma promesse à P. J. Avec l'aide d'une amie, j'ai commandé mille tasses à café, sur lesquelles j'ai fait imprimer les mots « Dieu aussi est un parent célibataire ». Puis, j'ai frappé à toutes les portes de mon immeuble, remettant une tasse à tous les parents célibataires de ma connaissance. C'était ma version d'un message dans une bouteille jetée à la mer.

Certains m'ont seulement remerciée, les larmes aux yeux. D'autres m'ont invitée à prendre le café et m'ont raconté leurs propres expériences et impressions de parent célibataire. Échanger des histoires m'a montré que ma lutte n'était pas unique, et que mon aventure n'était pas si solitaire. Nombre d'autres personnes se traînaient les pieds à côté de moi chaque jour, j'étais simplement trop centrée sur moi-même pour remarquer mes compagnons de voyage.

Je dois encore avoir des tasses. De temps à autre, je fais la connaissance de parents célibataires qui ont besoin d'encouragement. Je leur raconte mon histoire. Je leur donne une tasse.

Je leur laisse plus qu'un slogan pour parents. Je leur donne le message de la bouche d'un enfant, le message que Dieu est présent pour tous ses enfants, tout le temps.

Tina French

« *Ma mère a beaucoup en commun avec Dieu. Ce sont deux parents célibataires.* »

Reproduit avec la permission de Martin Bucella.

Docteure Maman

*La seule façon de découvrir les limites du possible,
c'est de s'aventurer un peu au-delà, dans l'impossible.*

Arthur Clarke

Je savais depuis longtemps que je voulais devenir médecin. Toutefois, au début de ma dernière année du secondaire, je suis tombée enceinte. J'étais toujours déterminée à devenir médecin, mais je savais que ce ne serait pas une mince tâche. Nombre de mères adolescentes ne finissaient même pas le secondaire. Je songeais à me taper le collège, la faculté de médecine et la résidence par-dessus le marché!

J'ai commencé à fréquenter une école secondaire pour mères adolescentes. Le premier jour, j'ai demandé à une enseignante : « Comment faire une demande pour l'université? Je veux être médecin. » L'air étonné, elle répondit : « Ici, c'est une école pour apprendre à lire, à écrire et à compter. On veut seulement que tu obtiennes ton diplôme. »

Je sortis du bureau et décidai de faire une demande à l'université de toute façon. J'ai eu la joie de recevoir une lettre d'acceptation quelques mois plus tard. À l'époque, Jonathan n'avait que trois semaines, et j'avais hâte de poursuivre mes rêves.

Lorsque j'ai eu à choisir une spécialisation, ma mère m'a dit : « Melanie, il te sera vraiment difficile d'être étudiante si longtemps. Il faut que tu trouves un moyen de pourvoir à tes besoins et à ceux de Jonathan. Pourquoi ne pas devenir infirmière, puis quand tu seras plus âgée, retourner à l'école pour devenir médecin? » Mais je lui ai dit : « Ce n'est pas mon rêve d'être infirmière. Je veux être médecin. Je vais demander une aide financière pour notre subsistance, pour le moment. C'est ce que je veux vraiment faire. » Sur ce, elle ne souleva plus la question de me faire changer d'idée de nouveau.

Les deux premières années de collège ont été pénibles. Je me souviens d'avoir attendu l'autobus dans la neige en portant mon fils, mon sac à dos, mon sac à couches et une poussette. Je le faisais quatre fois par jour — pour emmener mon fils à la garderie, aller à l'école, aller le chercher et revenir à la maison. J'étais déterminée à réaliser mon rêve.

Lors de ma première année de collège, j'ai passé les examens d'admission aux facultés de médecine. Quand les notes me sont parvenues, j'ai demandé conseil à un professeur pour savoir à quelle faculté faire une demande. « Bien, je ne crois pas que tes notes soient concurrentielles. Je ne gaspillerais pas temps et argent à faire des demandes aux meilleures facultés. » Mais j'ai quand même décidé de faire les demandes. Comment savoir autrement si je pouvais être acceptée dans une de ces « meilleures » facultés?

Ce professeur ne savait sûrement pas que j'allais être acceptée à Stanford.

Comme c'est passionnant de poursuivre mon rêve! Je suis maintenant étudiante en première année de médecine. Mes camarades de classe croient que ce doit être difficile d'arriver à concilier la faculté de médecine et mes responsabilités de mère célibataire. C'est difficile, mais pas autant qu'on peut le croire!

À la fin de ma journée, un peu échevelée dans mes vêtements de salle d'opération, je vais chercher Jonathan à son école. Il court à ma rencontre les bras ouverts, même si je sens le formaldéhyde, et dit : « Bonjour, maman! » et immédiatement il me remonte le moral. Lorsque je fais du bénévolat à sa maternelle, je l'entends parfois s'exclamer fièrement : « Vous savez, ma maman est étudiante en médecine. Elle va être un docteur! »

Il me demande d'apporter mes os pour faire une démonstration pratique. Il veut se déguiser en squelette à l'Halloween. Il me dit : « Maman, il faut que j'étudie très fort pour devenir docteur moi aussi », et il dessine sur la table pendant que j'étudie. Et le soir, quand parfois je n'ai pas l'énergie de lui lire le Dr Seuss, il dit : « C'est correct, maman. Je vais te lire une histoire. »

Jonathan et moi avons grandi ensemble. Nous avons traversé le secondaire, les premières dents, les crises, les premiers mots, les premiers pas et le collège. Nul doute que nous réussirons la faculté de médecine, le primaire de mon fils et ma résidence aussi.

On me demande souvent : « Qu'est-ce qui vous motive? » Je réponds : « Les paroles inspirantes de mon fils. »

Melanie M. Watkins

Une carte fanée

C'est une carte de Snoopy typique : message optimiste, couleurs vives bien qu'un peu jaunies et ternies maintenant. Son message simple n'a jamais été destiné à une personne comme moi, et bien que j'aie reçu des cartes plus coûteuses et raffinées au fil des ans, c'est la seule que j'ai gardée. Un été, elle m'a énormément apporté.

Je l'ai reçue durant le premier mois de juin que j'ai passé comme mère célibataire, divorcée après dix-neuf ans de mariage et élevant seule deux adolescentes. Dans tout le chaos émotif de ce changement de statut subit, j'étais écrasée, étrangement, par les tâches les plus simples : les robinets qui fuient, la mauvaise herbe, la vidange d'huile, même les barbecues. Mon mari s'était toujours chargé de ces tâches, domaines où j'étais absolument nulle.

Les filles m'encourageaient toujours, et pourtant, je rougissais d'embarras chaque fois que je me frappais le pouce avec un marteau ou que je n'arrivais pas à faire démarrer la tondeuse. Mes tentatives ratées ne faisaient que nourrir ma peur sous-jacente : comment pouvais-je être à la fois la mère et le père de mes filles? De toute évidence, je n'avais ni les outils ni les compétences.

Ce matin-là, mes filles me propulsèrent dans le salon pour voir quelque chose. (Je priais que ce ne soit pas une autre réparation.) Le « quelque chose » en question était une enveloppe et plusieurs tas difformes et enveloppés sur le tapis. Mon ahurissement devait être évident, mon regard passant des paquets colorés aux visages radieux de mes filles.

« Vas-y! Ouvre-les! » me prièrent-elles. En développant les cadeaux, j'ai découvert un petit poêle barbecue et tous les ustensiles nécessaires, y compris des mitaines vertes avec une grenouille.

« Mais pourquoi? » ai-je demandé.

« Bonne Fête des Pères! » dirent-elles en chœur.

« Les mères n'ont pas de cadeau à la fête des Pères », protestai-je.

« Tu as oublié d'ouvrir la carte », me rappela Dawn. Je la retirai de l'enveloppe. C'était Snoopy, sur sa niche, me souhaitant une joyeuse fête des Pères. « Parce que, dirent mes filles, tu as été une mère et un père pour nous. Pourquoi tu ne serais pas célébrée à la fête des Pères? »

Refoulant mes larmes, je me suis rendu compte qu'elles avaient raison. Je voulais être un père « professionnel », un parfait bricoleur doté des outils les plus récents, qui connaissait tous les trucs de son métier. Pourtant, les filles voulaient un amateur, un parent qui n'avait pas peur de faire des erreurs, qui pouvait se moquer d'elle-même et réessayer. Tout ce qu'elles voulaient, c'était un parent dont elles pouvaient compter sur la présence, jour après jour, pour exécuter les tâches d'entretien répétitives de l'amour et de l'affection.

Les filles sont des femmes maintenant, et elles m'envoient encore des cartes de la fête des Pères, mais aucune ne signifie autant pour moi que la première. Son simple message m'a appris qu'être un parent extraordinaire ne nécessitait pas du tout d'outils spéciaux — seulement un travailleur de bonne volonté.

Louise Lenahan Wallace

Les vacances de mon fils

L'exemple n'est pas le principal outil pour influencer les autres. C'est le seul.

Albert Schweitzer

Quand j'étais petit garçon, faire des choses avec mon père me manquait cruellement. Il était toujours trop occupé, non disponible. Tout jeune que j'étais, je me suis juré de ne jamais être comme mon père en grandissant.

Une fois adulte, je me suis retrouvé père célibataire de mon fils Kelly. Rédacteur pigiste de mon état, la seule chose plus rare que l'argent est le temps — le temps de jouer avec Kelly. Mais, me souvenant de ma promesse d'enfant, j'ai pris le temps.

À l'été de 1984, Kelly avait 10 ans, et nous avons décidé de nous inscrire à la course de caisses à savon tenue à Auburn, en Californie, près de la ville où nous habitions. C'est une ville historique de la ruée vers l'or, aux rues en pente spectaculaires, et la course attire des dizaines de participants et des milliers de spectateurs.

La seule exigence de cette course est que la caisse à savon soit aussi "bizarre" que possible. Presque tout est permis. Kelly a décidé, à mon étonnement, que son bolide arborerait un énorme nez à la Groucho Marx et des lunettes à l'avant.

Avec un budget limité, nous avons commencé à chercher le matériel, et dans les jours suivants, Kelly et moi avons fouillé pour trouver quoi que ce soit qui ferait l'affaire, y compris un contreplaqué que nous avons trouvé sur la route, des vieux journaux pour le papier mâché, un grillage, des sacs à ordures et plus encore.

Enthousiaste, mon fils a modelé le nez avec le grillage. J'ai couvert ce grillage à l'aide de dizaines de déchirures de journaux mouillées, créant une peau en papier mâché.

Quand le bolide fut presque prêt, Kelly ajouta une petite touche que seul un garçon pouvait concevoir : des parachutes de freinage faits de sacs à ordures.

J'ai regardé notre bolide avec son énorme nez et ses lunettes. Kelly tira le levier qui faisait bouger les sourcils, et j'ai pensé qu'on ne pouvait pas trouver plus bizarre que ça!

Le jour de la course, Kelly et moi avions peine à contenir notre hâte en regardant les préparatifs en cours dans la rue.

Mais une fois à la ligne de départ, Kelly jeta un œil sur la pente raide et sinueuse, bordée de milliers de spectateurs, et il pâlit.

J'ai cru qu'il allait se dégonfler, alors je lui ai promis de courir à côté de lui, et il a décidé de tenter sa chance.

Il était raide quand je l'ai aidé à monter dans la voiturette, et quand le pistolet de départ s'est fait entendre, il a démarré lentement. Encore nerveux, Kelly appuyait trop sur les freins, mais il faisait régulièrement bouger les sourcils, à la joie des spectateurs. Près de la ligne d'arrivée, il a déployé ses parachutes de freinage, et la foule renchérit d'encouragements et d'applaudissements.

Mais le freinage excessif avait fait du tort. Son élan mourut, et il s'arrêta à quelques mètres de la ligne d'arrivée.

Il perdit des points, mais je l'ai poussé jusqu'à la fin, mortifié. Je pensais à tout le travail que nous avions mis sur cette guimbarde, et à quel point Kelly allait être désappointé.

J'avais tort.

Sautant du véhicule, il cria : « Est-ce que je peux recommencer? »

Kelly a gagné le deuxième prix de son groupe d'âge, ce qui lui a valu des entrevues à un poste de télé local et à un magazine. Grisé par son succès, un Kelly « bizarre » porta ses lunettes de Groucho durant toutes les entrevues.

En route pour la maison, Kelly se tourna vers moi et me dit : « C'est le plus beau jour de ma vie! »

Et bien sûr, ce fut pour moi aussi un des plus beaux jours de ma vie.

Quand Kelly a grandi, il s'est inscrit à l'Académie militaire américaine de West Point. Il était en service en Corée quand je suis tombé sur les restes mangés par les souris du nez et des lunettes de la caisse à savon, en nettoyant le garage.

J'ai envoyé un courriel à Kelly et lui ai mentionné ma trouvaille. Dans sa réponse, il se remémorait ce jour de la course. « Tu sais, construire ce bolide au nez extravagant a influencé ma décision d'étudier le génie à West Point. »

Je ris en moi-même.

« Même si cette course a eu lieu il y a quatorze ans, je m'en souviens comme si c'était hier, et je l'apprécie davantage maintenant que je me rends compte à quel point j'ai été chanceux d'avoir un bon père qui a pris le temps d'exécuter un projet semblable. Ce n'était pas qu'une demi-heure de baseball ou un film de deux heures. Nous avons réalisé un grand projet ensemble, et c'était un événement risqué. Ça m'a aidé à faire face à mes peurs tôt dans la vie. »

Mon visage s'assombrit quand je pensai à lui sautant d'avion au milieu de la nuit et à d'autres aventures terrifiantes qui ont cours chez les militaires.

Les deux dernières lignes du message de Kelly embuèrent mes yeux de larmes : « Un enfant qui fait des choses pareilles avec son père voudra en faire autant avec ses propres enfants. Être ce genre de père est un de mes objectifs importants. »

J'ai su alors que chaque minute que j'avais consacrée à Kelly avait valu la peine. J'avais tenu ma promesse, atteint mon objectif et transmis un héritage d'amour à mon fils.

Tom Durkin

Diplôme de mère

Soudainement, j'en étais là : mère célibataire de quatre enfants à moitié élevés. Au début, j'étais tellement accablée par le chagrin que je n'avais aucune idée de la difficulté de la tâche qui m'attendait. Mais comme les journées devenaient des semaines puis des mois, je me sentais de plus en plus inadéquate.

J'avais un emploi temporaire, alors quand il prit fin, nous avons dû déménager. Les deux emplois suivants n'ont pas fonctionné. En cinq ans seulement, nous avons habité quatre villes dans trois États différents. C'était à l'opposé de ce que j'avais vécu enfant, car j'avais habité la même maison de l'âge de 7 ans à 21 ans. Comment pouvais-je apporter la même stabilité à mes enfants, qui devaient s'adapter à une nouvelle maison, à une nouvelle école et à de nouveaux amis tous les deux ans?

Mon poste d'enseignante me permettait de voir mes enfants à l'école tous les jours, mais les activités parascolaires que je parrainais m'éloignaient de la maison trop souvent le soir et les samedis. Quand je n'y étais pas, il arrivait malheur. Des pluies fortes inondaient la cave, et pendant que mes enfants épongeaient l'eau avec des couches de papier journal, la femme que j'embauchais pour rester avec eux regardait la télé. Mon fils de 13 ans commença à fumer dans le garage. Ma fille de 10 ans noua une amitié avec une petite fille qui se tenait avec des adolescents aux coins des rues tard le soir.

« Une famille désunie! » J'avais entendu chuchoter l'expression dans mon enfance. Alors que les enfants de foyers stables à deux parents comme celui que j'avais connu deviennent des citoyens adaptés et productifs, les enfants de familles désunies, c'est bien connu, vont immanquablement échouer à l'école, devenir des délinquants juvéniles et aboutir en prison.

J'ai essayé. Oh! comme j'ai essayé. J'ai inscrit mes fils dans les scouts, le baseball et dans des programmes de sécurité pour chasseurs afin qu'ils puissent avoir des modèles masculins. Mais pour les activités père-fils, ils devaient choisir des voisins.

J'ai essayé de les aider à attraper, à lancer et à frapper la balle, mais je suis une très mauvaise joueuse de baseball.

Nous avons fait des excursions et du camping dans les parcs nationaux. Quand mes enfants ont été adolescents, nous sommes allés à la chasse au canard avant l'aube; j'ai désespérément tenté de suivre le rythme, mais je suis restée coincée dans un banc de neige. « On va te ramener à la maison, maman », m'ont-ils offert.

J'étais vraiment un substitut de père médiocre.

En ce qui concerne mes filles, eh bien, je les ai emmenées au ballet, leur ai donné des leçons de musique, les ai regardé jouer au basketball et faire de la gymnastique. J'ai fait de mon mieux avec les peignes et fers à friser les jours de photo scolaire. Mais je ne passais pas comme mère. « Laisse faire, maman », me disaient-elles, les tresses dénouées et les boucles raidies.

« On aime ça avoir les cheveux raides. »

Je me faisais particulièrement du souci pour ma fille aînée. À l'âge tendre de 12 ans, j'en ai fait mon aide de camp, mon lieutenant, ma gardienne à domicile. Elle a pris soin de moi à travers les chocs affectifs des pertes d'emploi et de la recherche d'emploi. Elle prenait ses responsabilités de chef-enfant au sérieux, s'aliénant son frère qui ne voulait pas obéir quand j'étais absente. Je lui ai enseigné à conduire, à pomper de l'essence et à vérifier l'huile. J'ai cousu sa robe de graduation et causé avec ses petits amis pendant qu'elle finissait sa toilette. Mais secrètement, je savais que je lui avais volé son enfance.

Elle a adoré le collège, comme je le pensais. À son premier congé de Noël, elle m'a demandé si j'aimerais lire sa dissertation, qu'elle venait de recevoir de son instructeur de composition. Je croyais que ce serait du genre leçon d'anglais où nous discuterions d'infinitifs, de ponctuation et d'accord de pronoms, comme j'avais fait avec mon père qui était éditeur.

« Non, m'a-t-elle dit. Lis-la seulement. C'est au sujet d'une famille monoparentale. »

Je ne pouvais cacher ma consternation. Notre linge sale, notre famille à tout jamais « désunie » affichés en public dans son cours d'anglais!

« Très bien, je vais te la lire, insista-t-elle. Écoute. »

En silence, j'écoutai la version de sa jeunesse. Elle avait appris la responsabilité et l'indépendance, avait-elle écrit. À travers nos épreuves communes, notre famille était devenue plus étroitement liée que les familles de ses amies plus privilégiées. Elle savait faire une valise, aménager un coffre de voiture, une maison, une remorque, voire un camion de déménagement de location. Notre maison était un endroit où venaient jouer les autres enfants, un lieu de rassemblement pour pré-adolescents, un refuge pour les amis adolescents dont les familles étaient en crise.

J'étais stupéfaite. La liste des avantages qu'elle avait tirés de sa famille monoparentale était sans fin. Lorsqu'elle termina sa lecture, je ne savais quoi dire. Là où je n'avais vu que malheur, elle avait découvert des bienfaits.

Cet incident a eu lieu il y a plus de quinze ans. Aujourd'hui, ma fille est heureuse en ménage et mère de deux fils. Je ne sais pas si je lui ai jamais dit à quel point je l'admire. Toutes ces années où j'ai peiné sous la culpabilité de mes déficiences, elle a trouvé des possibilités. Quand je voyais le verre proverbial à moitié vide, elle le trouvait non seulement à moitié plein, mais débordant.

Rien n'était désuni dans notre famille, tout compte fait.

Peut-être avais-je finalement mon diplôme de mère.

C. L. Howard

« *Maman, tu as été un vrai père pour moi.* »

Reproduit avec la permission de Andrew Toos.

6

CÉLIBATAIRE
DE NOUVEAU

Un temps viendra où vous croirez que tout est fini.
Ce sera le commencement.

Louis L'Amour

L'amour,
c'est comme un bras cassé

Les tempêtes font que les arbres s'enracinent plus profondément.

Claude McDonald

« Mais si je me recasse le bras? » me demanda ma fille de 5 ans, la lèvre tremblante.

Je m'agenouillai, m'agrippant à sa bicyclette, et la regardai droit dans les yeux. Je savais à quel point elle voulait apprendre à monter à bicyclette, comment elle se sentait souvent délaissée quand ses amis passaient devant la maison en pédalant. Pourtant, depuis qu'elle était tombée de sa bicyclette et qu'elle s'était fracturé le bras, elle avait peur.

« Oh ma chérie, lui dis-je. Je ne pense pas que tu vas casser ton autre bras. »

« Mais ça se peut, non? »

« Oui », ai-je admis, cherchant les bons mots. Dans ces moments-là, je souhaiterais avoir un partenaire vers qui me tourner, quelqu'un qui pourrait m'aider à trouver les mots justes pour faire disparaître les problèmes de ma petite fille. Mais après un mariage désastreux et un divorce douloureux, j'avais accueilli volontiers les difficultés d'être parent célibataire et je disais invariablement à quiconque tentait de me caser que j'étais célibataire à vie.

« Je ne pense pas que je veux aller à bicyclette », dit-elle en en descendant.

Nous avons marché et nous sommes assises sous un arbre. « Tu ne veux donc pas aller à bicyclette avec tes amis? » lui demandai-je.

« Oui », admit-elle.

« Et je croyais que tu voulais commencer à aller à l'école à bicyclette, l'année prochaine », ajoutai-je.

« C'est ce que je voulais », sanglota-t-elle presque.

« Tu sais, ma chérie, dis-je, presque tout ce qu'on fait comporte des risques. Tu pourrais te casser le bras dans un accident d'automobile, puis avoir peur d'aller en voiture pour toujours. Tu pourrais te casser le bras en dansant à la corde, ou en faisant de la gymnastique. Veux-tu arrêter de faire de la gymnastique? »

« Non », dit-elle, et déterminée, elle se leva et accepta d'essayer de nouveau.

J'ai tenu l'arrière de sa bicyclette jusqu'à ce qu'elle trouve le courage de dire : « Laisse-moi aller. »

J'ai passé le reste de l'après-midi au parc, à regarder une bien brave petite fille vaincre sa peur, et à me féliciter d'être un parent célibataire autonome.

En route vers la maison, poussant la bicyclette à côté de nous sur le trottoir, elle m'a posé des questions sur une conversation qu'elle avait entendue la veille entre ma mère et moi.

« Pourquoi grand-maman et toi vous disputiez hier soir? »

Ma mère était l'une des nombreuses personnes qui tentaient constamment de me caser. Combien de fois lui avais-je dit non quand elle me demandait de rencontrer le Monsieur Parfait qu'elle m'avait choisi? Elle savait tout simplement que Steve était l'homme pour moi.

« C'est rien », lui dis-je.

Elle haussa les épaules. « Grand-maman a dit qu'elle voulait seulement que tu trouves quelqu'un à aimer. »

« Ce que grand-maman veut, c'est qu'un autre homme me brise encore le cœur », répliquai-je vivement, fâchée que ma mère ait abordé ce sujet avec ma fille.

« Mais, maman… »

« Tu es trop jeune pour comprendre », lui dis-je.

Elle garda le silence quelques minutes, puis elle leva les yeux vers moi et d'une petite voix, me donna de quoi réfléchir. « Alors j'imagine que l'amour, c'est pas comme un bras cassé. »

Je ne savais quoi répondre, et nous avons parcouru le reste du chemin en silence. À la maison, j'ai téléphoné à ma mère et lui ai reproché de parler de ce sujet avec ma fille. Puis, j'ai fait ce que j'avais vu ma brave petite fille faire cet après-midi même. J'ai lâché prise et accepté de rencontrer Steve.

Steve *était* l'homme pour moi. Nous nous sommes mariés moins d'un an après. Tout compte fait, ma mère et ma fille avaient raison.

Christie Craig

Même si personne ne peut retourner en arrière et vivre un nouveau départ, n'importe qui peut partir de maintenant et s'inventer une nouvelle fin.

Anonyme

Que la magie commence!

Vous n'aurez une vision nette qu'en examinant votre cœur… Celui qui regarde à l'extérieur rêve, mais celui qui regarde à l'intérieur s'éveille.

Carl Jung

Il y a environ six ans, j'avais l'impression d'avoir réalisé tout ce que j'avais pu imaginer. J'étais une actrice de réputation internationale, j'étais la productrice, l'auteure et la vedette d'une des séries télévisées les plus regardées. En outre, à titre d'ancienne championne de tennis internationale, j'étais une athlète accomplie au sommet de la forme physique. Je vivais également une relation amoureuse extraordinaire avec celui que je croyais être l'homme de mes rêves. Par-dessus le marché, j'avais la joie d'être au sein d'une famille en apparence étroitement liée, j'étais devenue multimillionnaire et j'avais même créé ma propre société de bienfaisance! Tout ce dont j'avais rêvé s'était réalisé — la gloire, le succès, la santé, le bonheur.

Puis, en quelques mois, j'ai tout perdu! J'ai perdu tout ce que j'avais obtenu en travaillant toute ma vie, tout ce que je croyais qui comptait. Ma chute a été aussi météorique et dramatique que ne l'avait été mon ascension, alors quand j'ai touché le fond, j'ai atterri avec un bruit sourd percutant.

Le premier des quatre événements dévastateurs qui ont provoqué ma « débâcle » consistait en trois décès. Ma grand-mère bien-aimée, Francesca, est morte à 93 ans. Elle avait toujours été « de mon bord ». Dès que je suis née, j'ai cru qu'elle me donnait la permission d'être aussi fougueuse, spontanée et aventureuse que j'osais l'être, par sa seule présence. Affectivement, son décès a engourdi mon cœur.

Puis, en quelques mois, mon père aussi est décédé. Étant donné qu'il vivait en Australie, et qu'on ne m'a pas avisée de sa mort à temps pour les funérailles, j'ai été privée du sentiment de finitude dont j'avais besoin. Je demeurais avec des problèmes pénibles et irrésolus le concernant, que j'enfouissais depuis l'enfance.

Peu de temps après, ma mère est morte elle aussi, me laissant dans un deuil encore plus profond.

Le deuxième choc est survenu peu après. On m'a diagnostiqué un virus du nom d'Epstein-Barr. Il sapait mon énergie jadis inépuisable, me drainant tant physiquement qu'affectivement. En passant, c'est une maladie dont bien des médecins nient encore l'existence aujourd'hui. Mais quand vous souffrez de sueurs nocturnes, de fièvres, de perte de mémoire et de douleurs aux os ainsi que de la dépression qui s'ensuit, c'est difficile de croire qu'Epstein-Barr est psychosomatique. Surtout quand la maladie dure six années, comme ce fut mon cas, presque six années de torture.

Puis, comme je commençais à montrer de faibles signes de rétablissement du virus, j'ai été assommée par une troisième catastrophe. J'ai été forcée de mettre fin à ma relation de sept ans avec Joe, celui que je croyais être mon âme sœur. Il était cruellement évident que la personne devant moi n'était pas le même homme que celui dont j'étais profondément amoureuse. Son comportement avait changé radicalement, amplifié par l'apparition d'une personnalité que je n'avais jamais vue et que je ne comprenais pas.

Même si j'ai tout fait pour améliorer la situation, je n'ai finalement pas eu d'autre choix que de quitter cet homme, l'amour de ma vie. Après avoir mis un terme à la relation, je me suis refermée et tournée vers l'intérieur dans un effort de guérison. La réaction de Joe à la souffrance cependant fut de frapper sous forme d'action en justice.

Oh! il m'a actionnée, il demandait la moitié de tout ce que j'avais gagné! J'ai dû céder une somme d'argent exorbitante pour me sortir de ce pétrin, y compris presque un million de dollars en frais d'avocat seulement. Ce fut un énorme coup à mes finances, étant donné que, depuis quatre ans, j'étais au lit à toutes fins utiles, à cause du virus, et incapable de travailler. Mes coffres étaient vidés, et j'étais incapable d'arrêter le tourbillon qui me tirait vers le fond. On m'a avisée que la seule solution était de déclarer faillite. Ainsi commencèrent mes efforts pour survivre au quatrième et dernier coup.

Bientôt, je fus épuisée affectivement, physiquement et financièrement, et je me retirai dans la sécurité de ma maison pour guérir mon corps et mon âme. On m'avait réduite en purée!

Une des pires journées de ma saga de six ans a été le premier jour au tribunal des faillites.

« Mme Crosby, je veux vous informer qu'à compter de ce moment vous n'êtes rien », aboya M. Haberbush, syndic du tribunal des faillites américain, au début de ma première audition.

Il s'agissait de la première audition d'introduction où l'on devait simplement mettre le débiteur au courant de la paperasse légale liée à la faillite.

« Tout ce à quoi vous avez travaillé toute votre vie m'appartient désormais, beugla Haberbush. Simplement, vous m'appartenez et vous n'êtes rien. Est-ce clair? »

Je ne suis rien?!

Même si je sentais qu'il s'agissait d'une tactique légale d'intimidation, les mots du syndic arrachèrent les quelques rares fibres d'estime de moi qu'il me restait. J'étais bel et bien en faillite. Non seulement ça, mais la maladie insidieuse avait fait son chemin jusqu'en mon âme.

Je ne suis rien?!

J'ai passé presque huit heures au tribunal, à subir toutes sortes d'humiliations. Une fois sortie, je suis allée tout droit à ma voiture, et à l'intérieur les larmes se sont mises à couler sur mon visage. En quelques secondes, les larmes sont devenues des sanglots — des sanglots profonds, hystériques comme je n'en avais jamais connus. Le barrage avait finalement cédé.

Quand je suis arrivée à la maison, je me suis effondrée sur le plancher du salon. Le temps est devenu flou. Puis soudain, j'ai entendu la sonnerie du téléphone sur la table à côté de moi. C'était ma sœur, Linda Lou, à Washington.

« Bonjour, dit-elle, comment ça va? »

Je ne pouvais prononcer un mot. Tout mon corps était secoué de sanglots.

« Qu'est-ce qu'il y a? demanda-t-elle. Dis-moi. Je ne t'entends pas. Parle-moi. »

Silence. Que des sanglots.

« Parle-moi, je t'en prie. »

Rien.

À la manière inimitable des Crosby, ma sœur téléphona immédiatement à notre tante Gene pour obtenir de l'aide. Ma tante assura à Linda Lou qu'elle me prenait en charge et s'en venait directement me voir. Étant donné qu'elle et mon oncle habitent Pasadena, à 45 minutes en voiture, elle a décidé de téléphoner d'abord. Curieusement, quand j'ai commencé plus tard à écrire mon livre, *LET the MAGIC BEGIN* (Que la magie commence), j'aurais pu jurer qu'elle s'était rendue chez moi et était demeurée à mes côtés tout ce temps-là. Mais ce n'est pas tout à fait exact. Elle a passé presque cinq heures au téléphone parce qu'une fois qu'elle m'a eue à l'autre bout du fil, elle avait peur de raccrocher et de perdre la communication.

« Rien ne peut abattre ton moral, Cathy Lee, rien », me répétait sans cesse tante Gene. « Même quand tu pouvais à peine ramper, tu étais déjà prête pour la vie. Tu voulais tout essayer sur-le-champ. Tu te réveillais même en riant, piétinant de hâte d'aller explorer. Tu te souviens? Tu étais cet esprit libre, toujours prête à escalader la plus haute montagne. Même si tu as beaucoup perdu, tu es encore Cathy Lee. Tu es encore toi. Ce n'est pas le temps d'abandonner. Le soleil se lèvera demain, je te le promets. »

Et ça continua, heure après heure, de tante à nièce, d'amie à amie, de cœur à cœur. Enfin, vers deux heures du matin, je me suis assoupie.

Ma tante a murmuré : « Fais de beaux rêves, mon petit chat », et nous avons toutes deux raccroché, près du sommeil.

Je n'ai dormi que trois heures, mais j'ai pris beaucoup de temps à saisir ce qui s'est passé durant ces heures. Peut-être que M. Haberbush, par un curieux hasard, avait raison. Peut-être suis-je devenue « rien » cette nuit-là. Peu importe, ces trois heures de sommeil se sont révélées être un cadeau si magique que cela a changé ma vie à jamais.

Quand je me suis éveillée au matin, je me sentais comme si j'étais arrivée dans un tout nouveau monde. J'avais l'impression que chaque parcelle des cicatrices que j'avais acquises au cours des cinq dernières années avait été miraculeusement arrachée. Le « moi » que je connaissais n'existait plus. Je me sentais étrangement en paix. Curieusement, je n'avais « rien » — pas de point de vue, pas d'opinion, pas de jugement. Je ne désirais rien ni n'avais besoin de rien. Il n'y avait « rien » à gagner, et de même, « rien » à perdre. Tout ce qui restait était un lien net et calme au Tout.

Je ne pouvais pas croire que quelqu'un comme moi, qui avait eu une vie remplie d'activités, d'énergie et de passion, pouvait vraiment aimer ce sentiment de *néant*. La splendeur de ce sentiment m'étonnait.

Ce qui était encore plus remarquable, sans doute, c'était l'absence de peur. Pour la première fois de ma vie, je sentais qu'il n'y avait *rien* à craindre.

Rien ne pouvait m'arrêter, me blesser, me trahir ou me faire quoi que ce soit désormais — parce que je m'étais rendu compte que mon « expérience » de vie et qui j'étais ne faisaient qu'un. Plus précisément, la façon dont je vivais les événements de ma vie avait très peu à voir avec les « faits », mais tout à voir avec mon « interprétation » de ces faits.

Je recommençais à neuf. C'était comme si chaque moment de mon expérience était un miroir où je me regardais sans détour et où je voyais mon lien au Tout.

Lors de mon voyage dans le « néant » et de mon retour sur le sentier de ma destinée, j'ai repris contact avec le domaine magique de la pure possibilité que nous connaissions tous enfants, un endroit que je nomme la « zone d'extase ». J'ai pris conscience qu'une énergie distincte, divine circulait en moi à tout moment, une « force de vie » nourrie de joie, de merveilles et de potentiel illimité.

Je me suis rendu compte que d'être conscient de cette force et de s'y brancher à chaque instant nous permet d'entrer dans la « danse de l'univers », toujours ouverte aux « coïncidences » et aux possibilités infinies qu'elle renferme.

Entrer dans la « danse » nous permet de donner forme physique au plein potentiel de notre *nature essentielle*. C'est la clé de notre retour à la « magie » de la vie dans toute sa passion et ses merveilles.

Évidemment, Dieu essayait depuis longtemps de me dire tout cela. J'ai tout simplement fini par apprendre à écouter.

Cathy Lee Crosby

Le tiroir ne fermait pas

« Désolé, madame. Il doit y avoir une erreur. Le registre dit que votre mari est en vacances. »

La voix au bout du fil parlait à mots prudents.

« En vacances! Non, non. Il est censé être en voyage d'affaires. »

« Je suis désolé. » Une pause. La voix commençait à faiblir un peu comme nous nous rendions tous les deux compte de ce qui se passait. « Nous n'avons aucune information au sujet d'un voyage d'affaires. »

Et c'est ainsi qu'une vie commencée dans l'euphorie bascule dans la trahison.

Ce n'est pas un cliché quand c'est votre vie.

Mon mari m'avait embrassée tendrement avant de partir à l'aéroport ce jour-là. « Tu n'as jamais été aussi belle, dit-il. N'oublie pas, mercredi, nous sortons ensemble. Je t'aime. »

J'avais remarqué à quel point il était élégant, comme toujours, avec sa taille élancée, ses cheveux poivre et sel et un complet seyant. Après trente ans de mariage, trois enfants et trois petits-enfants, je pouvais encore dire sincèrement que mon cœur défaillait chaque fois qu'il passait la porte.

Après son départ, cependant, j'ai passé la journée à combattre un sentiment de solitude inhabituel. Blâmant le temps maussade, j'ai passé la journée près du feu à lire, puis je me suis couchée, toujours mal à l'aise. À six heures du matin, je me suis éveillée avec l'impression que quelque chose n'allait vraiment pas. Croyant avoir fait un mauvais rêve, j'ai attendu que la panique se passe, en vain. Finalement, j'ai décidé de faire quelque chose que je n'avais presque jamais fait : téléphoner à mon mari à son hôtel. Chaque soir où il était en voyage d'affaires, il me téléphonait. Je n'avais jamais senti le besoin de le faire moi-même. Mais cette fois, si.

C'est après avoir téléphoné à l'hôtel, où un commis n'avait trouvé « personne d'inscrit à ce nom », que j'avais téléphoné au bureau, espérant qu'il s'était trompé d'hôtel.

Quelques mois plus tard, mon mari demanda le divorce.

Quelques années plus tard, toujours en proie à la douleur, j'ai commencé à diriger à mon église locale des ateliers sur la façon de se remettre d'un divorce. J'avais subi une perte intime, la défaite et le rejet. J'avais fait face à la souffrance que ma famille partageait en mon nom. Cependant, je m'étais infligé les blessures les plus profondes, provoquées par ma colère d'être participante involontaire au divorce.

En faisant du ménage, un jour, je pensais à la douleur que j'aurais pu éviter — et que d'autres pourraient aussi éviter — quand soudain, j'ai éteint l'aspirateur et me suis assise avec un calepin et un stylo. J'ai commencé à écrire. Page après page. Sortant des mots qui guérissaient, une ligne à la fois.

À cours de pensées, j'ai regardé les pages et haussé les épaules, me demandant à quoi cela rimait. Puis, je les ai enfouies dans le tiroir d'un bureau.

Je ressentais pourtant souvent le désir de sortir ces pages et de les relire. Après un certain temps, je l'ai fait, et j'ai été étonnée de découvrir que j'avais écrit des vers semblables à ceux des cartes de souhait. À quoi bon? Je n'avais pas les fonds pour embaucher un artiste ou un imprimeur.

J'ai remis les notes dans le tiroir.

J'étais toujours tentée. Puis, je me suis souvenu que je connaissais un artiste. Sans me donner la chance de reculer, j'ai téléphoné à mon ex-mari et, dans un déluge de mots, précédé de « c'est purement par affaire », je lui ai fait part de mon idée.

Il m'a demandé de lui lire quelques vers, et après en avoir entendu quelques-uns, il m'a dit qu'il aimerait les illustrer à l'aquarelle. Il avancerait les fonds pour les frais d'imprimerie aussi.

Une semaine plus tard, mon ex-mari m'a livré un bouquet de huit magnifiques aquarelles, parfaitement en harmonie avec les émotions de ma poésie.

Un article sur mon aventure et mon association unique avec mon ex-mari a paru à la une de la section des affaires du journal de Colorado Springs. L'histoire a été recueillie par l'Associated Press, ce qui m'a valu des appels de tout le pays. J'ai donné des entrevues à la radio, à la télévision et aux journaux, et j'ai même été invitée à l'émission *Today*.

Grâce à toute cette publicité, mes cartes ont été envoyées à des conjoints, des enfants, des parents et des amis qui traversaient un divorce. Et les appels qui m'ont le plus touchée, et de loin, ne provenaient pas des médias. Ce sont des personnes qui m'ont dit comment elles se sont servi des cartes de souhait pour contrer la douleur du « je vais te ravoir », qui est si souvent la plus destructrice après un divorce.

Une femme qui a commandé les cartes m'a écrit ceci : « Merci d'avoir été la lumière dans mes ténèbres. »

C'est ce qui m'étonne le plus dans tout cela. Dieu avait des plans pour moi. Il s'est arrangé pour glisser de la lumière dans les moments les plus sombres de ma vie.

J'avais un tiroir qui ne fermait pas. Alors j'y ai jeté un regard. Et j'ai trouvé les plans d'une nouvelle vie.

Jan Nations

Le billet de dix dollars

Tout l'art de vivre tient dans un savant mélange de lâcher prise et de tenir bon.

Havelock Ellis

Après des années à tolérer un mari alcoolique, j'ai finalement et péniblement décidé que la seule façon de survivre pour mes deux enfants et moi-même était d'obtenir le divorce. Ce n'était pas ce que je voulais, mais il fallait le faire.

Cependant, même après le divorce, les problèmes avec mon ex-mari ont continué, et je me suis rendu compte que je n'avais pas d'autre choix que de quitter la ville. Une fois de plus, ce n'était pas vraiment ce que je voulais, car j'aimais ma maison et le quartier, mais je devais faire le nécessaire.

J'ai trouvé un agent immobilier, mis la maison en vente et pris des dispositions pour transférer mon emploi de vendeuse d'assurances à Seattle, à plus de 2000 kilomètres. Puis, je me suis assise et j'ai attendu qu'il se passe quelque chose. Et j'ai attendu. Et attendu. Il ne s'est rien passé pendant des mois. J'ai changé deux fois d'agent immobilier, mais toujours pas d'acheteur sérieux en vue. Et je ne pouvais me permettre de quitter la ville sans d'abord vendre ma maison.

Le stress du divorce et de cette vie dans les limbes était presque trop pour moi. J'avais de la difficulté à dormir. En fait, le seul endroit où je réussissais à dormir, c'était l'église. J'y allais toutes les semaines, me laissant pesamment tomber dans le troisième ou quatrième banc. Je tenais le coup durant la première partie du service où l'on chantait les cantiques, passait la quête et écoutait le sermon pour enfants. Mais quand le grand sermon commençait, je cognais des clous et ne m'éveillais pas avant la fin.

J'ai deviné que le révérend McKinley, l'officiant, avait remarqué ma somnolence parce qu'un jour il a annoncé que le titre de son sermon était « Dormir à l'église ». Je n'ai aucune idée de ce que contenait ce sermon parce que, comme d'habitude, j'ai dormi à poings fermés tout le long. Je me suis excusée auprès du prêtre ce jour-là. Il a pris ma main et l'a secouée chaleureusement. « Ne vous en faites pas, dit-il. Manifestement, vous êtes à la bonne place. »

Le printemps est venu. Plus de six mois s'étaient écoulés, et ma maison n'était toujours pas vendue. Si c'était la réponse à ma prière demandant de m'indiquer si je faisais le bon choix en déménageant à Seattle, c'était un non tonitruant.

Un dimanche, le révérend McKinley a appelé les enfants en avant pour leur sermon. Quand ils ont pris place devant lui, il leur a dit de tendre une seule main. Fouillant dans la poche de sa soutane, il en a tiré une liasse de billets de un dollar et en a placé un dans chaque main tendue. Puis, il a tiré d'une autre poche un billet de dix dollars.

« Vous pouvez avoir ceci », dit-il aux enfants attentifs, serrant leur billet de un dollar. « Mais pour avoir ce billet, vous devez laisser tomber ce que vous avez déjà. » Il tenait le billet de dix dollars à bout de bras.

C'était amusant à regarder. Aucun des petits enfants ne voulait lâcher son billet de un dollar. Pourtant, ils étaient tous assez grands pour savoir que dix dollars valent mieux que un. Finalement, le révérend a remis le billet de dix dollars dans sa poche.

Au moins, cette petite démonstration m'a gardée éveillée pendant un moment, avant que je ne reprenne ma sieste habituelle. Je n'ai même pas entendu ce qu'a ensuite dit l'officiant aux enfants.

Mais ce soir-là, dans mon lit, comme je tentais de trouver le sommeil, soudainement, la lumière se fit. Mes yeux se sont ouverts sur la noirceur, et j'ai su exactement en quoi j'avais tort — je m'agrippais à un billet de un dollar en loques! Bien sûr que ma maison n'était pas vendue, j'y étais bien trop attachée. J'étais tellement habituée à rester dans le même sillon, jour après jour, dans chaque pièce, attachée à la place de chaque chose comme un prisonnier qui en vient à chérir la familiarité de sa propre cellule. Bref, j'aimais trop ma maison. Et je me rendais compte en même temps que je n'avais pas vraiment confiance qu'un « billet de dix dollars » m'attendait là-bas à Seattle. Je ne pouvais ni le voir, ni le goûter, ni le toucher. Pour moi, déménager là-bas était un saut dans les ténèbres, et j'en avais peur.

Comme la leçon du sermon continuait de mijoter dans mon cerveau de nuit subitement alerte, j'ai su que je n'avais qu'à lâcher prise. Me débarrasser des habitudes de nombre d'années. Faire le grand saut. Savoir que j'avais un parachute et que j'atterrirais en toute sécurité.

Et c'est exactement ce que j'ai fait. J'ai fait volte-face. J'étais prête à larguer le passé et j'avais hâte au nouveau défi. Je voulais ce billet de dix dollars et j'ai lâché mon dollar aux quatre vents.

Peu après, la maison s'est vendue, et les enfants et moi avons déménagé à Seattle pour une nouvelle vie.

Lâcher prise sur mon « dollar » m'a lancée sur un sentier qui m'a permis de réaliser le rêve longtemps reporté de devenir une auteure. Ça m'a aussi menée vers un nouveau mari, trois autres enfants et trois petits-enfants. Mon « dix » renferme des bienfaits innombrables que je n'aurais jamais pu imaginer dans mon ancienne vie, mais avant de pouvoir profiter d'un seul d'entre eux, j'ai dû ouvrir la main et lâcher tout ce à quoi je m'accrochais.

Et oui, mon « dix » comprend aussi de rester éveillée durant les sermons.

J. A. Jance

Se tourner vers la lumière

Si un homme arrive à se trouver, il a un château où il peut habiter dignement tous les jours de sa vie.

James A. Michener

Je n'avais pas prévu me retrouver fin seul dans une caverne sous-marine, en dessous de la jungle, près d'Akumal, au Mexique. En fait, j'avais prévu être avec ma femme. Mais deux semaines avant ces vacances longuement attendues, elle avait mis fin à nos quinze ans de mariage et bouleversé ma vie.

Le voyage était planifié depuis des mois. Les billets étaient achetés. Les amis étaient au courant. Et après avoir pris des dispositions réfléchies pour la garde de nos enfants, ma femme et moi attendions le départ avec impatience.

Puis, nos vies se sont écroulées.

Évidemment, cela se préparait depuis longtemps et nous en avions tous deux vu les signes. Pourtant, quand la rupture finale s'est produite, j'ai été pris par surprise — la vie m'avait saisi à la gorge et secoué violemment.

La scène finale de notre mariage demeure imprimée dans ma mémoire comme si c'était arrivé ce matin : moi, en avant de la maison, sentant déjà le poids lourd de la peur, de la perte et de la panique se refermer sur moi tandis qu'elle démarrait en trombe.

Ce sentiment atroce m'a habité durant les semaines et les mois qui ont suivi — une certitude au creux de l'estomac que le fond de mon univers avait lâché et que rien ne serait plus pareil.

Mais au milieu de ma dépression, j'ai décidé de quand même faire le voyage de plongée sous-marine au Mexique, croyant, je suppose, que la diversion me ferait du bien. Je faisais de la plongée sous-marine depuis l'âge de 16 ans et au fil des ans, je croyais avoir tout vu. J'avais louvoyé dans les forêts de varech du sud de la Californie, eu une vision brouillée d'une épave en Floride, plongé avec bonheur dans un canyon sous-marin des îles Caïmans et rencontré un requin à Hawaï.

Je n'avais cependant jamais visité de cénoté — l'un de ces puits sacrés et sombres de la jungle, le mirage d'un bassin qui ne devrait pas être là. J'avais entendu dire que certains cénotés s'ouvrent sur des cavernes sous-marines magnifiques, et j'avais l'intention d'en voir une de mes propres yeux.

J'avais encore un pressentiment lorsque je suis descendu d'avion et que j'ai traversé seul l'aéroport de Mexico. Comme plongeurs, on nous enseigne de ne pas aller dans l'eau lorsque nous sommes en proie à des tumultes émotifs, et que la panique est l'ennemi numéro un de la survie sous l'eau. Néanmoins, me suis-je dit, l'expérience m'aiderait à laisser le passé derrière moi et à envisager l'avenir.

J'ai finalement eu raison, mais je n'aurais jamais imaginé de quelle manière.

Il faisait froid le jour où je suis arrivé au cénoté, dans la jungle du Yucatan. Notre groupe de plongeurs, dont je n'avais rencontré aucun membre auparavant, était accompagné par un guide local. Je me souviens m'être battu avec ma combinaison de plongée, frissonnant d'excitation mêlée de l'anticipation subtile du destin à laquelle j'étais habitué. Lentement, timidement, nous avons nagé jusqu'au milieu du bassin, et sommes descendus.

Au fond, neuf mètres plus bas, nous avons pris une pause, admirant les formations minérales d'un autre monde sur les parois. Ce qui m'a frappé en premier, c'est la qualité de la lumière. C'était étrange, inquiétant, quelque peu éthéré.

Devant nous, il y avait une large caverne. Entrant dans la bouche, nous avons nagé vers le mur arrière, où la caverne rétrécissait en un petit tunnel sombre, serpentant profondément dans la terre. L'entrée du tunnel portait des écriteaux de métal rouillé en espagnol. *Peligro*, avertissaient-ils — Danger — et *No Pase Adelante* — Ne passez pas.

D'après la légende, les anciens Mayas utilisaient les cénotés pour faire des sacrifices humains. Regardant ces écriteaux menaçants illuminés par le faisceau de ma lampe, je pensais à ce qui pouvait se trouver dans le tunnel. Je n'allais pas le découvrir : aucun de nous dans le groupe n'était certifié plongeur de grotte, et nous n'avions pas apporté de cordage. À ce moment précis, suçant énergiquement mon détendeur, j'ai décidé de garder bien à vue la sortie de la caverne.

Nous avons nagé vers le plafond de la caverne. C'est là que, coupée dans le roc comme par une ancienne main, une échancrure s'ouvrait vers le haut. Un des plongeurs, un jeune homme qui était déjà venu ici, mit la tête dans le trou et me fit signe de le suivre. Ce que je fis. J'ai eu la surprise d'avoir le visage hors de l'eau — une poche d'air humide et froid, où il n'y avait place que pour deux têtes. Souriant, le jeune homme cracha son détendeur et me regarda : « C'est super, non ? »

Sa voix qui se percutait sur les murs rapprochés était désincarnée et étouffée, comme si elle provenait d'un tombeau. Je retirai mon détendeur et répondis : « Absolument super ! »

Mais la voix n'était pas la mienne. C'était la petite voix distante d'un homme dans une bouteille. Un homme pris dans un endroit où il ne devrait pas être, luttant pour maîtriser la vague montante d'effroi qui jusqu'ici avait été tenue en échec, à coup de volonté.

Je remis le détendeur dans ma bouche et glissai hors du trou vers le fond de la caverne. Puis, c'est arrivé. Mes palmes ont dû agiter le limon du fond du cénoté, parce que soudainement j'ai été enveloppé d'un nuage aveuglant.

Frénétiquement, j'ai essayé de ne pas me désorienter, de garder la lumière de l'ouverture de la caverne en vue. Mais comme le limon tournoyait autour de moi, c'est devenu de plus en plus difficile. Pour ce qui m'a semblé une éternité, j'ai fixé le néant, déterminé à ne pas détourner les yeux de l'endroit où se trouvait la sortie. Puis, avec un serrement de cœur, je me suis rendu compte que je ne savais plus comment sortir.

La panique. Elle grognait, montrant ses dents noueuses. Chaque pore de ma peau voulait bondir, fuir, nager comme un fou dans la direction où j'avais vu la lumière en dernier. La seule chose qui m'arrêtait était de savoir que je pouvais aussi bien me précipiter vers ma mort dans l'obscurité.

On vous parle de la panique dans les cours de plongée. Ne vous y abandonnez pas, dit-on. La solution est simple, vraiment. Arrêtez. Respirez. Pensez. Agissez. Ainsi fit donc la voix de la raison, davantage un chuchotement qu'un cri.

« Ne bouge pas », dit la voix, et je figeai. « Réfléchis », dit-elle, et j'ai essayé de voir comment sortir. Le limon monte, alors il doit aussi descendre. Pour ce qui m'a semblé une autre éternité, je restai là, tout fin seul, saisi aux tripes. Puis, aussi vite que le nuage m'avait enveloppé, il a disparu, et je pouvais de nouveau voir mon chemin nettement.

La leçon de cette plongée — en fait, de toutes les plongées — est devenue un mantra pour moi, une métaphore de ce qui se passait dans ma vie : reste calme, ne t'enfuis pas. Garde les yeux en direction de la lumière, même si tu ne la vois pas. Aie foi qu'un jour tu la verras de nouveau.

Il y a six ans que ma femme m'a quitté et que j'ai rencontré les ténèbres dans un cénoté. J'ai souvent eu le goût de me sauver. J'ai souvent pensé que j'allais perdre la raison. Mais ce n'est pas le cas. Comme dans le cénoté, je n'ai pas bougé, en silence, regardant vers la lumière invisible. Ma patience a été récompensée par la retombée du limon qui obscurcissait ma vision. Il est lentement retourné sur le fond de la caverne qu'était ma vie jusqu'à ce qu'enfin je voie mon chemin nettement.

Dieu, quelle vision!

David Haldane

« *Je crois que ton père devrait inviter ma mère au restaurant. Ils ont l'air d'avoir tous les deux besoin d'un bon repas.* »

Reproduit avec la permission de Martha Campbell.

Le cadeau de la foudre

Le matin a commencé comme tous les autres, sans avertissement ou prémonition de ce qui allait se produire. J'étais au lit et je regardais la boule rouge du soleil se hisser au-dessus de l'horizon, et la dépression me privait de toute envie de vivre la journée devant moi. Au cours des derniers mois, le désespoir m'avait convaincue qu'il n'y avait rien au-delà de ce moment sombre et morne de ma vie, qu'il durerait pour toujours, sans lumière, sans changement.

Au terme de vingt ans de mariage, j'étais désormais un de ces parents célibataires sur lesquels je n'avais fait que de vagues lectures auparavant. Emmener mes deux filles « à la maison » pour être avec ma famille n'avait pas aidé. Trouver un logement dans une ville où il y a quatre collèges était impossible, habiter chez la parenté était difficile, et j'étais devenue obsédée par l'idée de trouver un emploi et un endroit où vivre pour nous trois. Aujourd'hui, c'était l'anniversaire de ma plus jeune, et je n'avais rien préparé.

Assommée par ces circonstances, comme je regardais l'aube orangée peindre le ciel, j'ai murmuré une prière : « Mon Dieu, je ne peux y arriver seule. C'est trop difficile d'être parent tout seul — aidez-moi, s'il vous plaît. Aidez-moi à donner à Katy un anniversaire spécial aujourd'hui et aidez-moi à trouver le désir de vivre pour que je sois le parent dont mes filles ont besoin. »

J'ai passé la matinée à chercher des appartements et des offres d'emploi avant d'aller porter des petits gâteaux d'anniversaire à l'école de Katy. J'ai perdu deux heures à chercher le cadeau parfait convenant à mon budget — impossible — c'est donc vers la fin de l'après-midi que j'ai pris la route vers la maison de mon cousin, à la campagne.

Un bulletin météorologique à la radio a retenu mon attention ; il annonçait des orages se déplaçant rapidement, de la grêle et des vents violents. J'ai accéléré. Il fallait que je fasse mon jogging avant que l'orage ne frappe. Puisque ma course quotidienne de trois kilomètres me remontait temporairement le moral, je ne voulais pas la manquer. Je me suis stationnée au bout de l'allée, ai mis mes chaussures de course et commencé à courir.

À l'ouest, le ciel s'assombrissait comme je m'engageais sur la route, et j'ai vu quelques pâles zébrures de foudre au lointain, accompagnées de faibles grondements du tonnerre. L'orage était si loin quand je me suis tournée vers l'est que j'ai cessé de m'en faire et profité de la campagne paisible en courant.

L'après-midi d'automne était encore tiède quand je suis entrée dans un grand sous-bois qui marquait mon point de retour habituel, mais en sortant de l'obscurité du tunnel feuillu pour courir vers la maison, j'ai vu à l'ouest de gros nuages noirs dont les extrémités s'effilochaient. Des éclairs vifs et dentelés s'en échappaient comme des serpents. Les feux d'artifice spectaculaires auraient été grandioses à observer si je n'avais pas été si loin de la maison. Les grondements du tonnerre se faisaient plus menaçants et insistants comme j'entamais le troisième kilomètre. La peur grandissait à chaque pas, m'empêchant de respirer, mais je courais plus fort, l'adrénaline me fouettait. Je me disais que l'orage était encore très loin.

Soudain, l'air fut incroyablement calme. Le soleil diffusait une étrange lumière verdâtre sur le paysage. Aucun chant d'oiseau. Les arbres, même les herbes des prés, ont cessé leur balancement. Plus rien ne respirait, et je courais dans le vide. Je devais continuer, mais chaque pas était une torture.

Plus qu'une longue côte escarpée me séparait de la sécurité de la maison. Je refoulai ma panique montante, et me concentrai sur ma respiration et ma course. En approchant du sommet de la côte, les poils de mon corps se soulevèrent d'une étrange façon. Confuse et désorientée, je m'arrêtai. Soudain, une forte poussée comme une large main dans mon dos me fit tomber sur les genoux. Le monde entier explosa. Un violent éclair de lumière m'aveugla. Le sol trembla sous moi. Un rugissement terrible retentit à mes oreilles.

J'ai senti une autre forte poussée; l'impact me projeta à plat sur le sol. Je gisais là — les mains enfouies sous le gravier, le visage contre terre — et je me suis accrochée tandis que le monde tremblait. Graduellement, ma vision s'est éclaircie et le tremblement violent s'est atténué. Ma seule pensée était de me rendre à la maison. J'ai essayé de me lever. Des crampes assaillaient chaque muscle de mon corps. J'ai rampé sur les mains et les genoux, comme un crabe, vers le sommet de la colline. Un vent déchaîné remplissait de terre ma bouche et mes yeux tandis que je cherchais mon souffle. J'ai tourné la tête pour tenter de mieux voir et j'ai vu un éclair frapper un grand poteau de métal au bout d'un champ. Une boule de feu a roulé dans le fossé, m'aveuglant de son éclat. Je me suis allongée au sol de nouveau, ne me souciant même plus de savoir où était allée la boule de feu.

La terre vibrait de la violence du tonnerre. Des deux côtés de la route, les arbres étaient courbés en deux par le vent. La foudre fendait le ciel, et le tonnerre rugissait tout autour de moi. J'ai connu la terreur d'une façon que je n'avais jamais cru possible — j'étais prisonnière. Aussi sûrement que si je m'étais aventurée dans un champ de mines, il n'y avait pas d'issue. J'ai hurlé de terreur, mes cris vers Dieu rivalisant avec la furie de l'orage. La peur est devenue frénésie, puis s'est transformée en autre chose. C'était curieusement grisant de voir la vie simplifiée à cette lutte sauvage pour ma survie, et pour la première fois depuis des mois, je me suis sentie vivante. Je me suis levée à quatre pattes, prête à tenter ma chance contre l'orage. Courbée en deux, je me suis rendue lentement en haut de la côte tandis que les éléments me fouettaient. Je suis parvenue à l'allée et me suis effondrée dans ma voiture.

Quand les filles sont arrivées à la maison et que les nuages d'orage se sont dissipés, nous sommes retournées sur la route en voiture. À moins de trois mètres d'où j'étais tombée la première fois, le poteau de métal avait fondu en une sculpture noircie, grotesque. Nous avons vu le parcours qu'avait brûlé la boule de feu dans le pré, s'arrêtant à quelques centimètres de l'endroit où je m'étais écrasée sur la route. J'ai regardé mon visage rougi et enflé dans le rétroviseur, mes yeux au beurre noir, et j'ai ri pour la première fois depuis des semaines. J'étais vivante!

Rien ne serait jamais plus pareil. Frôler la mort m'a fait réaliser à quel point la vie est précieuse; j'entendais vivre pleinement ma vie. J'étais peut-être célibataire, mais je n'étais pas seule. Dieu m'avait accompagnée dans l'orage, et mes filles m'attendaient. Katy m'entoura de ses bras : « Maman, en ce moment, le plus beau cadeau de fête que je puisse avoir, c'est que tu sois en vie pour célébrer avec moi. » Un orage électrique avait été le moyen inattendu de répondre à ma prière — il donnait à Katy un présent et à moi, le désir de vivre.

Maggie Baxter

Un nouveau départ

Je tente d'éviter de regarder devant ou derrière, et j'essaie de toujours garder les yeux vers le haut.

Charlotte Brontë

Il y a quatre ans, par un soir pluvieux de janvier, je suis allée chercher ma mère à l'aéroport de San Diego. Son vol en provenance de Seattle avait été relativement court, mais elle avait quand même l'air épuisé et fragile. Quelques heures plus tôt, sa meilleure amie l'avait aidée à ramasser ses affaires et était parvenue à la faire monter dans cet avion. Après être demeurée dans une relation de violence pendant bien des années, ma mère avait finalement décidé qu'elle était prête à prendre sa vie en main, alors nous avions convenu qu'elle quitterait sa maison pour venir vivre avec moi.

Ce premier soir, je l'ai tenue tandis qu'elle s'endormait en pleurant. La douleur dans mon cœur faisait écho à la profonde tristesse du sien. J'avais toujours aimé ma mère, mais, comme le sont souvent les enfants, j'étais mauvais juge quand il s'agissait de la considérer comme une personne. Mais à ce moment, couchées ensemble, je sentais à quel point elle était blessée. Ce n'était pas la mère de qui je m'attendais, enfant, qu'elle soit toujours forte et infaillible. Ce n'était pas non plus la vieille femme ennuyeuse et bornée que je voyais avec les lunettes de mon adolescence rebelle. Non, c'était une femme en chair et en os, avec un cœur et une âme, avec ses propres espoirs, ses rêves et ses déceptions — et sa propre souffrance.

Pendant ces premières semaines chez moi, la seule chose qui empêchait ma mère de s'effondrer était sa confiance que Dieu l'aiderait à trouver sa voie, d'une manière ou d'une autre. Je l'ai souvent entendue prier pour obtenir orientation et force, et j'ajoutais toujours un « amen » silencieux à sa demande.

En février, l'université chrétienne locale a annoncé un programme d'obtention de diplôme. « Obtenez un baccalauréat en deux ans seulement », disait l'annonce. J'ai tout de suite pensé à maman, qui n'avait jamais eu l'occasion de terminer ses études. Je lui ai montré l'annonce, et elle a trouvé que c'était intéressant, alors j'ai pris rendez-vous avec un orienteur de l'université. Maman et moi y sommes allées, pensant seulement recueillir de l'information cette journée-là. Une heure plus tard, ma mère était une étudiante universitaire fraîchement inscrite.

Durant les vingt-quatre mois suivants, chaque mardi soir, ma mère remplissait son sac d'école, m'embrassait et allait à son cours en voiture. Au début, elle appréhendait d'être une étudiante de 53 ans. Toutefois, elle s'est vite retrouvée dans un groupe de gens très liés et de toute provenance, et son moral s'en trouva rehaussé.

Chaque mois qui passait apportait à son cœur battu un renouveau d'espoir, de force et d'indépendance. Je l'ai observée avec joie commencer à se voir différemment. Elle n'était plus timide quant à ses propres capacités et réalisations. Elle n'était plus réticente à exprimer ses propres opinions. Elle découvrait une fois de plus qu'elle était une personne qui comptait. Une personne dont les espoirs et les désirs pouvaient encore flotter à la surface des rêves. Une personne qui avait du courage et de l'endurance. Une personne qui était précieuse, non pas parce qu'elle était ou avait été une épouse ou une mère ou une amie, mais pour qui elle était dans son essence, en elle-même. Ma mère a découvert sa propre valeur.

Quelque deux ans plus tard, par un chaud après-midi de mai, j'ai aidé ma mère à assembler les choses qu'il lui fallait. J'ai attaché l'écharpe sur sa robe et l'ai aidée à revêtir la longue toge de satin noir. J'ai pris des photos de nous descendant l'escalier, montant en voiture et en ville. Je riais quand elle a gravi les marches de l'université et a couru rejoindre ses confrères de classe, qui s'embrassaient et se félicitaient les uns les autres joyeusement.

J'ai versé des larmes de joie lorsque ma mère a traversé la scène et a reçu son diplôme. Elle était rayonnante. Et pendant un moment, j'ai repensé à la femme au cœur brisé qui était arrivée à l'aéroport de San Diego deux ans auparavant. Mais cette femme-là était introuvable à présent. Il n'y avait que cette dame confiante, au pas assuré — ma mère honorée et bien-aimée — qui descendait de la scène, sa toge noire tournoyante, le visage radieux, prête pour la prochaine aventure que la vie allait lui apporter. Elle avait quitté la seule vie qu'elle connaissait et s'était trouvée, en fin de compte.

Jennifer Harris

La vérité toute nue vaut toujours mieux que le mensonge le mieux habillé.

Ann Landers

Mon marin

Toutes deux sans mari et sans souci, une amie et moi nous sommes aventurées dans un club dansant où l'on jouait du rock'n'roll des années soixante, un soir du début des années quatre-vingts.

Nous étions à l'arrière, observant les gestes des danseurs et des musiciens. Captivée par l'atmosphère, je n'avais pas remarqué le jeune homme debout à côté de moi, jusqu'à ce qu'il m'invite à danser.

Il s'appelait Terry, et était second capitaine sur un dragueur alors en cale sèche sur les rives du fleuve Columbia. Officier de la marine marchande, il profitait du luxe de travailler une semaine sur deux. En lui parlant, je me suis découvert une parenté spirituelle avec lui. Sur sa liste de lecture, il y avait *Le chemin le moins fréquenté* de Scott Peck et *Illusions* de Richard Bach. Nous avons discuté toute la soirée du pouvoir de la pensée positive, du potentiel créateur en chacun de nous, de l'unité de l'humanité — rien de la conversation de bar habituelle. Mais nous nous sommes dit qu'aucun de nous deux ne voulait un engagement, seulement un compagnon. Nous avons tous deux menti.

J'admirais son physique — presque 1 m 90, un corps splendide, des cheveux sombres et épais, des yeux en amende d'un brun foncé et une touche exotique, résultat d'une descendance indonésienne et hollandaise. Je l'imaginais posant pour un magazine de beaux mecs plutôt que me tenant dans ses bras sur la piste de danse. Ce soir-là, j'ai quitté le club, éprise.

Le lendemain, il a rencontré mes trois enfants. Son rapport instantané avec eux me le rendit encore plus sympathique. Son potentiel de partenaire éventuel augmentait à chaque instant. J'avais déjà dressé une liste de ses qualités au-delà des attributs physiques évidents — comme l'affection mutuelle entre lui et mes enfants, et son amour pour une philosophie spirituelle semblable à la mienne.

Au fil des ans, j'ai découvert une âme profondément compatissante, un écoutant attentif, un sage. Sa délicatesse et sa bonté me prenaient de court. À l'anniversaire de naissance des enfants, il donnait à eux et à moi des cadeaux. « C'est un grand jour pour toi aussi, disait Terry. C'est l'anniversaire du jour où tu as travaillé pour les mettre au monde. » Je m'épanouissais à cause de son amour inconditionnel pour moi.

Dans les quatre ans où nous nous sommes fréquentés, je guettais l'apparition de son côté sombre. Le seul détail embêtant que j'ai trouvé est qu'il approchait trop le visage de son assiette en mangeant — une habitude de marin. Sans une bonne emprise sur sa « bouffe », son assiette risquait de se retrouver sur les genoux de son second, surtout en haute mer. Ce n'était pas un gros défaut, mais c'est tout ce qui a fait surface.

Nous avions cependant une différence irréconciliable que nous ignorions tous deux. Terry avait onze ans de moins que moi. À son âge, j'étais mariée, j'avais trois enfants, j'étais propriétaire d'une maison et je traversais un divorce. J'avais déjà vécu une vie qu'il lui fallait encore connaître. Il n'a jamais caché son amour pour les enfants ou son désir d'en avoir. Il est devenu bénévole à un organisme pour enfants de notre église, s'est inscrit à un programme de Grand Frère et a visité sa famille en Caroline du Nord, autant pour jouer avec ses neveux et nièces que pour voir le reste de sa famille. Je lui avais clairement dit que je n'aurais plus d'enfants. Les années où j'ai élevé seule mes trois enfants m'ont convaincue.

Aucun de nous ne voulait aborder le sujet, alors nous tournions autour. Après tout, nous étions bien ensemble, heureux et en amour. Mais toujours, en toile de fond, je ne pouvais supporter l'idée qu'il renonce à la paternité pour rester avec moi. Le jour de la Saint-Patrick, en 1985, tous deux pleurant devant des bières vertes dans un pub, je l'ai quitté. Nous avons convenu de continuer à nous soutenir affectivement jusqu'à ce que nous découvrions nos compagnons idéaux. Le sien est arrivé plus tôt que le mien. En moins d'un an, il a rencontré Rita, une jeune étudiante irlandaise se spécialisant en éducation préscolaire. Ils étaient bien assortis. Trop bouleversée pour assister au mariage, j'ai envoyé mes vœux et j'ai sauté dans un avion pour San Francisco, visiter ma fille.

Après qu'il fut marié, j'ai eu quelques relations sans lendemain. Je le voyais parfois avec Rita à l'église, mais je tentais de les éviter. Rita n'aurait qu'à voir mon visage pour savoir que j'étais encore amoureuse de son mari. Je leur épargnerais cela. *Les vraies relations sont éternelles,* me disais-je. *Je garderai son souvenir vivant dans mon cœur. Peut-être nous rencontrerons-nous dans une autre vie.*

Le dimanche, j'avais comme tâche à l'église de tenter d'obtenir le silence durant la méditation de l'officiant en envoyant les enfants bruyants et leurs parents dans la salle familiale. Un dimanche, entendant un enfant pleurnicher devant moi, j'ai posé ma main sur l'épaule du père. Les yeux de Terry m'ont regardée. Aucun de nous n'a parlé. Il s'est levé lentement pour me faire face, puis il a tendu les bras et m'a offert sa petite fille. Ses cheveux blonds exceptés, c'était Terry incarné. Je l'ai tenue près de mon cœur, la berçant et la réconfortant. « Tu aurais pu être mienne », lui chuchotai-je à l'oreille. « Tu aurais pu être mienne. » Les larmes baignaient mon visage et mouillaient sa couverture. Quand Terry et Rita se sont levés pour le cantique de groupe, je leur ai retourné leur enfant. Dans l'église sombre, j'étais certaine que mon maquillage détrempé par les larmes ne me trahirait pas. Les yeux doux de Terry sont restés longtemps dans les miens. Nous ne parlions pas. Puis, il a détourné son attention sur sa famille et le service. Je suis partie en douce pour pleurer ce chapitre final de notre histoire d'amour.

Quelques années après, j'ai rencontré et épousé mon partenaire de vie. Mais ce jour-là, l'exultation dans le visage de Terry qui m'offrait son enfant m'avait assurée que j'avais fait le bon choix. Je ne pouvais que remercier Dieu de m'avoir enseigné la vérité au sujet de l'amour inconditionnel. Parfois, il est préférable d'aimer à distance… et parfois, cela signifie lâcher prise.

Linda Ross Swanson

Tout compte fait

Changez vos pensées et vous changerez votre monde.
Révérend Norman Vincent Peale

Dorothy était la mère dévouée de quatre jeunes enfants qui avaient désespérément besoin de la pension alimentaire imposée par le tribunal à son ex-mari, déjà un an en retard. Le semestre d'automne était arrivé, assorti des dépenses habituelles. Il n'y avait pas d'argent pour les vêtements de gymnastique et les souliers de tennis. Il n'y avait pas d'argent pour acheter des pantalons plus longs aux deux garçons qui avaient grandi de plusieurs centimètres durant l'été. Dorothy pouvait à peine contenir la rage qu'elle ressentait à l'égard de son ex-mari quand elle voyait ses enfants, surtout le plus jeune, se priver du nécessaire.

Elle a contacté le père des enfants, pour constater qu'il ne voulait pas coopérer. Il prétendait être sans emploi et sans argent. Dorothy fulminait. Elle ne pouvait pas penser à autre chose qu'à « cet homme » et ses défauts. Ses pensées étaient haineuses, vindicatives et constantes.

Le matin, elle grinçait des dents de rage en aidant les enfants à s'habiller pour l'école. Au travail, elle se retrouvait à médire de son ex-mari, gardant sa colère à chaud. À l'épicerie, elle faisait ses emplettes avec amertume, choisissant des aliments qu'elle pouvait étirer le plus longtemps pour le moins d'argent possible. Quand les enfants demandaient quelque chose qu'elle ne pouvait pas se permettre, Dorothy indiquait rageusement qu'ils ne pouvaient même pas se payer le nécessaire parce que leur père n'envoyait pas de pension alimentaire.

Chaque fois qu'elle prenait place dans sa vieille voiture cabossée, Dorothy se rappelait à quel point elle la détestait.

Et lui aussi. Même au lit le soir, son estomac se retournait à cause des pensées amères qui l'empêchaient de dormir.

Finalement, même si elle savait que rien de bon n'en sortirait, Dorothy s'est rendue au bureau du procureur et a porté plainte contre son ex-mari.

« De cette façon, si jamais il reçoit de l'argent, je vais l'avoir », dit-elle à une amie. « Et puis, comme ça, la police va lui faire la vie dure. Au moins je peux le faire payer d'une certaine manière. »

Mais Dorothy n'a jamais reçu d'argent de son action en justice, ni aucune paix, pas même de satisfaction. La pensée omniprésente dans son esprit était toujours le manque d'argent et sa colère.

Un matin, Dorothy s'est réveillée avec le sentiment étrange qu'elle devait retirer la plainte contre son ex-mari. Perplexe, elle a éliminé cette pensée folle. Cet homme lui devait l'argent qui lui permettrait de prendre soin de ses enfants. Sans la plainte, il n'y aurait pas de pression pour qu'il paie la pension alimentaire.

« Mais il ne paie pas maintenant », lui dit sa voix intérieure. « Toi, tu paies! »

Même si elle comprenait le prix émotionnel élevé de sa colère, Dorothy refusait d'envisager de renoncer à la dette et de se libérer de son amertume.

Toutefois, la pensée a fait son chemin toute la journée. Dorothy résistait. Mais vers cinq heures, elle a soudainement pris une décision. Elle irait au bureau du procureur, et s'il y avait là quelqu'un pour l'aider, elle retirerait la plainte. Ne croyant pas vraiment à ce qu'elle faisait, Dorothy trouva quelqu'un en service au bureau et retira sa plainte.

À l'extérieur de l'édifice, elle sentit un soulagement subit, comme si un poids énorme avait été soulevé. Elle marchait d'un pas plus léger, un sourire inusité flottant sur son visage, et une paix étrange s'installa en elle.

« Je ne sais toujours pas comment on va se débrouiller », confia-t-elle à son amie plus tard. « Mais j'ai fait la bonne chose. Je ne comprends pas pourquoi, mais je suis presque heureuse. Mon ex nous doit encore de l'argent et devrait toujours soutenir ses enfants, mais ce n'est pas moi qui vais l'y forcer. C'est le travail de quelqu'un d'autre maintenant. »

Le lendemain, le patron de Dorothy l'a appelée à son bureau et lui a donné une promotion inattendue. L'augmentation de salaire nette excédait de cent dollars ce que le tribunal avait ordonné à son ex-mari de payer en pension alimentaire.

Comme bien d'autres pères, l'ex-mari de Dorothy n'a jamais payé sa pension alimentaire. Comme bien d'autres mères, Dorothy s'est débrouillée avec ce qu'elle avait. Parfois c'était dur, parfois plus facile, mais elle n'a jamais regretté d'avoir laissé tomber son esprit vengeur. Elle s'était libérée d'un objet de ressentiment et, par conséquent, a retrouvé sa vie. C'est un paiement suffisant.

Bobbie Reed

« *Je me suis enfin remise de Michel. Ça m'a pris trois semaines rien que pour le faire sortir de mon ordinateur.* »

Reproduit avec la permission de Martin Bucella.

7

PERDRE
UN PARTENAIRE

Vivre dans les cœurs qu'on laisse derrière
n'est pas mourir.

Thomas Campbell

L'ange de Rudy

Je suis entrée à l'épicerie sans avoir particulièrement envie d'acheter des provisions. Je n'avais pas faim. La douleur de perdre mon mari de 37 ans était encore trop vive. Et cette épicerie recelait tant de souvenirs heureux.

Rudy y venait souvent avec moi, et presque chaque fois il faisait semblant d'aller regarder quelque chose de spécial. Je savais ce qu'il tramait. Je le voyais encore dans l'allée, trois roses jaunes à la main. Il savait que j'aimais les roses jaunes.

Le cœur lourd, je ne voulais qu'acheter quelques articles et m'en aller, mais même faire l'épicerie n'était plus pareil depuis que Rudy n'était plus. Faire des emplettes pour une personne prenait du temps et un peu plus de réflexion que pour deux.

Près du comptoir des viandes, je cherchais le petit steak parfait et je me souvenais de l'amour de Rudy pour le steak. Soudain, une femme s'approcha de moi. Elle était blonde, mince et bien mise dans un ensemble vert mousse. Je l'ai regardée prendre un emballage familial de steaks d'aloyau, les déposer dans son panier, hésiter, puis les remettre dans le comptoir. Elle s'est retournée pour s'en aller et, une fois de plus, est venue pour prendre les steaks. Elle m'a vue l'observer et elle a souri.

« Mon mari adore les steaks d'aloyau, mais honnêtement, à ce prix-là, je ne sais pas. »

J'avalai les émotions qui montaient et regardai ses yeux bleu pâle. « Mon mari est décédé il y a huit jours », lui dis-je. Regardant l'emballage dans ses mains, je luttais pour contrôler le tremblement de ma voix. « Achetez-lui les steaks. Et chérissez chaque moment passé ensemble. »

Elle hocha la tête, et je vis l'émotion dans ses yeux quand elle déposa les steaks dans son panier et s'en alla.

J'ai poussé mon panier à l'autre bout du magasin, aux produits laitiers. J'étais là, tentant de décider quelle quantité de lait acheter. Je me décidai finalement pour un litre, et allai à la section de la crème glacée près de l'avant du magasin. À défaut de rien d'autre, je pouvais toujours me faire un cornet de crème glacée.

J'ai placé la crème glacée dans mon panier et regardé vers le devant de l'allée. J'ai d'abord vu l'ensemble vert, puis j'ai reconnu la jolie jeune femme qui venait à ma rencontre. Elle avait un paquet dans les bras et dans le visage, le sourire le plus éclatant que j'ai vu. J'aurais pu jurer qu'un halo entourait sa tête blonde comme elle se dirigeait vers moi, ses yeux dans les miens.

Comme elle s'approchait, j'ai vu ce qu'elle tenait, et des larmes m'embuèrent les yeux.

« C'est pour vous », dit-elle en déposant trois superbes roses jaunes à longue tige dans mes bras. « Lorsque vous serez à la caisse, ils savent qu'elles sont payées. » Elle s'inclina et déposa un petit baiser sur ma joue.

Je voulais lui dire ce que signifiaient son geste et les roses pour moi, mais toujours incapable de prononcer un mot, je l'ai regardée s'éloigner, les yeux remplis de larmes. Je regardai les belles roses dans leur emballage vert, et le tout m'a semblé presque irréel. Comment savait-elle?

Soudain, la réponse m'a semblé évidente. Je n'étais pas seule. « Oh! Rudy, tu ne m'as pas oubliée, n'est-ce pas? » ai-je chuchoté, toujours en larmes. Il était encore avec moi, et la jeune femme était son ange.

Wilma Hankins Hlawiczka

Tendrement, Léo

Ce n'était pas juste! Léo, mon mari dévoué qui était rarement malade, a reçu un diagnostic de leucémie aiguë en 1991, à l'âge de 59 ans. Vingt-trois jours plus tard, juste avant notre 35ᵉ anniversaire, il est mort. Nous comptions avoir tellement plus d'années ensemble! On ne nous avait pas assez avertis!

Fille de pasteur, je ne me souvenais pas d'un temps où je ne m'étais pas sentie près de Dieu. Mais jamais je ne m'en étais sentie aussi loin. Je voulais m'y accrocher, mais j'étais tellement amère qu'il permette à quelqu'un de fort comme Léo de mourir en laissant quelqu'un d'affectivement fragile comme moi. Des amis bien intentionnés m'ont donné une illustration de Jésus accueillant un homme au ciel, à bras ouverts. Je la mettais parfois hors de ma vue et fulminais à Dieu : « Vous avez eu Léo assez longtemps! J'en ai plus besoin que vous! »

Léo et moi ne faisions vraiment qu'un — je me sentais déchirée. Une autre veuve m'a dit qu'il fallait trois ans avant de se sentir complète. « Seigneur, la douleur sera-t-elle toujours aussi intense? angoissais-je. J'ai besoin de sentir votre amour! J'ai besoin de sentir celui de Léo! »

Je vivais comme un automate, allant travailler comme infirmière, revenant à la maison sans Léo. Chaque problème semblait écrasant. Un matin, j'ai vu des fourmis dans la cuisine; Léo avait l'habitude de les éliminer. J'ai attrapé un balai et leur ai donné des coups futiles, de plus en plus furieuse, hurlant : « Léo, où es-tu? C'est ici que tu dois être! » Je me précipitai dehors par la porte arrière et gémis dans ma cour de banlieue. Un voisin accourut, demandant : « Quelque chose ne va pas? »

« Non, il faut juste que je crie », répondis-je, assommée par l'énormité de ma perte.

Léo et moi en étions venus à nous aimer profondément, mais nous n'étions pas vraiment en amour le jour de nos noces, en 1956, en fait, nous nous connaissions à peine. Pauvre cher Léo. Nous nous sommes mariés sans savoir que nous étions à l'opposé l'un de l'autre. Il était d'une propreté immaculée — presque parfaite! — et supposait que sa femme infirmière l'était aussi, mais les toiles d'araignée ne me dérangeaient pas. Il adorait la musique classique, je me suis endormie au premier concert où il m'a emmenée. C'était un cordon-bleu, je cuisinais tour à tour les dix recettes que je connaissais comme nouvelle mariée. Il était réservé, j'enlaçais les gens spontanément.

Durant nos premières années de mariage, Léo n'était pas démonstratif. J'avais désespérément besoin de l'entendre me dire « Je t'aime », mais il en était incapable. Il disait : « Tu me plais, n'est-ce pas suffisant? »

Après environ 20 ans de mariage, nous sommes allés dans une retraite de renouvellement du mariage. Les organisateurs nous encourageaient à nous écrire une lettre d'amour l'un à l'autre, de les poster dans un mois, de les lire et de les cacher pour les redécouvrir plus tard. Léo a écrit une très belle lettre, utilisant des mots qu'il avait peine à dire en personne. À compter de ce moment-là, il n'a plus eu de difficulté à me dire qu'il m'aimait.

Mais maintenant, il n'était plus.

Je ne pouvais pas supporter de me défaire de ses affaires. N'importe quel bout de papier portant son écriture — même un gribouillis — m'était précieux. Professeur de graphisme, c'était un homme aux maints intérêts. J'ai aperçu sur son bureau la baguette de chef d'orchestre que nos trois enfants et moi lui avions donnée parce qu'il aimait diriger l'orchestre invisible de ses disques de Bach et autres. J'ai pleuré à ce souvenir, et à celui de son amour de la voile et de la photographie. Une nouvelle vague de chagrin m'assaillait à chaque rappel.

Je suis allée dans notre chambre et ai vaporisé l'eau de toilette de Léo sur moi pour que notre lit sente comme lui. J'ai regardé nos oreillers avec nostalgie. Léo et moi avions l'habitude de découper des bandes dessinées et de les déposer sur l'oreiller de l'autre. Une des dernières que je lui avais laissées était une femme en prière près d'un lit : « Mon Dieu, faites que M. Parfait fasse seulement une erreur ! »

Nous avions amplement de quoi nous taquiner. Étant donné que je m'étais fait voler ma bourse deux fois, j'avais l'obsession de la garder près de moi. Léo et les enfants disaient qu'ils allaient faire graver « Où est ma bourse ? » sur ma pierre tombale.

Deux ans ont passé, et je hurlais de moins en moins. Un jour, j'ai ouvert un livre de recettes et j'ai trouvé un valentin de Léo dont je me servais comme signet. Un autre jour, en magasinant, j'ai vu un cadre en forme de voilier qui m'a rappelé mon marin et mon photographe chéri. J'ai acheté le cadre, l'ai mis sur le téléviseur et y ai placé une photo de l'un des couchers de soleil spectaculaires de Léo. Je l'admirais avec affection, sans pleurer.

Un autre jour, je faisais les poches d'une veste de Léo, enfin capable de la donner, quand j'ai trouvé une caricature d'archéologues découvrant une momie avec une bourse et s'exclamant : « C'est ça ! C'est ça ! C'est la bourse de la momie ! » Je ris tout fort, sachant que Léo avait l'intention de la mettre sur mon oreiller.

Je fus étonnée de constater qu'un souvenir de Léo ne m'avait pas fait pleurer mais rire.

Peu de temps après, je nettoyais un tiroir de commode à fond de carton, où je rangeais mes écharpes. J'ai aperçu une longue enveloppe sous le carton et senti un flot de chaleur devant la courbe familière de l'écriture de Léo. J'ai frissonné. J'avais le souffle coupé. C'était la lettre que Léo avait écrite après la retraite pour les couples, quatorze ans auparavant. J'ai dégagé la feuille de papier en hâte, et mes yeux ont dévoré goulûment : « Ma très chère Doris... ».

Léo citait le poète Shelley : « Un mot est trop souvent profané pour que je le profane » et continuait ainsi : « Je t'aime véritablement dans le vrai sens du terme, même si je néglige de te le dire ou que j'hésite à le faire — je t'aime. Nous ne faisons qu'un, et je dois faire un effort pour que cet "un" soit plus complet... Nous avons été unis au nom du Christ et ensemble, nous grandirons dans l'amour du Christ. Amen — Ainsi soit-il.

« Avec mon amour éternel,

Léo (ce n'est que moi) »

J'étais en extase! J'avais tellement besoin de cette affirmation. J'ai pris la lettre sur moi et l'ai portée de pièce en pièce, m'arrêtant de temps à autre pour la relire. Je ne crois pas que j'aurais pu supporter ces mots immédiatement après le décès de Léo, mais maintenant, ils avaient un pouvoir de guérison. J'ai plié la lettre soigneusement et l'ai rangée dans ma bourse omniprésente pour l'ouvrir souvent. Sa seule lecture me fait sourire.

Je me sens encore incomplète. Mais je me sens entourée de l'amour de Dieu et de l'amour de Léo. Quand quelque chose me le rappelle, j'ai un peu moins de chagrin et un peu plus de gratitude pour ce que nous avons eu. Mes yeux larmoient, mais je les maîtrise davantage maintenant.

Et parfois même, je ris.

Doris Delventhal
Recueilli par B. J. Connor

Cultiver mon jardin

C'est un soir d'été que mon mari, Tim, dans sa fourgonnette, a dérapé sur une route rendue glissante par la pluie, me laissant jeune veuve avec une petite fille à élever.

Par un jour d'automne, trois mois plus tard, comme je luttais pour venir à bout du deuil, de la douleur et même de la colère, je me tenais sur les marches arrière de ma maison, observant le grand jardin potager où Tim avait tant mis de sa personne. De la cour, mon regard alla à la pente boisée au loin et au cimetière où Tim était enterré, puis revint au jardin.

Le jardin était un désastre. Je n'arrivais pas à tout faire. Je ne savais même pas par où commencer. Le mur de haricots verts que Tim avait érigé était couvert de haricots pourris, et toute autre pousse verte avait été étouffée par les courges ornementales que nous avions plantées par erreur le printemps dernier. Que devais-je faire de tout ça? Je ne voulais certainement pas en refaire une espèce de verdure manucurée que Tim et moi avons toujours détestée.

Après mûre réflexion, j'ai décidé d'en faire un jardin d'herbes aromatiques. Quelque chose qui m'absorberait entièrement.

Le mur de haricots a été démonté et transporté au dépotoir municipal. J'ai fermé mon cœur au souvenir du matin tiède de fin de printemps où Tim s'était levé tôt et l'avait peint d'un vert criard, et me suis mise à arracher les tournesols effilochés et les cosmos tristement fanés qu'il avait plantés sur tous les côtés.

Puis vinrent les herbes. Épiaire, romarin, angélique et balsamite. Lavande, véronique, mélisse-citronnelle et valériane. Menthe verte, menthe de pomme et même, menthe poivrée « chocolat ».

Dans le rang de fraises que Tim avait fait pour moi à la deuxième fête des Mères après la naissance de notre fille Marissa, j'ai planté un bouleau blanc. C'est-à-dire qu'il était gris alors, mais Éric, un de mes experts en horticulture, m'a dit qu'il deviendrait blanc un de ces jours. C'est devenu l'arbre Tim.

Au printemps, avec l'aide de mon amie Cel, j'ai déposé des copeaux de bois. Une autre amie, Jan, alla magasiner pour trouver des herbes et revint avec des plantes que je n'avais jamais vues ou dont je n'avais jamais entendu parler, qui portaient des noms comme guède, saponaire, félicité, amarante et prunelle.

Le jardin prenait bien forme. Mais je me sentais encore perdue et mal dans ma peau. Je jonglais avec l'idée de vendre la maison et de déménager avec Marissa dans la vieille maison de ferme de ma grand-mère. Il n'y aurait pas de souvenirs de Tim pour me hanter là.

Mais je continuais à bricoler dans le jardin. J'ai déplacé au centre le bain d'oiseaux en marbre blanc que Tim m'avait donné pour notre dernier anniversaire. J'ai acheté un ange en pierre, les yeux baissés et le visage rempli de piété de la Renaissance, et l'ai placé près du bain d'oiseaux.

Pourtant, il manquait encore quelque chose. Je me suis alors rendu compte que mon jardin n'avait pas de thème central. J'avais toujours été fascinée par les « jardins à thème » — jardins shakespeariens, jardins de clair de lune, jardins de sorcières et ainsi de suite. Mais le mien était simplement un pot-pourri d'herbes, de fleurs, d'arbres et d'arbustes.

À la fin de cet été-là, Marissa et moi sommes allées dans l'État de New York. Nous nous sommes arrêtées à une pépinière, et je suis tombée sur de nouvelles herbes aux noms enchanteurs, comme l'herbe à souder et la brunette. Les feuilles de l'herbe à souder, ai-je appris, étaient utilisées à l'origine pour réparer les os cassés et dans les toniques. La

brunette, ou prunelle, était un remède pour diverses blessures internes et externes.

C'est alors que j'ai décidé que mon jardin serait un jardin guérisseur. Non seulement au sens littéral, mais peut-
être aussi au sens spirituel.

Peu après, un après-midi, j'ai trébuché sur le sens de ma
réalité. J'étais tombée en amour avec mon jardin. Ma plaie
était devenue ma bénédiction. J'ai regardé autour de moi,
comme je l'avais fait l'automne précédent, mais avec des
yeux si différents. Le jardin me rappelait ce que j'avais tellement tenté d'oublier : que j'aimais cet endroit où Tim et
moi avions commencé notre voyage comme mari et femme,
et comme parents d'une fille très vivante.

Cette partie du voyage était terminée, mais il se pour-
suivait. Marissa et moi avions encore des kilomètres à parcourir et des promesses à tenir — l'une à l'autre, à Tim et au
jardin. Nous allions faire de notre mieux là où nous étions.

Environ un an plus tard, je travaille encore à mon jardin. J'ai arraché les arbres et aménagé un petit jardin d'iris
dans un coin. Et j'ai installé des briques plates, des pierres
des champs, tout ce que je peux trouver pour faire de petits
sentiers capricieux qui se ramifient, puis se referment en
cercle sur eux-mêmes.

Parfois, je m'assois sur le banc de marbre que j'y ai mis,
et d'autres fois, je cherche les trèfles à quatre et cinq feuilles
qui poussent souvent, signes de chance qui m'assurent que
la nature travaille pour moi.

Je ne vais plus souvent au cimetière désormais. Si je
veux trouver Tim, je sens sa présence dans le jardin qu'il
m'a légué. La douleur a disparu de mes souvenirs maintenant, les laissant pleins de rires et de chaleur. Le jardin
guérisseur porte bien son nom.

T. J. Banks

Un atelier de veuves

La vie ne pouvait pas être plus belle.

Mon mari, Charlie, et moi étions à la retraite, alors nous avons vendu notre grande maison et la deuxième voiture pour emménager dans un bungalow, avec un bureau pour moi et un atelier pour Charlie.

Côte à côte, Charlie et moi faisions nos affaires dans le ravissement.

Dix-neuf mois plus tard, Charlie est mort d'une crise cardiaque.

Je n'étais absolument pas préparée à vivre seule. « Pourquoi, Seigneur, pourquoi ? » disais-je, mi-priant, mi-jurant. « Ça n'arrive qu'aux autres, pas à moi ! »

Je me sentais soudain sans amour, sans protection, rejetée. « C'est un monde de couples », disais-je entre les dents. « Je suis la cinquième roue du carrosse. » Je rageais de jalousie quand je voyais des couples se tenir la main, au centre commercial. Je portais ma colère comme la varicelle.

J'ai hébergé une étrangère qui avait besoin d'un logement temporaire. Nous avons pleuré ensemble, prié ensemble, et quand elle est finalement partie, nous étions amies pour toujours.

Et la solitude est revenue avec rage.

Le travail a toujours été thérapeutique pour moi, mais travailler près de l'atelier de Charlie ne faisait que raviver des souvenirs douloureux — tous les coins et recoins recelaient son fantôme.

J'ai essayé de magasiner, l'analgésique de toute femme. Je faisais tout impulsivement. Je n'avais plus de bon sens ou de maîtrise de moi, comme si j'étais bousculée par une force invisible.

J'ai fait des voyages pour changer de décor. Quand je revenais chez moi, je m'assoyais sur la terrasse, pleurant sous la pluie et fixant le gazon aussi envahi par la mauvaise herbe que mon cœur l'était par l'amertume.

Les gens qui vivent seuls ont trop de temps pour réfléchir, et l'introspection est comme un bonbon sucré mais empoisonné pour une veuve. Un jour, lasse de ma personne, je me suis mise en colère contre mon chagrin et j'ai décidé de travailler à mon avenir.

Cette cour est trop grande et cette maison, trop petite, ai-je décidé, cherchant l'annuaire.

Feuilletant la section de l'immobilier, je m'arrêtai sur une annonce criarde et composai le numéro.

Une femme a répondu, et je me suis dit : « Ma vie est remplie de femmes… » Puis, je me suis arrêtée. « Me voilà encore avec l'introspection. »

« Qu'est-ce que vous avez comme condominiums? » ai-je demandé.

Par un samedi pluvieux, nous nous sommes rendues à un condo haut dans les montagnes, mais il était aussi sombre que mon âme. Le deuxième condo était au centre d'une ville, et les voisins se disputaient. J'étais mal à l'aise. Je me suis mise à douter de mon idée et je me demandais si je serais jamais heureuse à nouveau.

Le troisième condo était plus vieux mais récemment rénové. Il était gai, clair et propre. Il y avait des rayons de bibliothèque encastrés dans le mur pour mes livres, et je voyais ma collection de poupées faire un bel effet sur ces étagères.

J'ai vendu ma maison à mon petit-fils nouvellement marié et entamé la tâche horrible de trier les affaires de mon mari. En classant ses outils, je pouvais l'entendre siffler. Ses gants sur l'établi me rappelaient ses mains fortes et habiles. Des notes écrites à la main sur son babillard me firent monter les larmes aux yeux, et une bouteille d'eau gazeuse à moitié vide me rappelait à quelle vitesse il était parti.

Je voulais lâcher prise sur ces souvenirs, mais je voulais également les conserver. J'étais déchirée, comme une enfant qui doit jeter sa poupée de chiffon préférée mais usée.

Quand j'ai eu fini, j'étais affectivement épuisée mais j'étais à un point tournant. Trier ces rappels visibles m'avait permis de relâcher mon emprise sur le passé.

Le deuil est un dur labeur, ai-je découvert, et procéder à des changements est encore plus difficile. Mais y travailler m'a donné une impression de maîtrise que je n'avais pas ressentie depuis longtemps.

Dans mon nouveau condo, je me suis liée d'amitié avec cinq veuves, comme moi. En nous comparant, j'ai appris que nous avions toutes parcouru le même chemin solitaire, et que la solitude n'est pas si mal quand on peut la partager avec quelqu'un. Une fois par mois, nous nous réunissons le samedi matin pour le petit déjeuner, où nous parlons et rions comme des écolières.

Récemment, je me suis assise à la fenêtre de mon condo, admirant les montagnes et les forêts, les fleurs et les méandres du fleuve Columbia en contrebas. J'ai parlé à Dieu sur un ton amical. « Seigneur, merci pour ce merveilleux jardin que vous avez planté de l'autre côté de ma fenêtre. » Je me sentais un peu ridicule d'avoir été en colère contre quelqu'un qui était toujours là.

J'avais trouvé le bonheur dans un bon mariage.

Maintenant, j'ai trouvé le bonheur à être seule.

Shirley Pease

Le chemin

Si j'essaie d'être comme lui, qui sera comme moi ?

Proverbe yiddish

J'étais dans la petite cuisine où le soleil de Floride rayonnait à travers les rideaux, illuminant la pièce d'un ton doré. Le matin aurait dû être charmant, mais le chagrin alourdissait l'air. J'observais ma grand-mère s'affairer de la cuisinière à l'évier, essuyant, rangeant... occupée. À tout moment, je m'attendais à ce qu'elle s'effondre encore, à ce qu'elle s'appuie sur le comptoir et se laisse aller à pleurer. Deux jours auparavant, sa vie telle qu'elle la connaissait avait connu une fin abrupte. Mon grand-père, B. B., son mari et l'amour de sa vie depuis 58 ans, était mort.

Soudain, les gestes rapides de ma grand-mère ont ralenti. Je l'ai vue agripper le linge de vaisselle des deux mains, puis s'immobiliser complètement. Un nœud s'est formé dans ma gorge, et je me suis préparée à aller vers elle dès les premières larmes. Mais elle ne pleura pas. Elle était simplement là à fixer le comptoir comme si elle y remarquait quelque chose pour la première fois.

Je suivis son regard pour voir ce qui avait attiré son attention. Était-ce le grille-pain ? Peut-être qu'elle regardait dans le vide. Mais alors, elle alla derrière le grille-pain et prit un petit vase de fleurs de plastique bon marché.

Elle les essuya avec son linge, puis se tourna et plaça l'arrangement fané sur la petite table. Quand son regard croisa le mien, je vis dans le sien du chagrin mêlé d'assurance. « Je peux mettre mes fleurs où je veux maintenant », dit-elle. Puis elle hocha la tête, comme si elle était surprise d'avoir dit ces mots à voix haute.

Elle fronça les sourcils. Puis, elle se retourna rapidement et continua à essuyer le comptoir déjà propre. Mon cœur se gonfla d'émotion, pas pour le deuil de ma grand-mère, mais pour la vérité douloureuse quoique révélatrice que j'avais brièvement aperçue dans ses yeux quand elle regardait le petit vase.

À quelques jours seulement de son 80e anniversaire de naissance, elle était à la veille d'emprunter un chemin. Ce chemin serait douloureusement solitaire pendant un certain temps, mais il la mènerait éventuellement à découvrir la femme qu'elle avait laissée à l'autel 58 ans auparavant, quand elle avait épousé mon grand-père. Non, mon grand-père n'avait pas été un homme mauvais ou égoïste, mais c'était un homme de son temps. Et surtout, ma grand-mère avait été une femme de son temps.

Elle s'habillait pour plaire à son mari, elle appuyait ses opinions bien arrêtées sur la vie et la politique, elle vivait pour être l'épouse qu'il désirait. Ce n'est pas qu'il lui avait volé son identité, elle l'avait donnée librement, de même que son cœur et son âme. Mais maintenant qu'il n'était plus, elle devait découvrir qui elle était sans lui.

Il y a quatre ans que mon grand-père est décédé, et depuis j'observe avec étonnement la femme que ma grand-mère est devenue. Oh! elle est encore bonne, trop généreuse, mais ce chemin l'a changée. Ses tons sombres et ses petits imprimés sont devenus vifs et bigarrés. Sa maison est désormais remplie de nappes colorées, de fleurs et de babioles féminines. Elle regarde encore les nouvelles du soir mais passe rapidement à un jeu télévisé ou à une émission sentimentale dont se serait moqué mon grand-père. Elle rit beaucoup, même de blagues idiotes. Elle reçoit des amis, va au cinéma — les comédies romantiques sont ses préférées — et elle fait des mots croisés au téléphone avec ses amies. Elle est membre d'un groupe de bridge et a créé son propre club de Scrabble. Elle marche cinq kilomètres par jour avec ses camarades d'exercice.

Mon grand-père lui manque toujours. Après tout, c'était l'amour de sa vie. Récemment toutefois, elle m'a raconté un rêve.

« J'étais au bas d'une grosse côte. Il pleuvait et il y avait beaucoup de boue. B. B. était devant moi. Il se retournait tout le temps et me disait de le suivre. Il nous avait construit une nouvelle maison en haut de la côte et avait hâte que je la voie. J'essayais de le rattraper, mais soudain j'ai vu une petite fille debout sous la pluie. Alors j'ai dit à B. B. : "Vas-y. Je serai bientôt là, mais il faut d'abord que je m'occupe de cette petite fille." »

Après me l'avoir raconté, elle me regarda et me demanda : « Je me demande qui pouvait bien être cette petite fille? »

J'ai posé ma main sur son épaule : « C'est toi, grand-maman. Cette petite fille, c'est toi. »

Elle cligna des yeux pour en chasser les larmes. « J'aimais mieux prendre soin de lui », dit-elle.

« Je sais, lui dis-je. Tu ne voulais pas le perdre, mais c'est arrivé. Maintenant tu fais ce qui te vient naturellement. Tu vis. »

Elle m'a serrée dans ses bras et s'est dégagée. « Je te verrai plus tard. J'ai une partie de bridge qui m'attend. »

En l'observant s'éloigner, vision charmante dans son pantalon bourgogne et son chemisier fleuri, j'ai constaté ma joie d'avoir rencontré cette femme, et je suis contente qu'elle soit encore là pour s'occuper de la petite fille à l'intérieur d'elle. Cette petite fille a attendu longtemps.

Christie Craig

Le voyage

Si la vie est un voyage fantastique, la plupart des gens qui ont l'âge de ma tante Anne recherchent un havre tranquille où jeter l'ancre. Ils sont fatigués de subir les défis et les changements de la vie, prêts au repos et à la routine. Mais l'âge n'a pas fait disparaître l'explorateur chez tante Anne. La vie comporte trop de sites merveilleux qu'elle n'a pas encore vus, et elle ne peut supporter de les manquer, même si cela implique qu'elle doive naviguer des passages difficiles et effrayants.

Des passages comme celui qu'elle a traversé il y a quinze ans. Son mari est décédé, la laissant seule dans son vieil âge à leur maison dans les montagnes de New York. Les hivers de cet étrange nouvel univers de veuve étaient froids, et la vie était dure et gelée. Tante Anne se sentait seule, elle n'avait pas eu l'intention de s'échouer sur un rivage semblable. Mais elle n'était pas intimidée. C'était une exploratrice et elle a sondé son nouveau territoire solitaire, en visitant toutes les émotions et se familiarisant avec cette terre. Elle est restée là jusqu'après avoir cartographié toute l'expérience. Puis, elle s'est réveillée un beau matin et a proclamé : « Bon, si la vie est pour souffler dans mes voiles, je suis mieux de sortir mon bateau. »

Elle s'embarqua à bord d'un nouveau bateau — une petite maison mobile en Floride — qu'elle déplaça d'un endroit à l'autre. Elle avait pour tout bagage le débordement de son esprit créateur : de l'argile pour la sculpture, des toiles, de la musique, de la poésie. Chaque fois qu'elle découvrait un nouvel endroit, elle laissait derrière des cadeaux pour les gens du lieu, des parties d'elle-même. Elle a donné ses plus belles sculptures, joué de la musique pour les autres, enseigné la sculpture aux enfants des écoles locales, donné un buste de Martin Luther King Junior à une école primaire de Miami portant le nom du défenseur des droits de la personne.

À 75 ans, dans un détour, elle est tombée sur une aventure qu'elle ne croyait jamais connaître de nouveau : l'amour. Elle a rencontré Jack au pavillon de leur village de retraités, et ils se sont mariés avec les délices et la passion de jeunes amoureux.

Tante Anne faisait maintenant face au voyage avec un compagnon qui savourait l'aventure autant qu'elle. Ils ont pris des escapades romantiques. Ils ont écrit de la musique ensemble et l'ont jouée en public, Jack aux claviers électriques et Anne bougeant sur scène comme Doris Day. Ils roucoulaient comme des adolescents énamourés. Jack a même pris des photos suggestives de tante Anne en tenue négligée. Ils dégustaient le plaisir du voyage.

Un jour, le vent a changé, fait claquer leurs voiles et les a déposés dans une région différente. Même avant de débarquer, tante Anne et Jack avaient le pressentiment que ce nouveau terrain serait ardu. Ils étaient mariés depuis sept ans, et tante Anne a proposé de prendre des vacances dans les Catskills, où elle habitait jadis. Ils sont descendus dans un centre de villégiature et ont entrepris d'animer l'endroit, comme ils le faisaient toujours. Vendredi soir, lors d'un spectacle amateur, ils ont chanté ensemble certaines de leurs chansons d'amour originales, et de vieux succès. Puis, Jack a chanté « Je te reverrai ». C'était étrange et triste, pensa tante Anne, comparé aux chansons vivantes et aux comédies habituelles. Pourquoi avait-il choisi de chanter ça?

Le lendemain matin, comme ils exploraient les bois autour du centre, Jack lâcha la main de tante Anne. « Continue sans moi, dit-il. Je veux m'asseoir un moment. » Quand Anne a regardé de nouveau, il était tombé sur le sol, et avant que l'ambulance ne parvienne à l'hôpital, il était mort.

Tante Anne était seule, sans son compagnon de route. Je craignais pour elle. Comment prendrait-elle la tournure des événements? Baisserait-elle finalement les voiles pour jeter l'ancre? Apparemment, oui. Elle est déménagée au Wisconsin pour être près de son fils et de ses petits-enfants. *Elle a finalement pris son parti d'une vie de résignation paisible,* pensais-je. *Elle est enfin au rivage pour de bon.*

J'ai reçu un message d'elle il y a peu de temps, confirmant que j'étais totalement dans l'erreur. « Je suis tellement contente des cours de sculpture que je donne à Madison », s'exclamait-elle. La communauté artistique prospérait là-bas, et bien sûr tante Anne en était le cœur. « N'est-ce pas merveilleux? » dit-elle. *Oui,* pensais-je, en lisant un de ses poèmes :

> *Il y a toujours demain, un tout nouveau commencement,*
> *Le temps d'un autre coup de circuit avant la dernière manche.*
> *Il y a toujours un lever de soleil après qu'il a disparu de l'horizon,*
> *La main de Dieu se tend, te soulevant quand tu te sens déprimé.*
> *Repose-toi quand tu peux, mais ne laisse pas tomber la vie. Sois reconnaissant pour ce que tu reçois, et béni pour ce que tu donnes.*

Tante Anne sait que la vie ce n'est pas où l'on s'en va, mais bien comment on s'y rend.

Anne Marion
Recueilli par Eileen Lawrence

Le violon d'Unk

Unk jouait du violon — c'était un « violoneux » — mais jamais devant personne. Excepté Eleanor. Il jouait pour elle. Ils étaient amis depuis 70 ans. Ni l'un ni l'autre n'était marié. Eleanor était la vieille fille de Perryville. Et tout le monde appelait Unk à la blague le meilleur parti de Perryville. L'ironie, c'est qu'Unk était petit et marqué de taches de vieillesse. Il avait un œil desséché à cause d'un copeau de métal attrapé à l'adolescence, et son visage portait les traces de la variole. Son genou avait été écrasé par des billots de bois tombés d'un wagon de chemin de fer qu'il déchargeait, et il boitait.

Eleanor tenait le magasin général après la mort de ses parents, mais elle l'a vendu quand c'est devenu trop compliqué. Sa vie sociale semblait se résumer à l'église, sauf les visites d'Unk avec son violon le samedi soir. Elle chantait dans la chorale, servait des dîners et faisait de la couture pour le cercle d'aide des dames. La rumeur voulait qu'elle joue de l'harmonica, mais pas en public. Elle a enseigné le catéchisme aux enfants pendant des années, puis la Bible à des adultes. C'est à ce moment qu'Unk, qui avait mystérieusement disparu de l'église à l'âge de 10 ans, commença à la fréquenter.

Unk a vécu presque toute sa vie avec sa grand-mère et son grand-père, travaillant à la ferme. Quand ils sont morts et lui ont légué la ferme, il a pris tout le monde par surprise en la vendant et en déménageant avec nous. Nous lui avons aménagé une chambre dans le hangar attenant à la maison, la chambre d'Unk avait donc un mur adjacent à la mienne. Malgré l'épaisseur du mur, une fois au lit, je pouvais entendre Unk jouer du violon chaque soir, sauf le samedi où il était chez Eleanor. La musique était à peine audible, mais les bons soirs, elle faisait son chemin doux et triste à travers le mur.

Un jour, quand j'avais 11 ans, Unk et moi pêchions dans un étang. Comme je tâtonnais pour accrocher un ver à mon hameçon, Unk a marmonné : « Eleanor appâte plus vite que ça. »

Au début, je croyais qu'il riait de moi, mais je me suis rendu compte qu'il n'avait pas dit ça pour me rabaisser. En fait, il ne s'adressait pas du tout à moi, il se parlait, énonçant simplement une observation : Eleanor, la vieille fille qui jouait de l'harmonica quand il n'y avait personne autour, une femme que personne n'avait jamais vue pêcher, pouvait appâter rapidement. Unk le savait.

Nous avons passé toute la journée dans un silence amical. En remballant nos affaires, Unk a passé son bras sur mon épaule et m'a dit que vendre la ferme était la meilleure chose qu'il ait faite, parce que ça lui laissait le temps de faire ce qu'il aimait. Il ne m'a pas dit ce qu'il aimait, mais s'il avait pu prononcer les mots, je crois qu'ils seraient sortis en un chuchotement sacré — la pêche, le violon et Eleanor. J'essayais d'imaginer Unk et Eleanor après souper le samedi, assis dans son salon, tapant du pied et causant au travers du violon et de l'harmonica.

Un après-midi, j'arrachais des carottes et les tendais à Unk. Je lui ai demandé pourquoi il jouait du violon seulement en privé. Il a dit : « Quand j'avais 10 ans, j'apprenais le violon de papa. Il jouait pour des fêtes de campagne. J'ai dit au révérend Hotchkiss, qui est mort maintenant, que j'espérais être assez bon pour jouer à l'église un jour. Il a fait non de la tête, m'a dit que le violon ne convenait pas à l'église et de rendre gloire à Dieu. »

Quand je l'ai regardé, le visage d'Unk était pétrifié. J'ai deviné que c'était l'année où il a cessé d'aller à l'église.

Unk avait 79 ans quand Eleanor est morte. Elle ne s'est tout simplement pas réveillée un mardi matin.

Les heures de visite à la défunte étaient le vendredi soir. Maman et papa y sont allés. Unk a refusé. Il est resté dans sa chambre, préférant se souvenir d'elle comme il l'avait vue la dernière fois. Je trouvais qu'elle était bien dans sa jolie robe noire avec des fleurs pourpres et roses. Ses mains étaient jointes sur sa poitrine comme si elle priait, et ses jointures ne semblaient ni noueuses ni arthritiques. J'ai essayé d'imaginer ces doigts appâter un hameçon.

Le lendemain, l'église était remplie pour les funérailles. Unk ne nous a pas suivis quand nous avons quitté la maison en voiture. Il a dit qu'il nous rattraperait, mais je doutais qu'il vienne. Après tout, il n'avait pas été capable d'endurer les heures de visite.

Les bancs se remplissaient tandis que Mme King jouait les cantiques d'usage. Les deux cousines plus âgées d'Eleanor étaient assises au premier banc. Le chœur chantait deux des cantiques préférés d'Eleanor.

Le révérend Winters a lu l'évangile, prononcé un éloge funèbre et invité les gens à partager leurs souvenirs et leur gratitude à propos d'Eleanor.

Roberta Gerrity a parlé au nom de la chorale, disant : « Eleanor était une membre de la chorale fidèle et engagée. » Un homme a parlé du professeur de catéchisme inspirant qu'était Eleanor. Un long silence a suivi. Je voulais remplir le vide moi-même, mais je ne savais pas quoi dire, et mon corps semblait lourd comme la pierre.

C'est alors qu'Unk a descendu l'allée en boitant, le violon dans la main gauche, l'archet dans la droite. Il marchait lentement, d'un pas révérencieux, vers la chaire. Il marchait avec peine, la tête inclinée, comme un homme montant à l'échafaud. Parvenu à la table de communion en chêne doré, il regarda la congrégation. Il voulait parler, mais ses lèvres ne faisaient que trembler. Les larmes se mêlaient à la sueur salée, lui brûlant les yeux dont il ne cessait de cligner. Je voulais courir à lui et le réconforter.

Unk a levé le violon à son épaule, l'a logé sous son menton et a fait glisser son archet sur les cordes. Il a commencé par jouer « Amazing Grace », a enchaîné sans interruption avec « Greensleeves », puis a entrelacé des accords des deux en un son plus triste et doux que tout ce que j'avais jamais entendu. Nous avons pleuré, toute l'assistance et moi, regardant et écoutant Unk honorer Eleanor et la pleurer avec son violon. Quand il a cessé, nous étions stupéfaits. Unk est sorti, violon et archet en main, et a marché péniblement jusqu'à la maison.

Aucune musique n'a filtré à travers le mur pendant des mois. Puis, un matin, Unk est descendu déjeuner, a souri et a dit : « Tu veux aller pêcher? »

Vers le milieu de l'avant-midi, nous avions une belle truite brune.

Ce soir-là, j'étais au lit, pensant à la truite, au soleil chaud, et comme c'était bon qu'Unk soit comme avant. Puis, je l'ai entendu — le violon d'Unk, chantant.

Il a joué dans sa chambre tous les soirs ensuite, jusqu'au jour de sa mort. Et bien des soirs, je jure que je ne sais pas comment, Unk faisait gémir et pleurer son violon tout comme un harmonica.

Steven Burt

Il n'y a pas de fin. Il n'y a pas de commencement. Il n'y a que la passion infinie de la vie.

Federico Fellini

Une seule rose à longue tige

« Chaque jour depuis la mort de mon mari, Jack Benny, le fleuriste livre une rose rouge à longue tige chez moi… commença Mary. Les cinq premières semaines, j'étais dans un état de deuil profond. Je n'ai jamais songé à demander de qui étaient les roses. Je ne peux pas exprimer le chagrin que je ressentais. La perte de Jack… Notre séparation après 48 ans d'union totale… Mon sentiment d'entière solitude, même si j'étais entourée de parents et d'amis très chers qui tentaient de me remonter le moral.

« Jack est mort le lendemain de Noël. Le Nouvel An de 1975 est arrivé et s'est écoulé sans que je m'en rende compte. J'avais entendu parler des gens engourdis de chagrin, mais je n'avais jamais vraiment compris ce que signifiait cette expression jusqu'à ce que j'en fasse l'expérience. Il s'est passé sept ou huit semaines avant que je ne demande finalement à la domestique qui envoyait la rose quotidienne. À mon étonnement, elle n'en avait aucune idée. J'ai téléphoné à notre fleuriste et lui ai demandé…

« Il m'a dit qu'un bon bout de temps avant que Jack meure, il était passé pour envoyer un bouquet à un ami. En partant, Jack s'était retourné soudainement et avait dit : "David, si jamais il m'arrivait quelque chose, je veux que tu envoies une rose rouge à ma chérie chaque jour…"

« Quand le fleuriste eut terminé, je gardai le silence un moment, et les larmes commencèrent à rouler sur mes joues. Je le remerciai et lui dis au revoir. »

Ultérieurement, Mary apprit que Jack avait pris une disposition pour les fleurs dans son testament. Une rose rouge parfaite devait lui être livrée chaque jour… *pour le restant de ses jours.*

Mary Livingstone Benny et Hilliard Marks
avec Marcie Borie

8

NOUS NE SOMMES PAS SEULS

N'oubliez pas, nous trébuchons tous,
chacun d'entre nous.
C'est pourquoi il est réconfortant
d'aller main dans la main.

Emily Kimbrough

Le père Noël sauvé

Habituellement, les jeunes enfants commencent par croire au père Noël, puis apprennent plus tard que ce n'était que leur grand-père portant un habit rouge. Moi, j'ai su la vérité assez vite. Avisée pour mes sept ans, je savais que le père Noël n'était qu'une autre fraude des adultes. N'importe qui pouvait s'en rendre compte. Le problème, c'est qu'étant les deux petits-enfants les plus âgés, ma sœur et moi devions convaincre les petits-enfants plus jeunes de l'existence du père Noël. Je participais à cette farce à contrecœur. « Tu demandes ce que tu veux, et le père Noël te l'apporte », disais-je, obéissante.

Mais comment pouvait-on s'attendre à ce que j'y croie ou n'importe qui d'autre d'ailleurs, jeune ou vieux? La vie n'est pas comme ça. On n'obtient pas ce qu'on veut. Prenez nous, par exemple. Nous avions récemment perdu notre papa, et maintenant, après être restée à la maison durant treize ans, maman devait aller chercher un emploi. C'était dur. Maman avait peu de compétences pour le monde du travail. Elle avait grandi durant la Grande Crise et avait quitté l'école en bas âge pour aider à soutenir sa famille. Non seulement elle n'avait pas beaucoup d'instruction, mais son expérience était limitée, et elle n'avait aucune formation spécialisée.

Pendant des mois, elle a cherché du travail en vain, et nous nous enfoncions de plus en plus dans la pauvreté. Maman n'a pas pu garder la maison que papa avait bâtie, et un parent d'une autre ville nous a hébergés dans une chambre à l'arrière de sa maison pour un certain temps. La voiture familiale a disparu un soir après une reprise de possession. Ainsi, les options de ma mère se limitaient à des emplois à distance de marche.

Dans notre nouvelle ville, il y avait un certain nombre de bars où l'on pouvait se rendre à pied, mais ma mère croyait que travailler dans un bar ne serait pas bon pour ses enfants. Alors elle poursuivit sa recherche.

Comme Noël approchait, maman prévoyait emmener ma sœur et moi au festival de l'école. L'entrée était libre, et on pouvait s'y rendre à pied. Après avoir regardé aux alentours, maman nous a demandé de faire la file pour parler au père Noël, la seule activité gratuite. J'ai pris la file, seulement pour lui faire plaisir.

Après m'avoir prise sur ses genoux, le père Noël m'a demandé en quoi consistait mon vœu de Noël. Peu importe ce que je lui dirais, je savais que le père Noël n'était que le grand-père de quelqu'un, vêtu d'un habit rouge. Nommer un jouet ne ferait qu'attrister ma mère parce qu'elle ne pouvait pas en acheter. J'ai décidé de dire la vérité : « Mon souhait est que ma mère trouve un emploi pour qu'on puisse acheter de la nourriture », ai-je dit d'une voix forte.

« Et où est ta mère? » demanda le père Noël. Je l'ai montrée du doigt. « Ho! Ho! Ho! fit le père Noël, je vais voir ce que je peux faire. » Je me demandais *pourquoi ils font toujours ho! ho! ho!*

Quelques jours après Noël, le téléphone a sonné et maman a répondu. Il y a eu une brève conversation : « Oui… oui… oh, j'en serais ravie, oui… Très bien… Au revoir. » Elle s'est tournée vers ma sœur et moi avec un sourire que je ne lui avais pas vu depuis un bout de temps.

« On m'a offert un emploi à l'école », dit-elle, d'un ton excité. « Au réfectoire. Ça va bien aller maintenant. » Elle nous a enlacées, toutes les deux. Puis, elle a ajouté : « Je me demande comment ils ont su que j'avais besoin de travail? »

J'ai découvert plus tard que le père Noël, qu'il soit votre grand-père ou le directeur de l'école en service au festival de Noël, n'est pas une si grande fraude après tout. Et le Noël suivant, j'ai dit aux plus jeunes que, s'ils ne croyaient pas en lui, ils manquaient vraiment quelque chose.

Jean Bronaugh

Les anges, parfois

En septembre 1960, je me suis réveillée un matin avec six bébés affamés et 75 cents en poche. Leur père était parti.

Les garçons avaient entre trois mois et 7 ans, leur sœur avait 2 ans. Leur père n'avait jamais été bien plus qu'une présence qu'ils craignaient. Chaque fois qu'ils entendaient les pneus écraser le gravier de l'allée, ils couraient se cacher sous leurs lits. Il arrivait à laisser quinze dollars par semaine pour l'épicerie. Maintenant qu'il avait décidé de s'en aller, il n'y aurait plus de coups, mais plus de nourriture non plus. S'il y avait un système d'aide sociale en place dans le sud de l'Indiana à l'époque, je n'étais certainement pas au courant.

J'ai frotté les enfants jusqu'à ce qu'ils aient l'air tout neuf, puis j'ai revêtu ma plus belle robe cousue maison. Je les ai entassés dans la vieille Chevrolet 51 rouillée et suis partie à la recherche d'un emploi. Nous sommes allés tous les sept à chaque usine, magasin et restaurant de notre petite ville. Pas de chance. Les enfants restaient tassés dans la voiture et essayaient de bien se tenir tandis que je tentais de convaincre qui voulait bien m'entendre que j'étais prête à apprendre ou à faire quoi que ce soit. Il fallait que je trouve un emploi. Toujours pas de chance.

Le dernier endroit où j'ai frappé, à quelques kilomètres en dehors de la ville, était un vieux restaurant de commande à l'auto qui avait été converti en relais routier. Il avait pour nom la Grande Roue. Une vieille dame nommée Granny en était la propriétaire, et elle regardait tous ces enfants par la fenêtre de temps à autre. Elle avait besoin de quelqu'un pour le quart de nuit, de 23 heures à 7 heures. Elle payait 95 cents l'heure, et je pouvais commencer le soir même.

Je me suis précipitée à la maison et j'ai téléphoné à la gardienne d'enfants du bas de la rue. Je lui ai offert de venir dormir sur mon divan pour un dollar par nuit. Elle pouvait arriver en pyjama, et les enfants seraient déjà endormis. Cet arrangement semblait lui convenir, alors nous avons conclu une entente.

Ce soir-là, quand les petits et moi nous sommes agenouillés pour faire nos prières, nous avons tous remercié Dieu d'avoir trouvé un emploi pour maman.

Ainsi, j'ai commencé à la Grande Roue. Quand j'arrivais à la maison le matin, je réveillais la gardienne et la renvoyais chez elle avec un dollar de mes pourboires — une bonne moitié de ce que je faisais en moyenne chaque soir.

Les semaines s'écoulaient, et les factures de chauffage ajoutaient un autre fardeau à mon maigre salaire. Les pneus de la vieille Chevrolet avaient la consistance de ballons dégonflés et commençaient à avoir des fuites. Je devais les remplir d'air en allant au travail et de nouveau chaque matin, avant de pouvoir retourner chez moi.

Par un triste matin d'automne, je me suis traînée jusqu'à ma voiture pour rentrer à la maison, et j'ai trouvé quatre pneus sur le siège arrière. Des pneus neufs. Il n'y avait pas de note, rien, seulement ces beaux pneus tout neufs. Je me demandais *si les anges avaient élu résidence en Indiana.*

J'ai pris une entente avec le propriétaire de la station-service locale. Il installerait mes nouveaux pneus, et en échange j'allais nettoyer son bureau. Je me souviens qu'il m'a fallu beaucoup plus de temps pour frotter son plancher qu'à lui pour installer les pneus.

Je travaillais maintenant six soirs au lieu de cinq, et ça ne suffisait toujours pas. Noël s'en venait, et je savais qu'il n'y aurait pas d'argent pour des jouets pour les enfants. J'ai trouvé un contenant de peinture rouge, et j'ai commencé à

réparer et à peindre de vieux jouets. Puis, je les ai cachés
dans la cave pour que le père Noël ait quelque chose à distribuer au matin de Noël. Les vêtements m'inquiétaient
aussi. Je cousais pièces par-dessus pièces sur les pantalons
des garçons, et ils seraient bientôt trop usés pour les
réparer.

La veille de Noël, les clients habituels prenaient un café
à la Grande Roue. Il y avait les camionneurs Les, Frank et
Jim, et Joe, un agent de la sûreté de l'État. Quelques musiciens s'attardaient après un spectacle à la Légion et dépo-
saient des pièces de cinq sous dans le billard électrique.

Les clients réguliers ont parlé jusqu'aux petites heures
du matin, puis sont partis à la maison avant le lever du
soleil. Quand il a été temps pour moi de m'en aller, à sept
heures le matin de Noël, je me suis dépêchée d'aller à mon
auto. J'espérais que les enfants ne se réveilleraient pas
avant que j'arrive à la maison, que je sorte les cadeaux de la
cave et que je les place sous l'arbre. (Nous avions coupé un
petit cèdre sur l'accotement près du dépotoir.)

En approchant de la voiture, je me sentis soudain crain-
tive. Il faisait encore noir et je ne voyais pas grand-chose,
mais il semblait y avoir des ombres dans la voiture, ou
n'était-ce que la nuit qui me jouait un tour? Quelque chose
était nettement différent, mais il était difficile de préciser
quoi.

Quand je suis arrivée à l'auto, j'ai regardé avec inquiétude dans une des glaces de côté. J'ai ouvert la bouche
d'étonnement. Ma vieille Chevrolet cabossée était pleine à
ras bord de boîtes de toutes les formes et de toutes les
tailles.

J'ai vite ouvert la portière du conducteur, je me suis agenouillée sur le siège avant, face au siège arrière. J'ai retiré
le couvercle de la boîte la plus haute. À l'intérieur se trouvait toute une caisse de petits jeans, de taille deux à dix! J'ai
regardé dans une autre boîte. Elle était remplie de chemi-

ses assorties aux jeans. Puis j'ai jeté un coup d'œil à d'autres boîtes : il y avait des bonbons, des noix, des bananes et des sacs d'épicerie. Il y avait un énorme jambon à cuire ainsi que des légumes en conserve et des pommes de terre. Il y avait du pudding, du Jell-O et des biscuits, de la garniture à tarte et de la farine. Il y avait un sac plein de fournitures de lessive et d'articles de nettoyage.

Et il y avait cinq camions-jouets et une magnifique poupée. En conduisant dans les rues désertes, comme le soleil se levait sur le jour de Noël le plus incroyable de ma vie, je sanglotais de gratitude. Et jamais je n'oublierai la joie sur le visage de mes tout petits ce matin inoubliable.

Oui, il y avait des anges en Indiana en ce décembre lointain. Et ils se tenaient tous à la Grande Roue.

Barb Irwin
Présenté par Lauren Andrews

On dit que le monde est une vallée de larmes. Moi, je dis que c'est un endroit où l'on fabrique son âme.

John Keats

Un bouquet de violettes

En sortant du collège, j'ai commencé à travailler dans une boutique de cadeaux de luxe de San Francisco. Après quelques mois, ma marche rapide pour me rendre au travail, où je passais devant un petit kiosque de fleurs, est devenue routinière. Puis, un matin, voyant le kiosque, j'ai eu une envie irrépressible d'acheter des fleurs pour quelqu'un. Je me suis retrouvée à examiner différents bouquets.

Sur l'étagère du bas, il y avait un petit bouquet de corsage composé de violettes. Mme Cairns, une veuve aux cheveux gris qui travaillait à la boutique, m'est venue à l'esprit. J'imaginais ce bouquet de corsage sur le tailleur de lainage lavande qu'elle portait souvent au travail.

Nous n'étions pas des amies intimes. Mme Cairns ne semblait s'intéresser qu'à son travail. Je l'enviais même un peu parce qu'elle aidait toujours les riches bourgeoises de San Francisco qui venaient au magasin et atteignait d'habitude quatre ou cinq fois mon chiffre de ventes. Mais j'ai suivi mon instinct.

Quelques minutes plus tard, je l'ai vue dans la boutique, vêtue de son tailleur de lainage lavande.

Hésitante, je lui ai tendu le bouquet. « Elles sont pour vous, Mme Cairns. »

Il y eut une ou deux secondes de silence avant qu'elle ne dise : « Je ne l'ai jamais dit à personne ici. Comment avez-vous su? »

« Su quoi? »

Les larmes montèrent à ses yeux bruns. « C'est mon anniversaire de mariage aujourd'hui. Mon mari est décédé il y a des années, alors je suis maintenant la seule qui s'en souvient. »

Comme elle épinglait le bouquet, je lui ai dit que j'étais bien contente que mon achat impulsif tombe sur son anniversaire.

Elle m'a pris les deux mains. « Mais, ma chère… Il faut que je vous dise que je me suis mariée il y a 40 ans dans une petite ville de l'Oregon. C'était un jour d'hiver froid et il n'y avait pas de fleurs en ville, alors mon bouquet de mariée était un bouquet de corsage de violettes. »

Carol Fannin Rohwedder

Le meilleur siège

Les médecins ont dit avoir trouvé une tumeur de la taille d'un pamplemousse dans ses poumons. J'imagine que je n'aurais pas dû être surpris. Mon père, John Mathew Morris, avait été un homme à deux paquets par jour pendant presque quarante ans. Il aimait ses « clous de cercueil », et sans doute en payait-il le prix maintenant.

C'était en avril de la saison de baseball de 1987 que j'ai reçu les mauvaises nouvelles. Immédiatement, j'ai voulu me rendre à la maison, mais j'étais à 1 600 kilomètres, et je ne pouvais pas faire grand-chose pour lui. Alors j'ai continué à faire ce que je pouvais : j'ai joué au baseball du mieux que j'ai pu pour que papa soit fier de moi.

Puisque j'étais célibataire et que je me consacrais totalement à ma carrière de baseball, mes coéquipiers et mon entraîneur constituaient mon réseau de soutien. Je passais presque tout mon temps avec eux.

Notre équipe, les Cardinals de St. Louis, signifiait au reste de la ligue nationale que nous étions des candidats légitimes au championnat. Nous étions en tête de dix parties avant la pause du match des étoiles. Après la pause, nous sommes allés à New York affronter les Mets. Avant chaque partie, je prenais l'autoroute de Long Island pour visiter mon père à l'hôpital du comté de Suffolk.

Quand mon père et moi étions ensemble, nos conversations portaient sur le baseball et les Cardinals. Papa adorait le baseball. C'était la passion de son existence. En fait, il avait lui-même été un joueur de premier but pour une équipe semi-professionnelle, dans les années 1920.

Cette série m'a permis de passer des moments de qualité avec lui. Il était bon de savoir que j'apportais un peu de joie dans une vie maintenant pleine de douleur et de combats. C'était un papa fier qui, étant donné que son fils cadet était joueur de baseball de ligue majeure, aimait me montrer à toutes les infirmières et à tous les médecins quand je lui rendais visite. Il aimait leur dire que son fils jouait dans les ligues majeures. Même si ça m'embarrassait, je jouais le jeu, le laissant profiter de l'attention, tout en cachant ma propre souffrance. Ma vie loin de mon père consistait à jouer au baseball avec mes coéquipiers. Comment le sport pouvait-il alléger ma peine?

Deux mois plus tard, en septembre, mon équipe est revenue à New York jouer contre les Mets. Notre avance sur les Mets était réduite à une partie. Durant cette série, j'avais l'esprit très préoccupé — la santé défaillante de mon père, la pression de la course au championnat et notre avance qui s'amenuisait. Pour la première fois de ma vie, j'ai commencé à me servir du baseball pour mettre un peu de joie sur une situation triste. Je jouais chaque jour dans l'espoir de permettre à papa de penser à autre chose qu'à sa maladie.

J'ai visité papa les trois jours où nous jouions à New York. Il était dans un état d'incapacité. Il pesait environ 45 kilos et ne pouvait ni marcher ni parler. Le voir dans cet état était presque trop pour moi. Chaque jour, avant de quitter l'hôpital pour le stade, papa me communiquait une chose. Gribouillant sur un bloc-notes, il écrivait qu'il regarderait la partie à la télé. Mes coéquipiers connaissaient le soutien indéfectible de mon père, mais ils ne pouvaient connaître ma douleur.

La série se révéla être une bataille entre deux vieux rivaux. Heureusement, nous avons gagné deux des trois parties. Entre-temps, à Long Island, mon père nous regardait. Il dépensait l'énergie qui restait dans son corps flétri à regarder nos parties. Mais ce devait être ses dernières. Trois jours plus tard, nous étions à Pittsburgh pour affronter les Pirates, quand le gérant Whitey Herzog a frappé à ma porte de chambre d'hôtel aux petites heures du matin. Dès ce moment, j'ai su que papa n'était plus.

J'ai pris l'avion ce mercredi pour assister aux funérailles de papa. Je savais depuis un certain temps que ce jour viendrait, mais le savoir n'atténuait en rien la douleur.

Le dimanche matin suivant les funérailles, je devais prendre l'avion pour St. Louis à 6 h 30, mais le vol fut annulé, et je ne savais plus si je serais capable de me rendre à St. Louis pour le début de la partie en après-midi contre les Cubs de Chicago. Mais quelqu'un était de mon côté ce jour-là. Un siège s'est libéré sur un vol ultérieur, me permettant d'arriver à St. Louis à 11 h 30.

En entrant dans le vestiaire, j'ai été chaudement accueilli par mes coéquipiers. Leur sollicitude sincère m'a touché et calmé. Puis, Dave Ricketts, notre instructeur d'enclos d'exercice, est venu vers moi. « Johnny, Whitey veut te voir. » Je suis allé au bureau du capitaine, ne sachant pas à quoi m'attendre. J'ai remarqué que la fiche de l'alignement n'était pas à l'endroit habituel, sur le mur adjacent à son bureau. Quand j'ai tourné le coin, Whitey s'est levé de son bureau. « Eh, p'tit gars, content de te voir de retour. » Il fit une pause, comme s'il essayait de rassembler ses idées.

« Écoute, je sais que rien n'est plus épuisant que des funérailles, et que tu as eu plus que ton lot ces derniers jours », continua Whitey, en prenant deux fiches sur son bureau. « Johnny, je vais te laisser choisir. J'ai fait deux fiches d'alignement. Dans l'une, tu es partant, et dans l'autre, tu es sur le banc au cas où tu ne serais pas encore prêt. Quoi que tu décides, je t'appuie. »

Une série de questions se succédaient dans ma tête. *Whitey attendait-il vraiment après moi pour afficher l'alignement? Étais-je en train de rêver? Les gérants ne faisaient jamais ça, était-il sérieux à propos de cette offre inusitée?* J'ai compris que Whitey m'offrait plus qu'un choix. Il me mettait au défi.

J'ai répondu : « Je viens de parcourir presque 1 700 kilomètres pour venir ici. J'aimerais bien jouer aujourd'hui. »

Whitey sourit avec approbation. « Fantastique! Tu es partant », dit-il. Son visage s'adoucit : « Maintenant, va en frapper quelques-unes pour ton père. »

À la première manche, je suis arrivé au bâton avec les buts remplis. Greg Maddux m'a lancé une balle glissante, et j'ai marqué les deux premiers points avec un simple au centre. À la troisième manche, ma balle au sol vers l'arrêt-court a marqué un autre point. À la huitième manche, j'ai obtenu un autre point grâce à un simple au milieu. Nous menions donc sept à deux.

Même si je n'avais aucune idée que ces quatre points produits constituaient un record de carrière, je savais que je venais d'accomplir quelque chose de spécial. Les amateurs étaient au courant de mon deuil, et la foule de 46 681 personnes s'est levée pour souligner ma performance et me donner son soutien en cette période éprouvante. J'étais au premier but et j'écoutais leurs applaudissements; l'ovation m'a semblé durer indéfiniment. Une masse s'est formée dans ma gorge alors qu'un mélange de joie et de peine gonflait ma poitrine. Les deux pieds plantés sur le premier but, mes yeux luisaient des larmes qui coulaient sur mes joues. J'ai regardé en haut et, à la vue du ciel bleu, j'ai eu soudain une image de papa me souriant d'un air approbateur et fier, content du fait que son fils cadet était en train de gagner au sport qu'il aimait. Papa veillait vraiment sur moi cette journée-là, et son point d'observation lui fournissait le meilleur siège du stade.

Quelques jours plus tard, les Cardinals ont décroché le titre de la division. Et une semaine après, ils sont devenus les champions de la ligue nationale. Nous allions affronter les Twins du Minnesota dans les séries mondiales. La saison était complète, tout comme ma relation avec mon père — grâce à Whitey Herzog et à mon immense famille du baseball, qui m'ont donné la chance de dire un adieu spécial à mon meilleur admirateur.

John Morris

Tout ce qu'il avait

C'était l'Action de grâce en Nouvelle-Angleterre. Notre vieille Rambler bleue roulait en passant des champs enneigés, des fermes pittoresques, des arbres dépouillés et des granges rouge vif. Mes jumeaux de 12 ans et moi étions invités à fêter dans la famille du diacre de notre église. Nous avions récemment déménagé dans une banlieue de Boston tout en nous adaptant à un divorce pénible.

Chez le diacre, nous avons mangé un délicieux repas de dinde, chanté des chansons, joué des jeux et beaucoup ri. Nous avons profité de la journée avec un autre invité du nom de Tinker, qui était exceptionnellement tranquille. Notre hôte s'est excusé après la tarte à la citrouille et le café pour aller reconduire Tinker chez lui. Peu après, nous avons aussi quitté.

L'enthousiasme des jumeaux grandissait à mesure que Noël s'approchait. Tard un soir, j'étais assise seule à la cuisine, classant mon courrier. Sous la pile, se trouvait la liste des cadeaux de Noël des enfants.

« Seigneur, ils demandent si peu, priais-je. Comment acheter ces cadeaux, un arbre de Noël et de la nourriture? »

Quelques jours plus tard, un ami nous a aidés à couper un petit arbre de Noël maigrelet. Nous avons accroché du maïs soufflé, des canneberges et des boucles de papier maison pour le décorer. J'avais mis de côté un poulet dans le congélateur pour le dîner de Noël.

« Maman, les cadeaux ne sont pas si importants », dit mon fils après que je lui ai expliqué que nous n'avions pas d'argent.

« Je n'ai pas besoin de cette veste. Je la voulais, c'est tout », ajouta sa sœur.

Puis, ils se sont agenouillés près du petit arbre et avec leur foi d'enfant, ont demandé à Dieu de combler nos besoins.

Quatre jours plus tard, j'ai retiré un paquet de lettres de la boîte aux lettres. Une petite enveloppe sans adresse de retour a capté mon attention. Quand je l'ai ouverte, quatre billets de cent dollars ont virevolté par terre. Je me suis agenouillée pour prendre l'argent et j'ai lu le message gribouillé sur un bout de papier : « Joyeux Noël, et Dieu vous bénisse. » Pas de signature. Aucun indice de l'identité de l'expéditeur.

Les enfants ont grandi et quitté la maison. Je me suis remariée et j'ai déménagé en Californie. Mon mari et moi avons pris l'avion vers l'Est pour assister à la graduation de mon fils de l'entraînement de base de l'armée. Pendant que nous étions dans la région, nous avons visité le diacre qui nous avait accueillis à l'Action de grâce, jadis.

En nous rappelant des souvenirs, j'ai raconté l'histoire de la prière confiante de mes enfants et de notre bénédiction de Noël anonyme. Ses yeux se sont remplis de larmes. Il se ressaisit un moment, puis parla : « Vous souvenez-vous du jeune homme à la table avec nous cette journée-là ? Il s'appelait Tinker. C'est un meurtrier condamné qui purge une sentence à vie. Parce que j'étais diacre à la prison, les autorités lui ont laissé passer six heures sous ma garde. Quand je l'ai reconduit ce soir-là, il m'a dit qu'il n'avait jamais entendu des gens démontrer une foi aussi forte en Dieu comme l'avait fait votre famille. Il m'a demandé de venir à la prison plus tard et de prendre de l'argent pour vous et les enfants, à Noël. Il vous a donné tout ce qu'il avait. »

J'ai gardé le silence et je me suis rendu compte à quel point la bonté humaine et la compassion peuvent être vivantes et habiter qui que ce soit.

Judith Gillis

Reconstruction du cœur

Ma maison et moi avions une mine splendide. Agréables, fortes, stables. En revenant du travail chaque jour, je fermais soigneusement la porte d'entrée. J'étais en sécurité, malgré ce qui s'était produit, et je n'avais pas besoin de compagnie.

Mon mari avait bâti la maison quinze ans auparavant, quand nous étions nouveaux mariés. Lorsque nos affaires n'ont plus été neuves, moi y compris, mon mari est parti. Soudain, j'étais devant une maison qui avait besoin de rénovations, et une vie qui avait besoin de reconstruction.

J'ai mis au point minutieusement une façade de bravoure et entrepris de redécorer la maison gaiement. Je n'allais pas laisser ce divorce détruire ma famille. J'ai recouvert du papier jauni, des murs abîmés, de la peinture écaillée… et des mauvais souvenirs. Mes enfants adoraient les pièces colorées, et j'étais convaincue que tout allait bien. J'avais rebâti notre foyer, et je l'avais fait sans l'aide de personne — jusqu'à ce samedi après-midi.

Je suis rentrée après avoir fait l'épicerie et suis allée voir les enfants. En passant la porte ouverte de la salle familiale, j'ai entendu un craquement sinistre, et le tapis râpé s'est déchiré sous mes pieds. Avant que je puisse faire un saut de côté, avec un craquement sonore, ma jambe gauche a défoncé le plancher! Les trois enfants ont levé les yeux du divan et m'ont regardée, bouche bée. Je me suis agrippée au tapis pour ne pas passer complètement au travers du plancher, et mon écartèlement a enfin fait bouger mes enfants. Ils se sont levés en criant et m'ont aidée à sortir du trou.

J'ai examiné les dommages et j'étais découragée. Après tous mes efforts, c'était un projet de construction qui dépassait mes capacités. Je n'avais ni les connaissances, ni le temps, ni l'argent. J'étais vexée, et mon orgueil était blessé. Mais il y a eu pire.

J'ai appelé notre pasteur et lui ai raconté ce qui était arrivé, attendant un peu de sympathie. Il a ri! Pire, à l'église le lendemain matin, il a annoncé à la congrégation : « Barbara est tombée dans le plancher de son salon, hier. » Des rires ont fusé et le visage me brûlait. Naturellement, c'était comique pour eux. Ils ne savaient pas ce que c'est que d'être seule. Quand le pasteur a recruté une équipe de travail pour réparer les dommages, je n'étais pas certaine de vouloir leur aide. Je ne voulais l'aide de *personne*.

Néanmoins, le samedi matin suivant, j'ai ouvert la porte avec hésitation à six aides, outils en main. Ils ont déplacé les meubles, roulé le tapis et trouvé de la pourriture sèche non seulement là où j'étais passée au travers du plancher, mais aussi dans les murs. Mon toit coulait, et la pluie s'était lentement infiltrée dans les murs et les faisait pourrir, derrière mon papier peint animé. Horrifiée, j'ai regardé mes aides démolir les murs et défaire le plancher jusqu'aux poutrelles. Tout mon beau travail!

Pourtant, en observant cette équipe vaillante besogner, j'ai senti que quelque chose de plus grand était au travail. Leur bonté et leur sollicitude ont déchiré mon extérieur brave et insouciant pour exposer une pourriture sèche de douleur et d'amertumes irrésolues, issues du divorce. Ma maison nécessitait des travaux majeurs, et mon cœur aussi. Je l'avais verrouillé solidement contre *tout* sentiment, bon ou mauvais, afin de me protéger. J'ai décidé à ce moment-là d'ouvrir mon cœur de nouveau à l'amour et au partage.

L'équipe de travail a fini de mettre la pièce en état vers la tombée du jour, et quand je leur ai demandé s'ils pouvaient attendre quelques mois pour être payés, ils ont souri : « Nous ne voulons pas d'argent. Nous avons eu du plaisir! Merci de nous avoir laissés vous aider. »

Ils souriaient encore en sortant. Dès lors, j'ai laissé la porte ouverte.

Barbara Lighthizer

Sauvée par un chien
qui se noyait

« Bubba, c'est la dernière fois », criai-je au gros chien brun qui saute sur la table, s'empare du texte auquel je travaille et s'enfuit. Il court sur le plancher de la cuisine comme je le pourchasse.

« Non! » hurlai-je, voyant le désastre imminent. Un grand pot d'argile s'écrase, son contenu de terre et de fleurs s'étendant partout sur le plancher.

« Mon sacripant », dis-je. Je me laisse glisser sur le plancher et me mets à pleurer.

Je ne veux pas être ici. Je ne veux pas être seule. À avoir si mal. Et je ne veux pas négocier avec ce chien diabolique.

Je me demande avec amertume *pourquoi on croit que les animaux sont de bons compagnons. Ils ne remplacent pas les gens et ne consolent sûrement pas de la solitude.*

Mais mon mari, Arnie, y croyait. Deux ans plus tôt, Arnie avait fièrement apporté à la maison une grande boîte de carton. « Une surprise pour toi », a-t-il annoncé, comme un chien crotté sortait de la boîte et sautait sur notre nouveau divan blanc, puis sur le meuble d'appui, éparpillant ma précieuse collection de figurines de verre miniatures.

« Comment as-tu pu? » ai-je demandé à Arnie, incrédule. « Sors cet animal galeux de la maison! » Sur ce, le chien a mis les dents dans mon chandail neuf. Ce fut la haine dès la première rencontre entre Bubba et moi.

Arnie se plaisait à dire que Bubba avait un peu de berger allemand dans son mélange canin. Un peu du diable, oui. Quand j'étais seule avec Bubba, il détruisait mes vêtements, brisait mes objets chéris et cachait le projet auquel je travaillais. Quand Arnie était là, c'était un gentil toutou.

« Je ne comprends pas pourquoi tu es toujours fâchée contre ce chien », me disait Arnie, caressant la grosse tête couleur café. « Il est si gentil. » Au signal, Bubba se couchait aux pieds d'Arnie, secouait la queue paresseusement et prenait un air narquois. Pour moi.

Je tolérais Bubba parce qu'Arnie l'aimait. Quand il a atteint presque 45 kilos, le chien est devenu partie intégrante de la maisonnée mais pas de mon cœur. C'était exclusivement le chien d'Arnie. Chaque soir, quand l'horloge sonnait sept heures, Bubba se couchait sur le petit tapis du corridor, bloquant la porte, pour attendre l'arrivée d'Arnie.

Un soir, Bubba a attendu et attendu. L'horloge a sonné 8 h, puis 9 h. Je me suis jointe à l'anxiété de Bubba, faisant les cent pas à côté de lui. Finalement, on a sonné à la porte. Un policier était debout dans l'entrée, tournant sa casquette. Il y avait eu un accident. Arnie était mort.

Des parents et amis sont venus et repartis. Je me berçais dans ma chaise. Je crois que quelqu'un m'a dit qu'il emmenait Bubba chez lui. Les semaines suivantes sont floues dans ma mémoire. Jusqu'à ce qu'un jour, on sonne à la porte de nouveau, et que Bubba soit de retour.

Il a grogné en me voyant et a couru dans toute la maison, entrant et sortant dans toutes les pièces. Au bout d'un moment, il s'est un peu calmé et a ralenti le pas. Il a fait la vigile dans le corridor, ne se levant qu'à l'occasion pour chercher Arnie, manger ou demander la porte.

Quand il voulait aller dehors, j'ouvrais la porte arrière donnant sur la cour clôturée que je partageais avec mon voisin. J'ai essayé de le promener quelques fois, mais il grognait chaque fois que je l'approchais.

Je ne gardais ce chien ingrat que parce qu'Arnie l'aimait.

Un jour, deux heures ont passé, et la noirceur est venue avant que je ne remarque que Bubba n'avait pas gratté à la porte pour que je le laisse entrer. J'ai appelé. Pas de Bubba. J'ai essayé de faire de la lumière en arrière, mais je me suis rappelé que l'électricité extérieure était débranchée parce que mon voisin faisait installer des lumières autour de sa nouvelle piscine creusée. Elle venait d'être remplie, même pas encore chauffée... Non, c'était impossible! Bubba détestait l'eau!

Mais la piscine avait un revêtement noir... Je m'emparai d'une lampe de poche et je m'approchai de l'eau, prise de panique en entendant des gémissements. Là, dans le faisceau de ma lampe dirigée vers l'extrémité profonde, se trouvait le chien désespéré, trempé, les pattes agrippées au bord de la piscine. Il avait probablement poursuivi un écureuil et tombé dans ce site inconnu, pataugeant jusqu'à ce que ses forces le lâchent.

J'ai tiré Bubba de l'eau froide, l'ai traîné à la maison et l'ai enveloppé dans la première chose que j'ai trouvée : mon jeté préféré. Le dernier cadeau qu'Arnie m'a offert.

J'ai tenu le chien de près jusqu'à ce qu'il cesse de grelotter, puis je l'ai tenu encore. Il n'a pas tenté de fuir la sécurité de mes bras jusqu'à ce que l'horloge sonne sept heures. Ça faisait presque un an qu'Arnie était mort; pourtant, chaque soir, Bubba faisait fidèlement la vigile quand l'horloge sonnait. Ce soir-là, il a quitté mon giron, s'est dirigé vers le corridor et a hésité. Se retournant, il m'a regardée dans les yeux et est revenu à mon fauteuil, s'installant à mes pieds.

Je ne sais pas lequel d'entre nous avait été le plus inconscient de la douleur de l'autre, Bubba ou moi. Mais il a fallu un chien presque noyé pour me sortir de l'isolement causé par le chagrin.

J'imaginais qu'Arnie souriait.

Carren Strock

Le visage de la compassion

La manière dont une personne maîtrise sa destinée importe davantage que la nature de sa destinée.

Wilhelm Von Humboldt

Quand j'étais jeune, j'étais très arrogant. J'étais pourvu de beaux traits et de charme, et j'étais extrêmement vaniteux : je m'admirais souvent dans le miroir. J'étais également un bon athlète. Je suis sorti avec de nombreuses filles durant le secondaire et j'étais rarement sans petite amie.

Mais j'étais impossible à vivre. J'étais très exigeant et je signifiais clairement à mes petites amies qu'il n'y avait qu'une façon pour elles d'être avec moi : faire à ma façon ou "prendre le bord".

Jusqu'à ce que je rencontre Teri. Elle avait trois ans de moins que moi. Elle avait des cheveux blonds bouclés, des fossettes qui me touchaient au cœur et un sourire qu'il était impossible d'ignorer. Ses manières étaient empreintes de douceur. Nous avons commencé à nous fréquenter, et en quelques mois, nous sommes devenus des amis intimes. Pour la première fois, j'avais une relation amoureuse à laquelle je contribuais de façon constructive, et cela me plaisait vraiment.

Un jour cependant, Teri m'a annoncé qu'elle avait décidé de retourner vers un petit ami qui avait exactement son âge. Elle croyait qu'ils avaient davantage en commun. J'avais le cœur brisé. Pour la première fois de ma vie, on me larguait, et cela faisait mal. Bien sûr, je suis rapidement sorti avec d'autres filles, mais il y avait un trou dans mon cœur, là où Teri avait pris place.

Un an a passé sans que je voie Teri du tout. Puis, un groupe d'amis m'a appris qu'elle voulait me revoir. Alors nous avons convenu d'un rendez-vous. J'étais craintif avant notre première rencontre, mais quand j'ai vu ce sourire et que j'ai entendu cette voix, j'ai su que je pouvais me détendre. Une fois de plus, Teri et moi avons commencé à nous fréquenter régulièrement.

J'ai obtenu mon diplôme d'études secondaires et pris un emploi sur un chantier de construction. Le jour de la fête du Travail, en 1980, je travaillais avec une équipe de construction. Il faisait assez chaud pour enlever ma chemise, et j'aimais mon travail. Directement au-dessus de moi, un homme travaillait avec un seau plein de goudron chaud. Soudain, sans avertissement, le seau s'est renversé. Sur le coup, je n'avais aucune idée de ce qui m'a frappé. Tout ce que je sentais, c'était la brûlure, la confusion et une peur terrifiante. En fait, j'étais couvert des pieds à la tête de goudron bouillant.

Une ambulance est arrivée, et l'on m'a transporté d'urgence à l'hôpital, ma vie se déroulant devant mes yeux. Je n'avais aucune idée de ce que serait mon destin.

J'ignore combien d'heures se sont écoulées avec les docteurs auprès de moi. Finalement, un chirurgien m'a regardé et a dit : « Je vais vous dire la vérité. » Il m'a dit que j'étais brûlé sur 55 pour cent de mon corps. Mais ce n'était pas ça le pire. Les effets les plus dévastateurs du goudron étaient sur mon visage, le même visage que, dans ma vanité, j'admirais dans le miroir. Le chirurgien m'a dit que je n'aurais plus de nez, de lèvre inférieure ou de menton.

Il a fallu du temps avant d'absorber les nouvelles. Au début, je n'étais qu'engourdi. Puis, j'ai eu un sentiment de désespoir que je n'avais jamais connu auparavant. Mon emprise sur la vie semblait m'échapper. Je ne serais plus jamais le beau charmeur. Que me restait-il pour m'accrocher à la vie?

Dans les heures qui ont suivi, mon visage s'est mis à enfler; je ne pouvais pas voir et j'avais peine à respirer. Malgré ça, toutefois, on ne m'a pas gardé longtemps à l'hôpital. On m'a plutôt déménagé chez mon frère.

C'était l'enfer. J'ai entendu le médecin dire à mon frère de ne pas me laisser dormir plus de vingt minutes d'affilée. Et je ne l'ai pas fait. Mais je me souviens de m'être éveillé et de trouver Teri me regardant. Ce tendre sourire que je connaissais si bien. Je ne voulais pas qu'elle me voie dans cet état, mais elle a insisté pour demeurer auprès de moi. Elle me réveillait toutes les vingt minutes et prenait soin de moi toute la nuit, avant d'aller à son travail de jour.

Je passais les journées seul. Je pouvais seulement m'asseoir et regarder la télé. Le moindre geste était extrêmement douloureux. Et je ne savais toujours pas de quoi j'avais l'air. Comme les jours passaient, j'ai commencé à jongler avec l'idée stupide que ce que m'avait dit le médecin à propos de mon visage n'était peut-être pas arrivé du tout. Peut-être que tout était dans l'ordre.

Un jour, j'ai finalement eu assez de force pour ramper jusqu'à un miroir. Il fallait que je sache la vérité. À ce jour, je me souviens encore de ce moment. Tout mon univers s'est écroulé. Tout ce dont j'étais si fier — mon teint, mes traits accusés — avait changé, et ma seule pensée était qui voudra de moi dans cet état?

Au cours des mois suivants, je suis devenu amer et difficile. Je faisais tout en mon pouvoir pour que Teri s'en aille. Je ne voulais pas qu'elle s'encombre de moi. Il était impossible d'être gentil avec moi. Pourtant, Teri n'est pas partie. Elle restait et me soignait, refusant de se fâcher contre moi. Elle avait dû prendre un engagement sérieux. Elle, qui n'était pas mon épouse, m'aimait autant qu'une épouse l'aurait fait. Peu lui importait que mon visage soit détruit, et que bien des gens s'évanouissaient presque à ma vue. Bon nombre de mes autres amis ne pouvaient y faire face.

Le temps a passé, et grâce aux soins d'un bon médecin, j'ai commencé à faire de grands progrès. Je savais que je commençais enfin à me rétablir de mes blessures. Teri est demeurée une aide fidèle. Elle prenait soin de moi et était ma compagne, et je me suis rendu compte que l'amitié véritable importait bien plus dans une relation entre homme et femme que je ne l'avais cru auparavant. C'est l'amitié qui fait grandir un couple. Pendant des années, j'ai cru le contraire.

Teri et moi avons mutuellement compris que, bien qu'étant de grands amis, nous ne nous marierions pas. Nous le savions, c'est tout. Mais nous savions également que nous partagions une amitié qui serait toujours spéciale. Je lui étais tellement reconnaissant d'avoir persévéré en dépit de mon défigurement, de ma dépression et de mon immaturité. Elle m'a fait don de sa compassion.

Quelques années plus tard, Teri a épousé quelqu'un d'autre, et moi également. J'aime beaucoup ma femme, et nous avons une famille. Chaque jour, j'essaie d'utiliser la leçon de compassion que Teri m'a enseignée. Je sais maintenant que la compassion, c'est de regarder au dehors, au-delà de soi, et de s'occuper de quelqu'un d'autre. Je n'ai plus besoin de miroirs maintenant.

Michael Clay

9

PARENTS ET AMIS

*Nous sommes en ce monde pour nous entraider
sur le chemin de la vie.*

William J. Bennett

Un Noël à la lasagne

Les choses n'arrivent pas par chance autant qu'on aimerait le croire. On les construit pas à pas, qu'il s'agisse d'amitiés ou d'occasions.

Barbara Bush

Regardant par la fenêtre la blancheur glacée du Michigan, je me suis rendu compte que Tim pourrait être en retard. Peu importe. J'étais déjà prête. J'ai fait un inventaire rapide : le sac rayé rouge et blanc bourré de cadeaux pour maman... le gâteau au chocolat qui seul convenait pour conclure le dîner de dinde annuel... la carafe en verre taillé remplie de noix de cajou... et les trois paquets pour Paul, mon nouveau beau-père de 83 ans depuis deux mois seulement.

Je me suis encore retournée pour surveiller l'arrivée de mon fils. Malgré la neige légère qui tombait, la journée n'avait pas l'air de Noël. Comme il était étrange de célébrer sans mon père.

« Tu devrais passer ton premier Noël chez moi », avais-je suggéré à ma mère. « Ce sera plus facile pour tous. »

Plus facile pour moi. Un peu moins de changement à quoi m'adapter. Depuis mon divorce il y a 14 ans, maman et papa passaient Noël chez moi. Ils vivaient dans une maison mobile dont la cuisine avait la taille d'un timbre, et nous étions tous d'accord que c'était plus facile parce que j'avais le plus d'espace.

Mais papa n'était plus maintenant, et maman m'a gentiment rappelé que ce serait « leur » premier Noël ensemble, à elle et Paul. Ils voulaient le passer à la maison.

« D'ailleurs, Paul veut faire à dîner pour toi et Tim », a-t-elle ajouté.

J'aimais mon nouveau beau-père, c'était un homme bien. Mes parents et lui avaient fréquenté la même église pendant plus de 45 ans. Mais quand huit mois à peine après le décès de mon père, ma mère de 80 ans m'a annoncé qu'elle allait épouser Paul, qu'il soit bien ou non m'importait peu. « C'est trop tôt » est tout ce que je pouvais dire.

J'étais jalouse, me suis-je rendu compte plus tard. Quand j'étais redevenue célibataire, maman et papa avaient contribué à combler le vide émotif, me procurant plus de soutien que je ne le réalisais. Maintenant, l'attention de maman se porterait ailleurs, et je devais la partager avec Paul et ses grands enfants. J'étais heureuse qu'elle ait quelqu'un, mais peut-être un peu amère que nous ne partagions pas notre solitude.

Tim était effectivement en retard. Pour passer le temps, je suis allée au salon regarder l'arbre couvert d'ornements des Noëls passés — des babioles qui n'avaient de valeur que pour moi. Des étoiles de papier que Tim avait fabriquées en première année. La botte de cire rouge du père Noël que papa m'avait donnée lorsque j'étais enfant. Elle avait un trou à l'orteil, car elle avait fondu une fois, placée trop près d'une ampoule.

Je me suis agenouillée pour brancher les lumières. Les minuscules ampoules transparentes semblaient donner vie aux décorations de l'arbre, transformant les babioles sans valeur en souvenirs précieux. Des morceaux de vie, des morceaux de nous. Plus que des ornements, ils étaient l'histoire de la croissance et de l'évolution de notre famille.

« Allô, maman! » Les pas de Tim ont interrompu ma rêverie. Il a passé la tête couverte de neige dans la porte. « Prête? Oublie pas le gâteau au chocolat! »

J'étais soulagée que Tim ait offert de conduire. Le tour-
billonnement blanc rendait la conduite très sérieuse, alors
dans les circonstances, je croyais que mon silence semblait
naturel. Mais Tim m'a jeté un regard : « Qu'est-ce qui ne va
pas, maman? Tu es bizarre. »

« C'est le temps, ai-je bégayé. Je veux seulement te laisser te concentrer sur la conduite. »

Il ne me croyait pas, mais n'a pas insisté.

En tournant le coin de la maison mobile de ma mère, j'ai
établi mon plan de fuite. Même si la neige avait cessé, je
pouvais toujours me servir du mauvais temps comme
excuse pour partir tôt. Mais en entrant dans l'allée fraîchement déneigée, j'ai vu maman et Paul nous faire de grands
signes de la porte de la cuisine, et je me suis sentie penaude
de mes plans.

Maman tenait la porte grande ouverte pour nous tandis
que Paul se tenait prêt à porter les paquets. Une fois à
l'intérieur, nous nous sommes embrassés et réembrassés,
puis avons enlevé nos manteaux. Soudain, j'ai senti quelque
chose de différent de notre dîner de dinde traditionnel.

Observant mes réactions, maman dit vivement : « Je
sais que vous avez toujours mangé de la dinde à Noël, mais
Paul voulait faire quelque chose de spécial, rien que pour
vous. Alors il a fait une lasagne. Ça lui a pris toute la
journée », a-t-elle ajouté fièrement.

Pas de dinde? Mon gâteau au chocolat avec de la
lasagne? Il n'avait pas pris de temps pour changer la tradition.

Nous avons pris place à la petite table de cuisine,
maman à un bout, Paul à l'autre, Tim et moi entre les deux.
La pièce n'était éclairée que par deux bougies blanches que
maman avait placées de chaque côté du plat de lasagne.

Fermant des yeux embués, Paul a souri, puis a étendu
ses larges mains vieillies vers nous pour prier. Ces mains

qui labouraient la terre tiède au printemps, qui avaient confectionné la lasagne devant nous, tremblaient lorsqu'il a commencé...

« Mon Dieu, c'est une dure journée pour Linda et Tim. Mais nous sommes si reconnaissants pour l'amour que nous partageons et pour le fait qu'ils m'acceptent... »

Je ne me souviens de rien d'autre que d'essayer de chasser la masse dans ma gorge, comme je m'agitais sur ma chaise.

Je ne savais absolument pas que Paul était sensible à la situation. Et j'ai eu honte en réalisant que j'étais tellement absorbée par mes propres deuils, passés et présents, que je n'avais pas compris que Paul se préoccupait d'être accueilli dans mon cœur.

La douce lueur des bougies semblait avoir le même effet sur les personnes réunies ici que les lumières de l'arbre avaient eu sur mes ornements usés. J'ai regardé le gâteau au chocolat, la lasagne, la table de cuisine ancienne de ma mère, et les visages aimants m'entourant. Et j'ai su que là où il y a de l'amour, toutes choses se confondent.

Linda LaRocque

Entre deux mondes

À Pillar Point Lighthouse, au sud de San Francisco, où l'océan cède à la terre, je me tenais à l'extrémité de deux mondes. Ce jour-là, mes pensées étaient aussi agitées que la mer martelant implacablement la rive. Je dérivais, déchirée entre les attachements profonds du passé et le besoin pressant de les laisser aller pour toujours. J'étais presque sur le point d'abandonner.

Moi, de nouveau célibataire? Je ne peux pas! Deux mois plus tôt, mon mari avait soudain mis fin à notre mariage. La découverte de nombreuses aventures remontant à bien des années m'avait coupé le souffle. Maintenant, en tant que mère célibataire d'une adolescente et travailleuse, je me sentais accablée. Parfois, je croyais pouvoir y arriver, mais d'autres fois je voulais simplement mourir.

Ce dimanche après-midi-là, Eleanor, une femme que je connaissais à l'église, m'a suggéré d'aller cueillir des mûres sur le bord de la mer. Alors nous avions roulé sur la côte et nous étions arrêtées à cette falaise, pour nous dégourdir et profiter de la vue.

Je ne connaissais pas bien Eleanor, mais elle s'est avérée de bonne compagnie. En regardant la mer en contrebas, elle s'est tournée vers moi et m'a dit : « Les hommes qui trichent et qui brisent leur couple ne valent pas la peine qu'on pleure sur eux. »

Ainsi débuta mon amitié avec Eleanor. J'ai vite découvert qu'à titre de divorcée elle-même, elle était déjà passée par où j'étais — et n'avait pas seulement survécu, mais s'était épanouie.

Dans les mois qui ont suivi, Eleanor m'a appris comment. « Allège-toi. Simplifie », m'a-t-elle dit. J'ai commencé par me débarrasser des meubles lourds que je ne pouvais soulever par moi-même.

« Pourquoi t'accrocher à toutes ces babioles et à ces décorations des fêtes, si elles recèlent des souvenirs si amers? » demanda-t-elle. Alors j'ai organisé une vente de garage pour laisser le champ libre à de nouveaux souvenirs et traditions. J'ai acheté une petite maison à l'autre bout de la ville, et j'ai remplacé le noir et le beige par des motifs floraux colorés. Au lieu de me lamenter parce que ma fille avait choisi de passer ce premier Noël avec son père, j'ai pris une semaine de congé pour aller en Israël.

Lentement, je me suis familiarisée avec les réalités du célibat. Eleanor était toujours là pour moi. Elle m'a laissé les clefs de sa maison pour que je puisse avoir un endroit calme où aller quand elle travaillait, et elle m'a dit que je pouvais téléphoner n'importe quand, jour et nuit. En pensée, je la nommais mon « amie de trois heures du matin ». Quel don elle m'a fait!

J'ai fini par vouloir ce qu'avait Eleanor. Cette sagesse. Cet éclat dans l'œil qui disait que la vie est bonne et que nous sommes ici pour en profiter. Simplement l'observer vivre sa vie de manière fluide, créatrice, m'aidait. Je me disais que, *peut-être un jour, je serais au même endroit qu'elle.*

Même si nos chemins ont bifurqué dans les années suivantes, Eleanor et moi sommes toujours parvenues à reprendre notre amitié là où nous l'avions laissée. À ce jour, j'admire encore comment elle se comporte avec dynamisme à travers les aléas de la vie. Elle sait comment mettre les choses en perspective.

C'est en partie à cause d'Eleanor que j'ai réalisé un rêve particulier. Lorsque je traversais mon tumulte émotif, j'espérais être un jour en mesure d'écrire à ce sujet et ainsi aider d'autres femmes dans la même situation. Inspirée par Eleanor qui avait transformé le passe-temps de la peinture à l'huile en entreprise à domicile, j'ai abandonné une carrière de 30 ans pour devenir rédactrice pigiste.

Un jour, j'assistais à un congrès d'écrivains où une éditrice analysait un article basé sur mon expérience. Au milieu de la séance, elle a éclaté et dit : « Je traverse la même chose en ce moment! »

Elle était manifestement en détresse. Je l'ai enlacée et lui ai affirmé qu'elle s'en sortirait, qu'il y avait un avenir même si elle était incapable de le concevoir en ce moment.

Au cours des mois qui ont suivi, nous sommes restées en contact, puis j'ai pensé qu'elle et moi ferions une équipe d'auteures du tonnerre. La combinaison de mon expérience surmontée et de sa douleur vive nous permettrait d'écrire un livre qui aiderait les femmes dans la même situation. Lorsque je lui ai fait part de mon idée, au téléphone, elle était très enthousiaste, et en disant au revoir, elle a ajouté : « Je veux ravoir mon éclat, l'éclat que je vois dans tes yeux! »

J'ai fermé les yeux un moment en me rendant compte de ce qui s'était passé : j'étais devenue pour ma nouvelle amie ce qu'Eleanor avait toujours été pour moi. Douze ans s'étaient écoulés depuis ce dimanche après-midi où Eleanor et moi nous étions arrêtées au phare. Et maintenant, je savais ce qu'Eleanor devait savoir quand nous regardions la mer frapper le rivage : il y a un endroit où la mer turbulente cède la place à la terre ferme et sèche. Et lorsque vous trouvez cet endroit, vous devenez un signal d'espoir pour les autres qui dérivent encore sur les vagues.

Kari West

Derniers morceaux de vie

Un cœur aimant est toujours jeune.

Proverbe français

Quand j'ai reçu mon diagnostic de sclérose en plaques, le traitement régulier consistait à être hospitalisée pour une série d'injections intraveineuses. Une fois à l'hôpital, j'étais liée par un long tube de caoutchouc qui allait de l'aiguille insérée dans mes veines au support d'acier pour intraveineuse. Ce support était sur roulettes, et l'on me permettait de marcher dans les corridors pour faire de l'exercice. Je traînais mon attirail encombrant avec moi (je surnommais le support Oliver).

En tant que mère de cinq petits enfants, je trouvais que ces séjours à l'hôpital étaient terriblement solitaires. Je m'inquiétais de ne pas être là pour voir mes rejetons grandir, et chaque jour je priais pour que les plus jeunes surtout se souviennent de moi si je n'étais plus. Je détestais l'idée que qui que ce soit d'autre les élève.

Presque chaque matin, je restais dans ma chambre et j'écrivais ce que je ressentais dans un journal destiné à mes enfants. Je voulais noter toutes mes émotions, leur dire dans mes mots à quel point je les aimais. Le reste de la journée, je mettais habituellement ma robe de chambre et je poussais Oliver le long des corridors, cherchant quelqu'un, n'importe qui, qui voulait parler. Souvent j'allais dans la chambre des autres patients, et je me sentais mieux en en sortant, m'étant d'habitude fait un nouvel ami. Assez souvent, après avoir constaté de mes yeux leurs problèmes de santé, les miens semblaient banals en comparaison.

Un jour, prenant ma marche, j'ai vu un homme âgé assis seul au salon des visiteurs. Il était en pyjama, alors je savais que c'était un patient. Il était installé dans une chaise à dos droit, et il avait tiré une petite table près de lui. La table était couverte des nombreuses petites pièces d'un casse-tête qu'il assemblait. En l'observant, il semblait sérieux, très absorbé par sa tâche. Il n'a pas semblé me voir entrer dans la pièce, j'ai donc été surprise lorsqu'il s'est soudain exclamé : « Ne restez pas là! Vous ne voyez pas que j'ai besoin d'aide? » Incapable de songer à une excuse pour refuser, j'ai poussé Oliver vers lui et j'ai pris un autre siège près de la table, en face de lui.

Cet étranger et moi avons commencé à parler. J'ai vite su qu'Al était un enseignant à la retraite, et qu'en fait il avait enseigné à ma mère et à mon mari à l'école. Sa femme avait récemment succombé au cancer, et il était à l'hôpital pour des tests de cancer aussi. Il parlait, et j'écoutais comme il m'expliquait qu'il avait gardé sa femme à la maison, prenant soin d'elle et l'aimant jusqu'à la fin. Puis, nous avons renversé les rôles; je parlais, et Al écoutait comme je déversais toutes mes craintes au sujet de ma maladie. Pour une raison ou une autre, nous nous sommes attachés l'un à l'autre immédiatement, et sommes bientôt devenus les meilleurs amis.

Presque chaque jour après cette rencontre, j'allais au salon, et Al et moi travaillions ensemble à un casse-tête. Étant donné que l'aiguille était plantée dans ma main droite, je devais me servir de la gauche, et je ne crois pas avoir été très utile en ce qui concerne le casse-tête. Mais je tirais une grande satisfaction de savoir que, d'une certaine façon, je remplissais un vide dans le cœur esseulé d'un ami.

Chaque jour, quand le casse-tête était presque terminé, une des dernières pièces manquait! Je m'affolais à la chercher, vérifiant les côtés, les couleurs et les attaches. Quand j'étais sur le point d'abandonner, Al riait et sortait la pièce manquante de sa poche en disant : « N'abandonne jamais! » J'ai commencé à me demander pourquoi il continuait à cacher des pièces même après que j'ai vu clair dans son jeu.

Puis un jour, après avoir retiré une pièce de son jeu, Al eut un regard très sérieux : « Tu sais, a-t-il dit, la vie c'est comme un de ces grands casse-tête ! Tous tes amis, chaque être cher, chaque nouvelle expérience, chaque tragédie et chaque joie constituent une des pièces… Certaines tombent très facilement en place, mais d'autres demandent à être poussées, tordues et tournées pour s'ajuster parfaitement. Finalement, elles s'ajustent toutes et, à ce moment-là, le portrait de ta vie est complet. Mais avant ce moment, au moins une pièce du casse-tête manque. Et, ma jeune amie, jusqu'à ce que tu trouves ce dernier morceau, tu as encore une autre journée à vivre et à chérir. Ne sois pas tellement frustrée s'il manque un segment. Tu vois, quelqu'un de plus grand que nous deux détient cette pièce finale. Quant tu les auras toutes, ta vie sera finie. »

Peu de temps après, Al a quitté l'hôpital avec un bilan de bonne santé, et je suis retournée à la maison dans ma famille. Même si nous communiquions par téléphone, nous ne nous voyions jamais entre mes séjours à l'hôpital. Mais à tout coup, quand je devais y retourner pour d'autres intraveineuses, Al se précipitait à ma chambre, portant une boîte de bonbons et un autre casse-tête. Je lui disais souvent qu'il était un des avantages de ma maladie.

Puis est venu un jour où je suis allée à l'hôpital, et où Al ne s'est jamais montré. J'étais vraiment inquiète. Je savais que quelque chose n'allait pas. Je me sentais comme s'il manquait une des pièces de mon cœur. Après avoir téléphoné partout, j'ai appris qu'il avait eu un accident cérébrovasculaire. Il était dans une maison de repos locale, et il ne pouvait plus parler. Je me sentais impuissante à répondre aux besoins de mon ami.

Dès que j'ai obtenu mon congé de l'hôpital, je suis allée rendre visite à Al. On m'a dit qu'il serait incapable de communiquer avec moi. Mais quand je suis entrée dans sa chambre, ses yeux se sont allumés et il a souri. Je n'avais pas de difficulté à comprendre ce que son cœur disait au mien.

Mon mari avait taillé dans le bois un casse-tête représentant une grosse pomme rouge, dont une pièce était un long ver, pour que je le donne à Al. Quand je le lui ai mis dans les mains, des larmes ont coulé de ses yeux, et il a dit : « Tu. »

C'était le seul son qu'il était capable de produire. Mais ça ne nous a pas empêchés de parler. J'ai appris à faire la différence entre un Tu voulant dire *oui* et un autre qui signifiait *non*, et tout alla bien. Même si cette fois-là j'ai fait le gros du travail, nous assemblions encore des casse-tête à l'occasion, et inévitablement la dernière pièce se trouvait toujours dans la poche de pyjama d'Al.

Peu de temps après être allé à la maison de repos, Al est décédé à 88 ans. Sa vie avait été bien remplie, il avait connu l'amour et le bonheur, et je savais que sa foi en Dieu était grande. Mon ami allait me manquer, mais son départ me donnait un sentiment de sérénité.

Étant donné que je n'avais jamais rencontré sa famille, j'étais un peu mal à l'aise d'aller au salon funéraire lui rendre une dernière visite. Mais dès l'instant où j'y suis entrée, son fils et sa belle-fille se sont précipités pour me faire l'accolade et se présenter. Quand j'ai commencé à expliquer qui j'étais, ils ont dit : « Oh, nous savons qui vous êtes. » Ils m'ont dit qu'Al parlait souvent de moi, et disait à quel point il m'aimait. Quand je leur ai demandé comment ils m'avaient reconnue, ils m'ont dit l'avoir simplement senti.

Je suis allée devant le cercueil dire adieu à mon ami très spécial. Le fils d'Al est venu s'agenouiller près de moi. Après, en nous éloignant, il a fouillé dans sa poche et m'a tendu un petit sac de plastique. Je voyais qu'il contenait les pièces d'un casse-tête. « Papa voulait que je vous remette ça. » Avec les pièces, il y avait une note. Debout près du fils d'Al, je l'ai lue :

Voici mon dernier cadeau pour toi. Tu vas découvrir qu'il manque une des pièces. Je sais que tu n'abandonneras pas tant que tu ne l'auras pas trouvée. Bonne chance, ma jeune amie, parce que je l'emporte avec moi. Un jour, que j'espère très lointain, quand tu me rejoindras au paradis, ta pièce finale y sera. D'ici là, aie une vie magnifique, je t'aimerai de loin... Pour toujours, Al.

J'avais des larmes plein les yeux quand le fils d'Al m'a expliqué que son père avait écrit cette note tout de suite après m'avoir visitée à l'hôpital la dernière fois. Il avait donné le casse-tête et la note à son fils, lui disant de me les remettre s'il mourait en premier. Il avait aussi demandé que la pièce manquante soit placée dans la poche de la veste dans laquelle il allait être enterré, près de son cœur.

J'espère sincèrement que je le reverrai un jour et que nous aurons tous les deux enfin tout assemblé.

Barbara Jeanne Fisher

La transformation

« Puis, qu'est-ce que tu fais à l'Action de grâce? » m'a demandé Stacey, ma coiffeuse, cessant de me crêper les cheveux et me souriant dans le miroir.

Je l'ai regardée, consternée et embarrassée. Pendant quelques minutes, aucune pensée cohérente ne m'est venue. Puis, j'ai essayé de contourner sa question : je lui ai demandé ce qu'elle et sa famille faisaient.

« Oh, toute la famille se réunit chez maman » répondit-elle. Mais elle n'allait pas se laisser distraire si facilement. Elle a demandé de nouveau : « Mais toi et les enfants? »

Sans porte de sortie, j'ai bégayé : « Rien. Nous restons à la maison et nous allons probablement jouer à des jeux. » Des larmes ont piqué mes yeux fatigués quand j'ai avoué la vérité.

Stacey et moi nous regardions dans le miroir, ma coupe de cheveux et ma mise en plis oubliées. Cela avait l'air d'une réponse simple à une question simple, mais à ce moment, tout mon embarras, ma frustration et ma peur semblaient éclater dans une misérable admission : je n'avais pas de festin pour ma famille à l'Action de grâce, je n'avais pas de cercle de soutien familial chaleureux, pas de maison, pas d'emploi, pas de mari ou d'amis sur qui m'appuyer.

Stacey me coiffait depuis quelques années, bien avant le divorce. Elle savait à quel point j'avais travaillé pour sauver un mariage à long terme avec un homme de plus en plus imprévisible. Elle m'observait maintenant apprendre à vivre en parent célibataire, avec une fille s'efforçant de demeurer aux études en travaillant dans une épicerie à temps partiel. Elle savait que mon fils était handicapé et que, même s'il m'offrait patiemment ses encouragements, il nécessitait aussi des soins additionnels.

Elle savait également que mon assurance-emploi tirait à sa fin, et qu'il n'y avait pas de poste d'enseignante en vue. Ce que personne ne savait, c'est que je marchais comme une somnambule dans mes journées, tellement effrayée que j'avais peine à respirer.

Même cette visite à Stacey avait fait l'objet d'une discussion et d'une évaluation prudente, du point de vue financier. Nous avions décidé, mes deux enfants et moi, que je devais donner forme à mes cheveux en bataille pour une entrevue à venir. Nous avions tous trois convenu de ne manger que de la soupe aux légumes maison, notre denrée de tous les jours, à l'Action de grâce.

Les larmes coulaient sur mes joues et ma voix s'étranglait dans ma gorge, j'étais incapable de fuir. Stacey m'a enlacée et a changé de sujet, et je me suis ressaisie. En quittant le salon, mes cheveux étaient magnifiques, mais je me sentais atrocement mal. J'avais besoin de plus qu'une coupe de cheveux.

Stacey a téléphoné d'une cabine publique plus tard dans l'après-midi, me demandant simplement si elle pouvait passer pour une minute. « Je suis dans le quartier et je donne un petit cadeau, vraiment un petit rien, à tous mes clients les jours de fête. » Je l'ai invitée, m'attendant à une marque d'appréciation, une petite bouteille de shampooing ou des savons. J'étais ahurie quand j'ai ouvert la porte !

Stacey et une de ses amies avaient les bras chargés de boîtes de nourriture : une grosse dinde, de la préparation à farce, une citrouille, des croûtes de tarte, des patates douces, des petits pains, du Jell-O — même des serviettes en papier !

Je ne pouvais plus faire semblant. Je me fichais de ce que j'avais l'air. J'avais besoin d'aide, d'amour, de sollicitude et de compassion. Cet acte de générosité a balayé ce qui me restait d'orgueil mal placé, et j'ai éclaté. J'ai sangloté devant Stacey et son amie, et j'ai pleuré après leur départ, longtemps. Mon nez et mes yeux étaient rouge vif; mon visage, un désastre et mes cheveux, une catastrophe.

J'avais une mine horrible. Je me sentais merveilleusement bien. C'était la plus belle transformation que Stacey pouvait me donner.

Maggy Rose McLarty

Le cercle intact

Maman avait dit à papa d'envoyer tous les enfants par avion en Arizona, peu importe le coût. Alors, en février 1994, nous nous sommes envolés de l'Iowa, du Montana, du Kansas, de l'Illinois et de New York vers le lit d'hôpital où maman reposait. Trois ans et demi auparavant, on lui avait diagnostiqué une insuffisance cardiaque. Le pronostic d'alors lui donnait seulement six mois à vivre. Elle était parvenue à faire mentir ces sombres prédictions, mais son heure était maintenant venue.

Bien des années auparavant, étant la cadette et la seule de cinq enfants ne s'étant jamais mariée, j'avais quitté le Midwest pour la côte Est. Ce déménagement avait créé un mur entre ma mère et moi. Elle détestait que je sois si loin de la maison et que j'y reste, et je n'aimais pas qu'elle tente de m'attacher juste comme je commençais à voler de mes propres ailes en tant qu'adulte.

Il était minuit à New York quand j'ai reçu l'appel de mon père à Phoenix. Je ne ressentais que de la terreur. Je devais maintenant faire face au mur entre maman et moi. Et s'il était devenu trop solide pour que nous puissions le percer?

J'ai été la dernière à arriver à l'hôpital. Le reste de la famille était en demi-cercle autour de maman, qui était couchée sous une couverture d'hôpital blanche stérile, aux soins intensifs. Elle a commencé à parler à chacun de ses enfants — deux fils et trois filles — comme si chacun de nous était dans un confessionnal privé avec elle.

Tandis que les autres se penchaient vers elle et que les larmes coulaient sur sa poitrine qui peinait, je me suis excusée pour quelques instants. Je suis sortie dans la cour où les palmiers ployaient doucement sous la chaude brise du désert. Mon cœur se retournait dans ma poitrine, luttant avec de vieux conflits de pardon et de ressentiment. Je savais que je devais retourner à l'intérieur, même si j'en étais malade.

Tous les regards se sont tournés vers moi quand je suis entrée dans la chambre de maman. En approchant de son lit, j'ai pris une grande respiration. Je me sentais étourdie et faible, craignant qu'à nos derniers moments ensemble, les mots qui devaient être dits ne puissent sortir.

« Maman, je suis désolée de t'avoir blessée en allant à New York et en... en... en y restant. Peux-tu me pardonner? Je ne voulais pas te faire de mal. »

Mes frères et sœurs m'ont regardée, puis elle, puis moi de nouveau.

« Maman, dit Paula, Laurie voulait seulement vivre sa vie. Elle ne voulait pas te faire de mal. »

Maman me regarda de ses yeux bleus jadis fougueux, qui s'embuaient présentement de douleur.

« Oui, ça m'a blessée, mais je te pardonne », a-t-elle dit à voix basse mais ferme.

Nous avions toutes deux dit les bonnes paroles, mais je me sentais encore comme si une pierre m'alourdissait le cœur, et que les choses n'étaient pas complètement résolues.

Le lendemain soir, un samedi, nous nous sommes tous réunis autour de son lit de nouveau. Nous sentions que son décès était imminent. Nous avons prié et joint nos mains en chantant « Amazing Grace » et d'autres cantiques.

À ce moment-là, Maman a regardé en direction du coin droit de la chambre, passé le téléviseur fixé au mur. Elle semblait contempler les cieux, et un calme détaché de ce monde se dégageait d'elle.

« Les entendez-vous? » a-t-elle demandé d'une voix frêle.

« Est-ce qu'on entend quoi, maman? » avons-nous demandé à l'unisson.

« Les cloches, les cloches. Elles sonnent », chuchota-t-elle, et elle fit mine de se pencher vers l'avant.

Nous sentions son âme nous quitter, et Brian a dit : « Maman, tu peux t'en aller maintenant, nous sommes prêts à te laisser partir. »

Elle a alors fermé les yeux, a soupiré et s'est renfoncée dans les couvertures. Nous savions qu'elle était encore avec nous.

J'étais reconnaissante qu'elle ait choisi de rester encore un peu. Nous savions toutes deux que nous n'avions pas fini.

Très tôt le dimanche matin, papa et moi étions à son chevet, près de la fenêtre donnant sur l'est. Le soleil entrait à flots, luisant sur la couverture blanche fraîchement lessivée.

J'avais ma Bible, et j'ai demandé à maman si elle aimerait que je lui en lise un passage.

« Non », a-t-elle dit, déterminée. « Il faut que je dise d'abord quelque chose. » Et avec ces mots qui résonnent encore dans mon cœur, elle a poursuivi : « Paul, je veux être enterrée dans cette robe gris-bleu que tu aimes tant sur moi. Et Laurie, je veux que tu aies mon alliance et celle de ma mère. »

Mon cœur s'est mis à débattre. Je regardais ma mère couchée, là, immobile. Ses yeux se sont fermés puis réouverts. Elle a regardé de l'autre côté de la chambre, puis de nouveau vers moi brièvement.

« Tu es la seule qui n'est pas mariée, et je veux que tu aies ces anneaux. »

J'ai appuyé ma tête sur sa poitrine et j'ai pleuré.

Maman avait tout arrangé. Elle me donnait les anneaux qu'elle possédait pour la vie, et ils seraient les symboles éternels du cercle intact de l'amour qui existe entre une mère et sa fille — un amour que rien ne peut briser, ni l'incompréhension, ni le ressentiment, ni le manque de pardon, ni même la mort.

Pour la première fois depuis des années, la lourdeur s'est soulevée de mon cœur. J'ai vu l'alliance de maman briller dans le soleil qui inondait maintenant la chambre. Dehors, les palmiers ondoyaient, tendus vers le ciel bleu du paradis.

Laurie L. Oswald

Que ça brille

Il n'est personne qui ne devienne poète quand de lui l'amour s'est emparé.

Platon

Ils se sont assis ensemble sur les marches de la véranda, si près l'un de l'autre que leur ombre dans la lune ne faisait qu'un bloc d'obscurité contre le bois usé. Demain, c'était les noces, avec toute l'effervescence et la confusion, les larmes et les rires. Il n'y aurait pas d'intimité alors. Mais cette heure de calme était la leur.

Elle dit : « C'est paisible, non? » Elle regardait les nuages majestueux courir au-dessus de leurs têtes et disparaître dans la mer d'argent. Il l'observait et se disait que jamais elle n'avait été aussi belle.

Le vent soufflait, les vagues soupiraient sur le sable. « Tu sais, dit-elle, je me suis toujours demandé comment je me sentirais la veille de mes noces. Effrayée ou excitée ou incertaine ou quoi. »

« Tu n'es pas effrayée, n'est-ce pas? »

« Oh non », fit-elle rapidement. Elle lui serra le bras et enfouit son visage contre son épaule, à sa manière impulsive. « Un peu solennelle, peut-être. Solennelle et gaie, et jeune et vieille, et heureuse et triste. Sais-tu ce que je veux dire? »

« Oui, dit-il, je sais. »

« Je suppose que c'est l'amour qui fait ça. Cette vieille chose. On n'en a jamais beaucoup parlé, nous deux, de l'amour même, je veux dire. »

Il sourit. « On n'a jamais eu besoin. »

« J'aimerais ça en parler maintenant, je pense, dit-elle. Ça te fait rien? J'aimerais essayer de te dire ce que je ressens, avant que demain... soit là. »

« Est-ce que ça va être différent après demain? »

« Non, mais je ne serai peut-être pas capable d'en parler à ce moment-là. Ça peut descendre quelque part loin en dedans, sous le niveau de la parole. »

« Très bien, dit-il. Parle-moi de l'amour. »

Elle regarda un nuage s'effilocher sur la lune. « Eh bien, pour moi, dit-elle, c'est quelque chose qui brille, comme un feu d'or ou un brouillard d'argent. Ça vient très doucement, on ne peut le commander, mais on ne peut non plus le nier. Quand il vient, on ne peut ni le voir ni le toucher, mais on peut le sentir — à l'intérieur de soi, autour de soi et de la personne aimée. Ça te change, ça change tout. Les couleurs sont plus vives, la musique est plus belle, les blagues sont plus drôles. La conversation ordinaire ne suffit plus, tu essaies de trouver de meilleures façons d'exprimer ce que tu ressens. Tu lis de la poésie. Peut-être même tentes-tu d'en écrire... »

Elle s'adossa, entourant ses genoux de ses bras, le clair de lune illuminant son visage radieux.

« Oh! C'est tellement tout plein de petites choses. Valser dans le noir, attendre que le téléphone sonne, ouvrir un envoi de fleurs. C'est se tenir la main au cinéma, fredonner un air triste, marcher sous la pluie, se balader en décapotable, le vent dans les cheveux. C'est se disputer et se réconcilier. C'est cette première pensée heureuse engourdie du matin et le dernier baiser le soir... »

Elle s'arrêta soudain et lui jeta un regard désolé : « Mais tout ça a déjà été dit, non? »

« Même si ça l'a été, dit-il gentiment, ça n'en est pas moins vrai. »

« Je suis sans doute simplement ridicule, dit-elle, hésitante. Est-ce que c'est comme ça que l'amour te semble ? »

Il n'a pas répondu tout de suite. Puis, il a dit : « J'ajouterais peut-être un peu à ta définition. »

« Tu veux dire que tu ne la changerais pas ? »

« Non, seulement y ajouter. »

Elle posa son menton dans ses mains. « Vas-y, je t'écoute. »

Il sortit la pipe qu'elle lui avait donnée et en frotta le grain doux contre sa joue. « Tu as dit que c'était une foule de petites choses. Tu as raison. Je pourrais en mentionner quelques-unes qui n'ont guère de brillant. Mais elles ont une importance qui grandit... »

Elle regarda ses doigts fins commencer à bourrer la pipe. « Donne-moi des exemples », dit-elle.

« Oh, rentrer à la maison où quelqu'un t'attend à la fin de la journée — ou attendre quelqu'un qui revient à la maison vers toi. Donner ou recevoir un éloge sans raison. Partager une blague que personne d'autre ne comprend. Planter un arbre ensemble et le regarder pousser. Rester debout pour un enfant malade. Se souvenir des anniversaires — est-ce que c'est terriblement ennuyeux ? »

Elle ne dit rien et secoua la tête.

« Tout ce que tu as mentionné en fait partie, continua-t-il, mais ce n'est pas toujours glorieux, tu sais. C'est aussi partager la déception et le chagrin. C'est aller chasser le dragon, puis trouver que le dragon est trop pour toi et t'enfuir — mais y retourner le lendemain. Ce sont les miettes de tolérance que tu réussis à soustraire au granit de ton ego : ne pas dire "je te l'avais bien dit", ne pas remarquer que le pare-chocs de la voiture familiale est enfoncé. C'est l'acceptation graduelle des limites — les tiennes et celles des autres. C'est laisser tomber quelques-unes de tes ambitions pour les inculquer à tes enfants... » Sa voix s'éteignit dans la nuit qui écoutait.

« Est-ce que tu parles de vivre ou d'aimer? » demanda-t-elle finalement.

« Tu vas découvrir que l'un va difficilement sans l'autre. »

« Quand... quand as-tu appris ça? »

« Ça fait un bout de temps. Avant que ta mère meure. » Il toucha ses cheveux brillants. « Tu ferais mieux d'aller au lit maintenant, chérie. Demain, c'est ton grand jour. »

Elle se colla à lui soudainement. « Oh, papa, tu vas tellement me manquer! »

« Mais non, dit-il, je vais te voir tout le temps. Vas-y maintenant. »

Après son départ, il est resté là longtemps, seul dans le clair de lune.

Arthur Gordon
Recueilli par Linda Ringo

Tourner la page

Un ami, c'est l'espérance du cœur.

Ralph Waldo Emerson

J'ai rencontré Jeanne la première fois un jour de déménagement. Elle est apparue après que les meubles ont été déchargés, avec des brownies dans les mains pour m'accueillir dans le quartier. Elle avait quelque chose qui m'a plu instantanément : son attitude, son enthousiasme pour la vie.

Récemment redevenue célibataire, j'étais obligée de quitter la maison de campagne de mes rêves et d'emménager dans un petit duplex en ville, et j'avais le moral aussi haut que le gazon. Je détestais le mot « individuel ». Il s'appliquait aux tranches de fromage ou à ces vieux disques que je collectionnais à mon adolescence. Le célibat était un mystère à résoudre avant de changer de canal, certainement pas un mode de vie à se prévaloir pour longtemps.

Mais Jeanne s'en tirait bien, et son entrain était contagieux. Elle m'a initiée au camping, au vélo de montagne et aux marathons de Scrabble du samedi soir. Nous aimions les mêmes films, lisions le même genre de livres et nous moquions des mêmes choses. Plus je me tenais avec elle, plus je riais et moins je songeais au passé qui m'avait blessée et volée. Elle est devenue la sœur que je n'ai jamais eue, mon acolyte.

Le célibat n'était pas si mal, après tout. En fait, j'étais satisfaite. Mes enfants ont cessé de se rebeller, j'avais un bon emploi, une tâche auprès des célibataires de mon église et une meilleure amie qui m'inspirait à vivre chaque jour reconnaissante de mes bienfaits.

Puis, c'est arrivé. J'ai rencontré Carl. Je n'avais pas prévu devenir amoureuse, mais je savais, après dix ans de célibat, qu'il était l'homme pour moi. J'ai prié pour que Jeanne trouve un mari, de sorte que nous puissions faire la transition ensemble, mais ce ne fut pas le cas. Elle partageait mes espoirs et mes rêves, et m'a aidée à organiser mon mariage, mais je pouvais voir sa blessure comme elle se préparait à voler en solo.

La fin de semaine avant mes noces, elle m'a enlevée pour une escapade en montagne, notre dernière balade de sœurs célibataires. Assises devant le feu, regardant les cimes enneigées, nous avons finalement versé des pleurs. Je lui ai dit à quel point c'était doux-amer pour moi, que je ne pouvais entreprendre ma nouvelle vie avec Carl sans une pointe de tristesse. Personne d'autre que nous ne pouvait comprendre que, même si notre amitié demeurait profonde et loyale, elle ne serait plus jamais tout à fait la même. Elle ne ferait plus un saut chez moi en pyjama, ou ne me téléphonerait plus à cinq heures du matin, ou ne planifierait plus une partie de cartes à la dernière minute en me laissant un message pour me dire à quelle heure y être.

Clore un chapitre de sa vie n'est jamais facile. Toutes ces années où j'avais aspiré à me remarier, je ne m'étais jamais imaginé qu'une telle douleur accompagnerait cette éventualité. Il était étrange qu'une partie de ma vie que j'avais rejetée avec mépris me soit devenue si chère. Mais il était temps de tourner la page.

La veille de me présenter à l'autel de nouveau, j'ai écrit à Jeanne une longue lettre remémorant toutes les choses spéciales que nous avons faites ensemble. Je lui disais aussi qu'elle serait toujours ma meilleure amie et qu'elle avait une place dans mon cœur que personne, pas même mon mari, ne pouvait lui enlever. La vie a ses saisons, et nous devons changer avec elles du mieux que nous pouvons.

Ça fait quatre ans maintenant, et Jeanne n'a pas trouvé de compagnon idéal, mais elle n'est pas assise à attendre. Elle a fait une excursion de missionnaire aux Philippines. Elle fait en sorte que chaque jour compte, et me motive à en faire autant.

Nous devons faire plus d'efforts pour rester près l'une de l'autre maintenant, mais Jeanne ne se sent plus mal à l'aise d'arriver à l'improviste pour une partie de Scrabble. Carl sourit toujours et passe à son bureau. J'installe le jeu tandis que Jeanne glisse les pieds dans ses pantoufles. La soirée va être longue.

Jan Coleman

Un cercle parfait

Redevenir célibataire a été un des grands chocs de ma vie. Je n'étais mariée que depuis deux ans. Dans l'intervalle, on m'avait diagnostiqué un cancer de la thyroïde. Après deux opérations, il fallait encore un an avant que je ne puisse parler et conduire de nouveau. Je savais que mon couple connaissait des difficultés, mais j'étais trop faible et trop malade pour savoir quoi faire.

Mon mariage a pris fin à midi, un samedi d'octobre. Une amie m'avait emmenée en balade voir les feuilles, et quand je suis revenue à la maison, il y avait une note sur la table de la cuisine. Mon mari avait pris ses affaires et était parti, et j'étais de nouveau célibataire.

J'ai immédiatement pris la mesure de mon impuissance. Je ne pouvais même pas téléphoner à ma famille pour leur dire ce qui était arrivé. Je n'avais ni revenu ni moyen de me déplacer. Je ne me sentais pas prête à être célibataire. J'avais oublié ce que c'était que d'être seule, et il fallait que je réapprenne à fonctionner par moi-même.

J'avais rencontré mes voisins âgés d'à côté, Pete et Floye Hull, et je les aimais beaucoup, mais je n'avais aucune idée que nous deviendrions très intimes. Du moment où ils ont su que j'étais seule, ils ont tout fait pour prendre soin de moi comme si j'étais leur. Floye cuisinait mes plats favoris et me téléphonait tous les jours. Pete attrapait des souris au milieu de la nuit, sortait mes ordures tous les mercredis matin et réparait tout ce qui se brisait dans ma maison. Le téléphone sonnait, et Floye me disait : « On vient de faire du maïs soufflé, et Pete va t'en apporter » ou « Mets ton manteau, on va aller voir les lumières de Noël ». Pete et Floye m'ont non seulement permis de passer à travers cette année-là, mais ils ont réussi à la rendre agréable.

Graduellement, ma voix est revenue, et j'étais capable de conduire sur des distances de plus en plus longues. Je me suis adaptée à être seule, et j'ai commencé à m'amuser de nouveau. Il était bon de n'avoir de compte à rendre à personne et de faire ce qui me plaisait. Même si j'allais mieux, Pete, Floye et moi étions devenus comme une famille, et nous faisions souvent des choses ensemble. Je me suis rendu compte que je m'étais sentie plus seule dans mon mariage malheureux que célibataire. C'était une merveilleuse période impulsive de ma vie, et je ne pouvais imaginer renoncer à cette nouvelle liberté pour qui que ce soit.

Quand Pete a eu une crise cardiaque, j'ai conduit Floye à l'hôpital. Le cœur me débattait quand le médecin a dit qu'il ne se rétablirait pas. Après 64 ans de mariage, je ne savais pas comment Floye pouvait encaisser ce coup terrible. J'ai demandé à voir Pete seule un moment. Il était inconscient mais très agité. Je croyais qu'il pouvait m'entendre, et je voulais désespérément apaiser son esprit. Je lui ai répété à maintes reprises à haute voix de ne pas s'inquiéter, que je prendrais soin de Floye comme ils avaient pris soin de moi. Après que je lui ai parlé, il a semblé se calmer. Pete est mort le lendemain matin, et je me suis engagée à tenir ma promesse.

Floye et moi faisions équipe désormais. Nous étions toutes deux célibataires de nouveau. Je me suis renseignée sur les appareils auditifs et les gouttes ophtalmiques, et j'ai essayé de la conduire partout où elle voulait aller. La période consécutive au décès de Pete a été excessivement dure pour elle. Je ne sais pas comment elle s'en est sortie, mais quelque chose la raccrochait à la vie. Floye était instinctivement douée pour le bonheur. Quelle que soit la situation, elle trouvait à en profiter ou à en rire. À 86 ans, elle m'a fait passer en voiture près de la maison de son petit ami du secondaire, nous allions déjeuner dehors, et nous discutions de notre philosophie sur les hommes, le mariage et la vie. Mais Pete lui manquait toujours. Je me sentais souvent comme s'il était là à l'attendre, mais je n'en ai jamais parlé à personne.

Un an et demi après le décès de Pete, j'ai rencontré mon futur mari. Je n'avais pas l'intention de me remarier, mais Floye a remarqué cet homme dès le début. Elle me demandait sans arrêt à quel point il me plaisait, et si je croyais lui plaire. Je n'étais pas prête à admettre qu'il me faisait quoi que ce soit, mais, dès le départ, Floye semblait savoir quelque chose sur la relation que j'ignorais. Elle n'était pas le moins du monde surprise quand, quelques mois plus tard, je lui ai appris que nous allions nous marier.

Elle était radieuse le jour de nos noces, et elle semblait aimer Sam autant que moi. Il réparait les choses pour elle et sortait ses ordures. Un matin, après que Sam est allé chez elle changer une ampoule, il m'a dit : « Je n'ai jamais connu Pete, mais je viens d'avoir l'impression très nette qu'il est là avec Floye. » Cet après-midi-là, nous étions au travail quand Floye a été conduite d'urgence à l'hôpital. Nous y sommes allés dès que nous avons su.

Sam et moi étions tous deux à son chevet, lui tenant les mains, quand elle est morte. C'était seulement un an après notre mariage. Nous espérions de tout cœur qu'elle se trouvait maintenant avec Pete.

Lorsque je me remémore ces huit années difficiles mais précieuses, je peux voir que la vie peut prendre un peu de tout. Parfois, l'on danse avec un partenaire, parfois l'on danse seul. Mais l'important, c'est de continuer à danser.

Meredith Hodges

À propos des auteurs

Jack Canfield

Jack Canfield est un auteur à succès qui a publié plus de vingt-trois titres, y compris neuf best-sellers du *New York Times*. En 1998, *USA Today* a déclaré que Jack Canfield et son auteur associé, Mark Victor Hansen, ont vendu plus de livres l'année précédente que tout autre auteur aux États-Unis. Jack et Mark tiennent également une chronique *Chicken Soup for the Soul* dans les journaux affiliés par l'intermédiaire de King Features, et une chronique hebdomadaire dans le magazine *Woman's World*.

Jack est auteur et narrateur de plusieurs audiocassettes et vidéocassettes à succès, dont *Self-Esteem and Peak Performance, How to Build High Self-Esteem* et *The STAR Program*. Il participe régulièrement à des émissions de radio et de télévision, à titre d'expert, et a publié en tout vingt-sept livres, tous des best-sellers dans leurs catégories, notamment vingt-deux livres de *Chicken Soup for the Soul, The Aladdin Factor, Heart at Work, 100 Ways to Build Self-Concept in the Classroom* et *Dare to Win*.

Jack donne des conférences pour quelque soixante-quinze groupes chaque année. Ses clients comprennent des écoles et des conseils scolaires des cinquante États, plus d'une centaine d'associations scolaires dont l'American School Counselors Association et Californians for a Drug Free Youth ainsi que des sociétés comme AT&T, Campbell Soup, Clairol, Domino's Pizza, GE, New England Telephone, Re/Max, Sunkist, Supercuts et Virgin Records.

Tous les ans, Jack organise un programme de formation de sept jours portant sur le développement de l'estime de soi et sur l'atteinte du rendement maximum dans tous les domaines. Le programme attire des éducateurs, des conseillers, des formateurs du rôle de parent, des formateurs en entreprise, des conférenciers professionnels, des ministres du culte, des travailleurs auprès des jeunes et d'autres parties intéressées.

Mark Victor Hansen

Mark Victor Hansen est un conférencier professionnel qui, en quelque vingt ans, a prononcé plus de quatre mille conférences devant deux millions de gens dans trente-deux pays. Ses conférences portent sur l'excellence et les stratégies de vente, la prise en charge et le perfectionnement personnels ainsi que la recette pour tripler son revenu et doubler ses loisirs.

Mark consacre sa vie à sa mission : apporter des changements profonds et constructifs dans la vie des gens. Toute sa carrière, il a incité des centaines de milliers de gens à se bâtir un avenir meilleur et utile, tout en stimulant la vente de biens et services d'une valeur de milliards de dollars.

Des nombreux titres dont il est l'auteur, citons *Future Diary, How to Achieve Total Prosperity* et *The Miracle of Tithing*. Il est coauteur de la série *Chicken Soup for the Soul*, de *Dare to Win* et de *The Aladdin Factor* (tous avec Jack Canfield) ainsi que de *The Master Motivator* (avec Joe Batten).

Il a également produit une collection complète d'audiocassettes et de vidéocassettes sur la prise en charge de soi qui ont permis à ses auditeurs de reconnaître et d'utiliser toutes leurs ressources dans leur vie professionnelle et privée. Son message en a fait une personnalité connue de la radio et de la télévision, entre autres sur ABC, NBC, CBS, HBO, PBS, CNN, Prime Time Country, Crook & Chase et TNN News. Il a également fait la page de couverture de nombreux magazines, notamment *Success, Entrepreneur* et *Changes*.

Mark est un homme d'envergure, à l'image de son cœur et de son esprit, une inspiration pour tous ceux qui cherchent à s'améliorer.

Jennifer Read Hawthorne

Jennifer Read Hawthorne est coauteure des best-sellers numéro un du *New York Times, Chicken Soup for the Woman's Soul* et *Chicken Soup for the Mother's Soul* ainsi que du best-seller *A Second Chicken Soup for the Woman's Soul*. Présentement à l'œuvre sur de prochains livres de la série *Chicken Soup for the Soul*, elle donne aussi des conférences *Chicken Soup for the Soul* de par le monde, où elle partage des histoires inspirantes d'amour et d'espoir, de courage et de rêves.

Jennifer a une réputation de conférencière dynamique et perspicace, dotée d'un grand sens de l'humour et d'un talent de conteuse. Dès son jeune âge, elle a développé un amour de la langue, encouragé par ses parents. Elle attribue son talent de conteuse à ce que lui a légué son père décédé, Brooks Read, un maître conteur reconnu dont les histoires originales de Brer Rabbit ont bercé son enfance de la magie et du pouvoir des mots.

Comme bénévole au sein des Peace Corps enseignant l'anglais langue seconde en Afrique occidentale, Jennifer a découvert l'universalité des histoires pour enseigner aux gens, les émouvoir, élever leur esprit et les relier. Ses conférences *Chicken Soup for the Soul* font rire et pleurer l'auditoire; nombre de gens affirment que leur vie a connu un changement favorable après l'avoir entendue.

Elle est cofondatrice de The Esteem Group, une entreprise qui se spécialise dans les programmes d'estime de soi et d'inspiration destinés aux femmes. Conférencière professionnelle depuis 1975, elle s'est adressée à des milliers de gens dans le monde entier à propos de la croissance personnelle, de l'autoperfectionnement et de la réussite professionnelle. Elle compte parmi ses clients des associations professionnelles, des entreprises Fortune 500 ainsi que des organisations d'État et scolaires, comme AT&T, Delta Airlines, National Association of Home Builders, American Society of Travel Agents, Avon, Hallmark Cards, American Business Women's Association et Sales and Marketing Executive of Topeka.

Jennifer est née à Baton Rouge, en Louisiane, où elle a obtenu un diplôme en journalisme de la Louisiana State University. Elle vit à Fairfield, Iowa, avec son mari, Dan, et les enfants de celui-ci, Amy et William.

Marci Shimoff

Marci Shimoff est coauteure des best-sellers numéro un du *New York Times, Chicken Soup for the Woman's Soul* et *Chicken Soup for the Mother's Soul* ainsi que du best-seller *A Second Chicken Soup for the Woman's Soul*. C'est une conférencière professionnelle émérite qui, au cours des dix-sept dernières années, a inspiré des milliers de gens par son message de croissance personnelle et professionnelle. Depuis 1994, elle se spécialise dans les conférences *Chicken Soup for the Soul* qu'elle donne à des auditoires du monde entier.

Marci est cofondatrice et présidente de The Esteem Group, une entreprise qui offre aux femmes des programmes d'estime de soi et d'inspiration. Elle a été conférencière vedette de nombre d'organismes professionnels, d'universités, d'associations de femmes, d'organisations de soins de santé et d'entreprises Fortune 500. La liste de ses clients comprend AT&T, American Airlines, Sears, Junior League, The Pampered Chef, Jazzercise et Bristol-Myers Squibb. Son public apprécie son humour vivant, son débit dynamique et sa capacité d'ouvrir les cœurs et d'élever les esprits.

Le style énergique de Marci se combine avec ses connaissances étendues. Elle a obtenu une maîtrise en administration de UCLA. Elle a également étudié un an aux États-Unis et en Europe pour obtenir un certificat supérieur de conseillère en gestion de stress. Depuis 1989, Marci étudie l'estime de soi avec Jack Canfield, et a collaboré au programme de formation de ce dernier destiné aux professionnels.

En 1983, Marci a été la coauteure d'une étude très appréciée sur les cinquante principales femmes d'affaires aux États-Unis. Depuis ce temps, elle se spécialise dans les conférences destinées aux femmes, pour les aider à découvrir l'extraordinaire en elles.

Parmi tous les projets auxquels a collaboré Marci durant sa carrière, aucun n'a été aussi satisfaisant que la création des livres *Chicken Soup for the Soul*. Présentement à l'œuvre sur de prochains livres de la série *Chicken Soup for the Soul*, elle se sent privilégiée d'avoir la possibilité de toucher le cœur et de remonter le moral de millions de gens dans le monde entier.

Autorisations

Nous aimerions remercier les personnes et les éditeurs suivants de nous avoir permis de reproduire le matériel suivant. (Remarque : Les histoires dont l'auteur est anonyme, qui sont du domaine public ou qui ont été écrites par Jack Canfield, Mark Victor Hansen, Jennifer Read Hawthorne ou Marci Shimoff ne sont pas incluses dans cette liste.)

Déja parus dans la collection

1er bol

2e bol

3e bol

4e bol

5e bol

Survivant

Femme

Mère

Chrétiens

Travail

Ami des bêtes

Golfeur

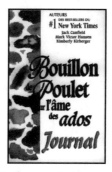

Ados

Ados – journal

Enfant

Couple

Concentré
FORMAT POCHE

Tasse
FORMAT POCHE

Série Ados

Relations amoureuses chez les ados

Courrier du cœur

L'amour est un sentiment for-midable. Voir quelqu'un avec des yeux amoureux est une des plus belles expériences que tu puisses vivre. Et lors-que l'autre te regarde aussi avec ce je-ne-sais-quoi dans les yeux, c'est comme trouver le paradis sur terre.

Le but de ce livre est de t'aider à profiter de l'amour lorsqu'il est là et à lâcher prise lorsqu'il n'est plus là. J'espère aussi qu'il te permettra de vivre une relation amoureuse faite de simplicité, d'hon-nêteté et, surtout de plaisir. Chaque relation amoureuse est une occasion d'apprendre et de grandir.

L'amour est un long voyage... Profites-en...

KIMBERLY KIRBERGER